백치 아벨라

I

백치 아벨라

박승아 장편소설

I

D&C BOOKS

contents

Chapter 0 7

Chapter 1 13

Chapter 2 83

Chapter 3 129

Chapter 4 181

Chapter 5 207

Chapter 6 285

Chapter 7 341

Chapter 8 353

Chapter 9 431

Chapter 10 469

Chapter 0.

Chapter 0.

아벨라는 무표정한 얼굴로 푹신한 소파에 앉아 정면을 바라보았다. 이내 시종이 다가와 무릎을 꿇은 채, 잘 마감된 흑단나무 서류대를 들어 올렸다. 서류대엔 종이 한 장만 놓여 있었다. 그 종이에는 큼지막한 글씨로 이렇게 쓰여 있었다.

[결혼 계약서]

계약서의 내용은 읽을 필요도 없었다. 아벨라는 지루하게 시선을 내려, 신랑의 이름이 적힌 부분을 보았다.

[펠리체 단 카셀란]

이게 내 남편이란 말이지.

신랑의 사인은 있지만, 신랑은 보이지도 않았다. 하긴, 사실 올 필요도 없었다. 이 결혼은 형식일 뿐이니까. 아벨라가 이곳에 자신의 이름을 적기만 하면 성혼은 이루어진다.

맙소사, 유부녀라니. 자신도 모르게 착잡한 기분에 사로잡혀 있는데 시종은 재촉이라도 하는 양 아벨라의 코앞에 펜을 내밀었다. 미적대던 아벨라는 마지못해 펜을 쥐었다.

일단 쥐기는 했지만 망설임은 여전했다. 정말 이곳에 사인해도 되는 걸까? 아벨라가 펜을 든 채 머뭇거리는 순간이었다. 아벨라의 옆에 시립해 있던 여성이 아벨라의 마음을 읽기라도 한 양 궁내부장에게 고개를 똑바로 들고 질문했다.

"황자께서는 이곳에 오시지 않나요?"

그녀는 시녀 베티, 아벨라에게 큰 도움을 주는 존재다.

그러고 보니 저 사람 이름이 뭐였지? 방금 들었는데. 빈델이라고 말했던 기억이 나는 것도 같고. 어쨌든 빈델 궁내부장은 대답하기 전 다시 한번 깊숙이 허리를 숙였다.

"그렇습니다. 황자 저하께서는 몸 상태가 좋지 않으시어, 궁 밖으로 외래 진료를 나가실 때를 제외하면 주로 궁에서 요양을 하십니다. 아무래도 전신에 화상을 입으셨으니까요."

지나친 공손함이다. 허리를 깊숙이 숙이는 게, 도리어 비꼬는 것처럼 보였다. 게다가 '전신에 화상을 입으셨으니까요'라는 부분을 유난히 강조하는 것처럼 들린다. 착각일까?

어쨌든 마음에 안 드는 놈이다. 이름은 반드시 기억해 두겠어, 빈델.

그때였다. 베티가 제 옆에 다가와 무릎을 꿇고 앉아 자신과 눈을 맞췄다. 입고 있는 검은 비로드 옷은 수수하고 단정했다.

"아씨."

베티는 빙그레 미소까지 띤 채 그녀를 바라보고 있었다.

"이곳에다가 이름 쓰시는 거예요. 이름 쓰실 줄 알죠?"

네 살짜리 아이에게 설명해 주는 듯한 말투였다. 마치 아벨라가 이런 과정을 모를 거라고 여기는 듯 지나치게 친절하고 자세한 설명이다.

베티가 왜 이러는지 이해한다. 베티는 모두에게 보란 듯이 연기 중이었다. 왜냐하면 이 방에 있는 사람 모두는 이 아벨라를 바보 천치로 알고 있으니까.

아니, 이 방에 있는 사람뿐만이 아니라 사실 세상 전체에 그녀는 백치로 알려져 있다. 그리고 실제로 3일 전까지만 하더라도 아벨라는 백치였다. 아빠, 아벨라, 베티, 밥 네 단어 이외엔 아무것도 모르는 백치.

하지만…….

지금의 아벨라는 사람들이 알고 있는 백치가 아니었다. 정확히는 아벨라의 몸에 '들어 있는' 자신이 백치가 아니다. 원래 이름은 강서경, 바로 한 달 전만 해도 자신은 한국에서 학원 강사를 하고 있었다.

아벨라는 베티를 잠시 바라보다 펜을 들어 그녀가 손짓해 주는 곳에 얌전히 자신의 이름을 적어 넣었다. 어이쿠, 대단한 악필이군.

한번 선을 긋자마자 아벨라는 속으로 혀를 찼다. 필기도구를 쥐어 본 적도 없는지 펜을 제대로 쥐기조차 힘들었다.

그녀가 힘들게 이름을 쓰자마자 궁내부장은 아벨라가 사인을 마친 서류를 돌돌 말아 갈무리해 또 다른 시종이 들고 있던 쟁반에 올려놓았다. 시종은 공손히 허리를 숙이고 쟁반을 머리 위로 받쳐 든 채 종종걸음으로 사라졌다.

궁내부장은 그녀를 바라보며 다시 허리를 깊숙이 숙였다.

"제국의 수호룡인 백금 카셀란의 이름으로, 두 분의 성혼이 이루어졌음을 엄숙한 마음으로 확인하였습니다. 마음 깊이 경하드립니다."

그리고 그게 끝이었다.

사인 하나로 유부녀가 된 순간이었다. 이게 대체 어떻게 된 건지, 사실은 그녀조차 알 수 없었다.

다만 아는 게 있다면, 그 3일 전에 모든 일이 시작되었다는 것뿐.

Chapter 1

Chapter 1

3일 전.

햇살이 찬란한 아침, 서경은 일어났다.

"……헉!"

크게 헛숨을 들이켜며 벌떡 일어난 서경은 얼이 빠진 듯 주변을 둘러보았다. 잠깐만, 내가…… 일어났다고? 멀쩡하게?

그럴 리가.

자신이 생각하는 마지막 기억은 분명히 삼성역 대로 앞, 차가운 아스팔트 바닥이었다. 직장이었던 학원에서 자료 연구를 하다가 퇴근하던 때, 택시를 잡기 위해 대로변을 서성이다가 트럭에 치였다.

그런데 살아 있다. 서경은 손을 제 코밑에 대어 보기도 하고, 두 손을 살펴보기도 했다. 멀쩡했다. 피부가 좀 하얘진 것 같지만 놀라서 핏기가 가셨기 때문일지도 모르지.

서경은 당황한 채로 주변을 둘러보았다.

“여기는 또 어디야.”

자신은 분명히 아스팔트 위에서 정신을 잃었는데, 이곳은 완전히 다른 공간이었다. 손에 닿는 감촉은 딱딱하고 차가운 바닥이 아닌, 주름이 잡혀 있는 순백의 면이다. 손에 감기는 느낌이 지나치게 부드러웠다.

서경은 잠시 미간을 찌푸렸나.

“……병원인가?”

그런데 병원 병실이 이렇게나 좋다고? 서경은 주변을 휘휘 둘러보곤 자신이 누웠던 이부자리를 더듬어 보았다. 부드럽고 착착 감기는 게 마치 비단 같았다.

서경은 천천히 눈을 깜박였다.

아무리 생각해도 여기는 병원이 아니다. 애초에 병원 침구가 이렇게 고급일 리가 없다.

서경은 심각한 얼굴로 이번엔 제가 입고 있는 옷을 살폈다. 광택이 도는 듯한 부드러운 면으로 만든 긴 원피스형 잠옷이었다.

이게 뭐야. 이런 감촉의 면이 있다고는 정말 듣도 보도 못했다.

서경은 옷을 매만지며 자신도 모르게 중얼거렸다.

“내가 이렇게 고급 옷을 입을 수가 없지. 그럼 꿈인가 보네…… 는 잠깐만.”

눈을 감던 서경이 다시 눈을 번쩍 떴다. 그런데 대체 어디서부터 꿈으로 봐야 하는 거지? 근무하던 대치동 학원에서 퇴근할 적에 덤프트럭이 날 덮치던 것도 꿈인가? 마지막은 분명히 트럭사고고, 서경은 본인이 그대로 저승길 직행인 줄 알았다.

아니…… 사실은 그쪽이 진짜인 거 아냐?

"악!"

서경은 그 자리에서 벌떡 일어났다. 입에서 절로 욕이 튀어 나왔다.

그래, 이게 그냥 다 꿈인 것도 이상했다! 사람에게는 직감이라는 게 있는 법이다. 그 거대한 덤프트럭이 무섭게 달려와 자신을 치었을 때, 서경은 전신의 뼈가 부서지는 듯한 고통을 겪었다. 바로 알 수 있었다. 이게 죽는 거구나.

그 기분이, 그 순간들이 가짜일 리 없었다.

"아니, 뭐가 진짜야?"

정말 죽었나? 아님 꿈이야? 혼란스러운 얼굴로 다시 머리를 쥐어뜯을 때였다.

방문이 '덜커덩' 하고 활짝 열렸다.

사람이다! 머리를 감싸며 소리 없이 비명 지르던 서경의 행동이 딱 멎었다.

"아씨!"

열린 문 사이로 척 봐도 앳된 얼굴의 여성이 걸어 들어왔다. 나이는 어리게 보자면 열아홉, 많게 보자면 스물 초쯤 되어 보인다. 입고 있는 옷은 무늬 없는 고급스러운 검은 비로드 원피스에, 보란 듯이 앞치마를 두르고 있었다. 무척 수더분한 표정이었다. 친근감이 절로 느껴지는 얼굴이다.

누구지. 서경은 이젠 숫제 머리를 쥐어뜯다 말고 눈을 휘둥그레 떴다. 처음으로 이곳에 등장한 다른 사람이었다. 그것도 초면인. 낯선 사람의 등장에 눈만 깜빡이고 있는데, 여성은 서경을 퍽 잘 안다는 듯이 대뜸 친근하게 말을 건다.

"아유, 아씨. 또 머리를 쥐어뜯고 계셨어요? 제가 어제 그렇게 열심히 빗질해 드렸더니. 왜요, 머리카락이 신기하세요?"

어……. 서경은 눈을 껌벅였다.

뭐지.

"……."

"암만 그래도 저번처럼 머리를 다 잘라 놓으시면 안 돼요, 저랑 약속하셨잖아요. 물론 저 혼자 우긴 거지만. 호호. 오늘 아침은 든든하게 드셔야 돼요. 왜냐면 오늘은 궁도 한번 둘러 보시고……."

서경은 또다시 눈을 깜박였다.

누구지.

"얼른 씻고 아침 드셔야죠. 오늘은 삶은 계란이랑 아씨 좋아하시는 게살 케이크랑 다 차렸어요. 제가 부탁했어요."

처음 보는 사람인 건 그렇다 치고, 좀 이상하지 않아?

서경은 위화감에 고개를 갸우뚱했다. 뭔가 이상했다. 대화가 지나치게 일방적이었다.

그녀가 말을 한마디도 안 하는데도 별걱정이나 이에 대한 언급은 하지도 않은 채 자기 이야기만 늘어놓고 있었다.

이건 마치…… 그녀가 대답을 하지 않을 거라는 것을 전제하고 말하는 느낌이다.

서경이 한창 말하는 중인 여성을 조심스럽게 불렀다.

"저기요."

"아씨, 소셋물 떠 왔는데, 이번은 더 미지근하게 타 왔어요. 저번처럼 뜨거운 물에 손 담그셔서 데실까 봐, 뜨거운 물은 아예 가져오지도 않았고요. 그러니까 식기 전에 어서 씻으시고……."

"아니, 저기요."
"아이 참, 저기요는 왜 자꾸 하시는…… 응?"
"아니, 불렀으면 대답을……?"
"잠깐만요, 아씨가 말했어요?"
"……?"
시끄럽게 재잘대던 여성이 한순간 동작을 멈추고 서경을 바라봤다. 갑자기 뚝 끊긴 말과 굉장히 놀란 듯 크게 휘둥그레 뜨인 눈동자를 보며, 서경이 고개를 주억거렸다.
"네. 제가 불렀죠? 잠시 여쭤보려고요."
"……예?"
"아니, 여기가 어딘지 싶어서요. 아무리 생각해도 사고가 났었던 것 같은데, 혹시라도 의식을 잃었을 수도 있고. 그러니까……."
아무튼 서경은 어두컴컴한 안색의 여자를 똑바로 마주 보며 조심스럽게 말을 이어 나갔다. 자신을 놀란 듯 바라보는 여성의 눈동자는 녹색이 섞인 갈색이었다. 이건 아무리 생각해도 꿈이었다. 꿈이 확실한 게, 저거 봐. 저 여성은 아무리 봐도 한국인은 아니잖아. 외국인이 한국말을 왜 저렇게 잘해.
본인이 말하는 언어가 한국어가 아니라는 것을 모르는 서경은 어색하게 웃으면서 손을 들어 손가락을 까딱였다.
"핸드폰 좀……."
"……예?"
"저기, 그러니까 죄송한데요."
"……예, 예?"
"여기가 어디예요? 뭐 혹시 저 가방이나 지갑이나 소지품이나, 아니, 아니다. 가족들이랑 연락이 닿거나 하진 않았나요?"

"……예에?"

최대한 정중하게 말한 것 같은데, 여성의 눈은 서경이 말할수록 점점 더 커지기만 했다. 서경은 잠시 눈살을 좁혔다.

그런데 눈앞의 여자애는 대답 대신 자신의 두 손으로 입가를 가린다.

"아씨. 지, 지…… 지금 저한테 말하신 거예요?"

그럼 뭔 줄 알아. 서경이 눈살을 설핏 좁히며 고개를 끄덕였다.

"……그런데요?"

"지금 저한테…… 말씀하신 거라고요? 그렇게 명료하게? 똑부러지게?"

"예……. 그런데 그게 왜요?"

서경은 이해를 포기한 채로 되물었다. 점점 더 영문 모를 소리만 하니, 뭐라 더 말을 할 수가 있나. 그런데 그 순간이었다. 되묻던 여성의 눈이, 흰자위만 보일 정도로 까뒤집혔다.

악! 뭐람?

서경이 놀라 뒷걸음질 칠 때였다. 그대로 여자가 뒤로 '쿵' 하고 넘어갔다. 서경이 황급히 넘어진 여자의 곁으로 다가갔다.

"악, 저기요! 이보세요!"

서경이 소리쳤다. 손대면 잘못되기라도 할까 봐 여자의 몸엔 손가락 하나 대지도 않은 채였다.

여자는 그대로 뒤로 넘어간 채 숨만 꼴깍꼴깍 쉬고 있었다.

다행이다. 숨은 쉬고 있어. 서경은 울상이 된 채로 안도의 한숨을 쉬었다. 이게 대체 어떻게 된 거야…….

"어어억!"

갑자기 쓰러졌던 여자가 뜰채로 건진 활어처럼 펄떡였다!

"으아아아악! 엄마! 엄마! 악!"

서경이 그대로 놀라 뒤로 나자빠졌다. 아니 이게 무슨 공포 영화도 아니고, 대체 이게 뭐야?

가뜩이나 적응도 하나도 안 돼 죽겠는데!

쓰러졌던 여성이 정신을 차리고 직접 말을 할 수 있게 된 것은 다시 깨어나서도 한참 뒤였다. 말문을 트고 나서도 한참이나 자신에게 "정말 아씨예요?" 따위를 물었다.

처음엔 서경도 어이가 없었다. 자꾸 사람을 귀신이라도 본 양 기겁하고, 서경이 말을 하면 할수록 놀라기만 하니까. 하지만 곧 여성이 입을 여는 순간 순식간에 납득했다.

"아씨, 아씨는 바로 어제까지만 해도 말할 수 있는 단어가 딱 네 가지밖에 안 됐어요."

"예? 뭐라고요?"

"그게, 어. 그러니까 아씨가 음, 지적 능력에 조금 문제가 있으셔서…… 그, 딱 네 가지는 아닌데 일단 잘 말하시는 단어가요. 베티, 아 베티는 제 이름이고, 빠빠, 이건 그러니까 아씨의 아버님이시고요……."

"……뭐라고요?"

서경은 그대로 뻣뻣하게 굳었다. 잠깐. 네 단어? 네 문장도 아니고, 네 단어만 말했다고? 이게 무슨 소리야. 그게 말이 돼? 지금 저 여자가 설명하는 나는 무슨, 마치 꼭.

"……백치잖아?"

서경이 눈을 휘둥그레 뜨고 되묻자, 자연스레 눈앞의 여자애가 선선히 고개를 끄덕였다.

"제 입으로 말하기는 좀 그렇지만…… 네, 지적 능력이 매우 부족하셨던 상태였고……."

서경이 그 자리에서 입을 쩍 벌렸다. 그러니까 내가 바보였다고? 아니, 그럴 리가 있나.

"하지만 나는 어제만 해도 야근을 엄청 하고……."

"예?"

베티가 되물었지만 서경은 그보다 먼저 입을 다물었다. 이쯤 되면 알기 싫어도 알 수밖에 없다.

이곳은 한국이 아니다.

"아니, 계속해 봐요."

"네, 그러니까 또 할 줄 아는 단어가 벨라인데, 이건 아씨 이름이에요. 풀 네임은 아벨라 블리스 오 데 딜루어라고 하고요."

"뭐라고요? 내 이름은 강서경……."

"예?"

"아니, 아니에요."

베티가 말할 때마다 당혹스럽다. 저게 대체 무슨 말이야. 내가 백치였다니, 이름이 아벨라라니?

서경은 떨어지지 않는 입술을 간신히 떼어, 자신을 불안한 듯 지켜보고 있는 여자를 다시 불렀다.

"베티…… 씨. 아니, 베티 양. 미안한데, 이 몸이, 그러니까 아니, 내가, 아니, 제가 올해로 몇 살인데요?"

그러자 베티라고 소개한 여자가 황급히 손을 휘저었다.

"아이고 아씨, 그런 말 마셔요. 그냥 낮춰 부르세요. 저는 아씨를 모시는 시녀예요."

시녀? 시녀라고?

시녀라니 대체 이게 뭔 말이야. 서경이 다시 곱씹는 동안, 베티가 더듬더듬 다시 말을 이어 나갔다.

"아씨는 올해 스물넷이시고……."

"뭐요?"

말이 떨어지기가 무섭게 서경이 그 자리에서 벌떡 일어났다.

"스물넷이요?"

제 나이는 스물여섯이었다. 아, 정말 뭔가 일이 잘못되어도 단단히 잘못된 게 맞았다. 이름도, 처한 상황도, 나이도 다르다. 이게 무슨 일이야…….

서경은 이마를 짚었다. 심지어 나이는 두 살이나 어렸다.

사실은 그냥 침대에 다시 눕고 싶었다. 하지만 최대한 정보를 파악해야 한다. 서경이 들은 정보를 정리하려 애썼다. 그럼 일단 여기가 유럽 어드메란 건가? 이름이 서양식인 걸 보아하니…….

"저, 저어. 베티 씨."

서경이 다시 한번 베티를 불렀다.

"베티라고 부르세요."

"그, 아오. 그래. 그래요, 베티. 올해가 몇 년이죠."

"제국력 250년이요."

그 순간, 서경의 움직임이 완전히 멈췄다.

잠깐. 지금 말은, 지금 멘트는 완전히 이상했다.

"……네?"

베티가 애써 웃으며 그녀에게 부가적으로 설명하기 시작했다.

“대륙력으로는 2345년인데요, 제국력으로는 250년이에요. 일단 여기는 제국이니까요. 아, 참. 올해는 제국제도 크게 열려요. 제국은 10년 단위로 축제를 열거든요.”

제, 제국 뭐? 아니, 대륙 뭐? 순간 등줄기로 땀이 주륵 흐른다. 이게 무슨 소리야. 서경의 눈동자가 지진 난 듯 심하게 흔들렸다.

유럽인 줄 알았다. 이름도 서양식이니까 한국은 아닐 거라고 생각했지. 그런데 막상 이렇게 확인 사살을 당하니 버틸 재간이 없었다. 제국력이라고? 제국력?

마지막 발악이라도 하듯 서경이 더듬거리며 말했다.

“아니, 대체 무슨 제국? 지금 시대에 제국이 어디 있어요? 공국은 또 무슨—.”

“제국은, 그러니까 카셀란 제국이고요, 공국은 딜루어 공국, 그러니까 아씨랑 저랑은 딜루어 공국 출…….”

“뭐?”

너무 놀라 베티의 말마저 가로막은 채로 자리에서 벌떡 일어났다. 카셀란 제국이라는 건 듣도 보도 못했다. 설마. 이거 뭐 완전히 다른 시대인 걸 떠나 세계 자체가 다른 거 아냐? 서경도 이쯤 되면 눈치챌 수 있었다. 아니, 눈치채야만 했다. 이 몸은 서경의 몸이 아니었다. 아벨라라는 여자였다. 그리고 어제까지만 해도 백치였단다.

말도 안 돼. 서경이 다시 고개를 돌려 트레이 위의 거울을 노려보았다. 일단 저놈의 거울, 거울부터 확인해 봐야겠다. 서경은 득달같이 거울을 향해 달려들었다.

“아이고, 아씨! 뭐 하시게요!”

"거울!"

베티가 후다닥 일어나 서경의 뒤를 쫓았다. 세수할 물이 담겨 있는 대야 옆에 큰 거울이 뒤집혀 있었다. 서경이 그를 들기 위해 후다닥 다가갈 때였다. 서경의 앞을 베티가 황급히 가로막는다.

"제가! 제가 할게요!"

"빨리!"

"아, 네!"

서경의 성화에 베티가 황급히 거울을 들어 올렸다. 곧 베티가 '끙' 하는 소리와 함께 서경을 향해 거울을 비췄다.

그리고…….

"세상에."

이내 거울을 확인한 서경의 눈이 휘둥그레 떠졌다.

맙소사.

생전 처음 보는 아름다운 여성이 그곳에 서 있었다.

가장 먼저 보이는 부위는 눈이었다. 약간 처져 있는 눈매와 크게 휘어진 쌍꺼풀, 그리고 시릴 정도로 짙은 푸른색의 눈동자.

서경은 자신도 모르게 거울로 다가가 스스로를 바라보았다.

동공으로 다가갈수록 더 짙푸른 눈동자였다. 만일 자신이 이런 사람을 봤다면 무슨 렌즈냐고 비웃었을 색.

코는 매끄럽게 솟아 있었고 입술은 도톰하고 옅은 분홍색이었다. 희디흰 얼굴색, 하지만 볼엔 장미 꽃잎이 슬쩍 앉은 듯 옅은 분홍색 홍조를 띠고 있었다.

그야말로 말도 안 되는 미인이었다. 자신이 한 번도 본 적 없었고 앞으로도 볼 수 없을 것 같은 미인.

서경은 도저히 믿을 수 없다는 표정으로 얼굴을 더듬거렸다. 그러자 거울 안의 미인도 얼굴을 더듬거린다. 허어어어. 단전에서부터 나온 것 같은 깊은 탄식을 뱉으며 서경이 중얼거렸다. 말도 안 돼.

"이런 사람이 세상에 있다고?"

"예?"

거울을 들고 있던 베티가 고개를 뉘로 빼 그녀에게 물었지만, 서경은 대답하지 않은 채 자신의 얼굴을 두 손으로 더듬더듬 매만졌다. 이게 자신의 얼굴이 맞나 싶어서였다.

그런데 세상에, 서경이 움직이면 움직이는 대로, 서경이 볼을 꼬집는 대로 거울 안의 미녀가 제멋대로 제 얼굴을 망가뜨리고 있었다.

"이게 나야?"

대박. 진짜 대박.

서경은 연신 치밀어 오르는 감탄사를 삼켰다.

아니, 이게 말이 돼?

완전히 다른 세계에서, 완전히 다른 몸에 들어와, 완전히 다른 신분이 되었다고? 근데 이렇게 예쁜 몸에 들어왔다고? 이걸 좋아해야 해, 말아야 해?

바로 그때였다. 거울을 들고 있던 베티가 거울을 그 자리에 내려놓고 서경에게 폴짝 달려들었다. 와락 그녀를 껴안은 채, 베티가 펑펑 울기 시작했다.

"아이구, 아씨! 그럼 아씨고말고요! 아이구, 우리 아씨! 정말 우리 아씨인가 봐!"

"어, 저……."

어? 아니, 그게 아니라…… 어색하게 서경이 베티를 받쳐 안고 등을 토닥일 때였다. 베티가 와락 외쳤다.

"정말 신이 도우신 건가 봐요! 아이고, 이렇게 어영부영 제국으로 시집가셔서 이용만 당하고 제국 황자비들에게 괴롭힘 당하시다 돌아가시는 건 아닐까 너무 걱정했는데, 세상에. 세상에!"

잠깐만. 귀에 걸리는 단어가 있었는데.

시집?

시를 모아 출판한 책인가? 하지만 베티는 시집을 간다고 표현했다. 베티의 등을 얼싸안던 서경이 미간을 바짝 좁혔다. 그러니까 이곳의 언어가 서경이 알던 것과 다르지 않다면 시집을 간다는 건…….

"결혼을 한다고? 내가?"

베티를 마주 안던 서경이 화들짝 놀라 그녀를 떼어 놓았다. 눈물범벅인 베티가 순진한 눈동자로 그녀를 어리둥절하게 바라보았다. 그렇지만 이 말이 제 귀에 들리고야 만 이상, 어떻게든 다시 한번 자세히 들어야 했다. 서경이 눈을 부릅뜬 채로 소리쳤다.

"결호오오오온?"

"예, 아씨 결혼하세요……."

"대체 언제요?"

서경이 다급하게 말할 때였다. 그때만 해도 순박하게 반짝이던 베티의 눈이, 은근슬쩍 옆을 향했다.

"그, 그게…… 3일 뒤요."

"뭐요?"

아니 이게 무슨 일이야.

서경이 놀란 채 버럭 외쳤다. 3일 뒤라고? 얼빠져 있는 서경을 두고, 말할 게 더 남았는지 베티는 눈치를 보며 우다다 말을 이어 나갔다.

"네. 식은 생략하고…… 그래서 미리 시댁이 될 제국에 와 계신 거고…… 여기는 그 아씨의 부군 되실 분의 처소인데……."

연타로 훅훅 들이오는 펀치에 서경의 눈동자가 이리저리 흔들렸다.

"……내가 결혼을 한다고?"

서경이 허망하게 중얼거리자, 베티가 재빠르게 다시 다가와 그녀의 팔을 받쳤다.

"아씨, 아씨, 안 돼요, 정신 차리셔요! 여기서 정신 놓으시면 또 바보 되는 거예요!"

"아니, 정신…… 정신은 멀쩡해요."

서경이 입술을 달싹이며 반박했다. 아닌 게 아니라 자신도 아까 베티처럼 까무러치고 싶은데 까무러쳐지질 않았다. 대신, 다리의 힘이 풀렸다.

서경의 다리가 휘청이자, 베티가 그녀를 침대 쪽으로 끌어 주었다. 침대가 제 오금에 닿자마자 서경은 그 자리에 그대로 주저앉았다. 푹신한 침대가 제 엉덩이를 받쳐 주었다.

이게 말이 되냐고. 교통사고를 당했는데 갑자기 생뚱맞은 곳에서 생뚱맞은 절세미인의 몸으로 깨어난다는 게.

게다가 이곳의 세계관은 천지가 개벽할 정도로 우리나라와 다른 수준의 문화권이고, 심지어 이 몸은 스물넷이 되도록 바보 천치로 살았다고 하고.

그런데 그 와중에 결혼해?

결혼을 한다고? 3일 뒤에?

"미쳤네."

문득 내뱉은 말과 동시에, 서경이 머리칼을 부여잡았다.

정말 미쳤다. 그 와중에 침대는 더럽게 푹신하다고 느끼는 자신이 싫다.

"미쳤어……."

서경이 허망해하는 사이에도, 베티는 부지런히 서경의 얼굴을 씻기고, 서경의 앞에 근사한 아침 식사를 차려 주었다. 아무래도 식당으로 가 밥을 먹기엔 무리라고 판단한 모양이었다. 사람이 간사한 게, 음식을 보니 또 밥이 곧잘 들어갔다.

서경은 빵을 베어 물면서 베티에게 자세한 설명을 들었다. 이곳이 어디고, 그녀는 누구고, 무슨 결혼을 하는가에 대해서.

그리고 그 긴 베티의 설명을 굳이 축약하자면 다음과 같았다.

아벨라와 베티가 나고 자란 딜루어 공국은 원래 제국의 땅이었다. 백여 년 전, 선선대 딜루어 대공작이 제국으로부터 전공을 인정받아 딜루어 섬을 하사받고 그 섬을 공국으로 칭했다. 그게 곧 나라의 시작이었다.

이 딜루어 공국은 약 백여 년 전, 무리한 영토 확장으로 궁핍해진 제국으로부터 떨어져 나와 독립했고 해상무역과 관련 사업들로 아주 짭짤하게 돈을 벌기 시작했다.

그리고 아벨라는 그 딜루어 공국을 다스리는 현 딜루어 대공작의 하나뿐인 금지옥엽이었다.

그런데 문제가 생겼다. 제국이 공국을 다시 노리기 시작한 것이다. 카셀란 제국은 선황제와 현 황제 대에 이르러 아주 무섭게 영토 확장을 했다. 한때 자치령들을 독립시킬 만큼 궁핍했던 형편은 옛말이라는 듯이.

화려하게 부활한 제국은 자신들이 풀어 줬넌 나라들을 재편입시키고자 했다. 딜루어 공국도 예외가 아니었다. 짭짤한 소득을 올리고 있는 딜루어 공국은 당연히 제국이 군침을 흘릴 만한 나라였다.

제국은 공국에게 병합을 요구하며 이런저런 제재를 시도했다. 해상무역을 일부러 방해하거나 잘 이뤄지던 무역 거래를 갑자기 끊어 버리거나, 다른 국가와의 교류에 일방적으로 어깃장을 놓는 식이었다. 무역으로 먹고사는 공국은 점점 난처해졌다.

"아씨와 제국의 황자들 중 하나를 결혼시키자는 말이 나온 거죠, 제국 측에서."

아벨라는 공국의 외동딸이었다. 제국은 서로의 자식을 혼인시켜 관계를 돈독케 하자고 제안했다.

그리고 공국은 이를 받아들였고 그녀를 제국으로 보냈다. 정략결혼이 성립된 것이다.

여기까지 들은 서경이 입을 쩍 벌렸다.

"장난쳐? 금지옥엽이라며! 게다가 아벨라, 아니, 나는 어제까지만 해도 말도 하지 못하는 애였잖아! 그런 애를 혈혈단신 제국에 보내?"

베티가 난처한 표정으로 고개를 끄덕였다.

“이게, 사실 처음 결혼을 받아들인 건 진심이 아니라, 또 다른 방법을 찾으려고 시간을 벌기 위해서였대요. 공국은 아씨의 상황을 설명하는 서한을 준비해서 전달하고, 그동안 제국에 다양한 제안을 하고자 준비하고 있었어요. 제국도 사실 아씨 사정은 다 알고 있었으니까요. 공국 입장에선, 제국이 정말 정략결혼을 생각하고 있는 건 아니라고 생각한 거죠. 2안을 제시하고 못 이기는 척 1안을 다시 밀어붙이는 계획이라고 생각했던 거예요. 그런데…… 놀랍게도, 제국은 정말로 정략결혼을 원하고 있었던 거예요! 심지어 황자들 중 결혼 상대가 직접 나섰다더라고요. 그래서 저희가 어쩔 수 없이 제국으로 오게 된 거예요. 도착한 건 바로 어제고요.”

축약하자면 공국이 잔머리 굴리다가 똥 됐다는 소리였다. 다행히도 공국 측에서 아벨라를 쉬이 보내려던 건 아닌 모양이다. 아니, 그래도. 서경은 쉬이 납득하지 못한 채 팔짱을 끼었다.

공국은 그렇다 쳐도 제국은 더 이상했다. 황자 중에서 백치인 공녀와 결혼하겠다고 직접 나선 상대가 있다고? 자진해서? 상황을 정리하던 아벨라가 고개를 들었다.

“그럼 상대는 누군데? 백치를 받아들인 그 황자란 사람은?”

“그게…… 제8황자 저하신데…….”

“8황자? 황자가 여덟 명이나 돼?”

“황자는 열 명까지 있어요. 황녀는 네 명이랬던가.”

“맙소사.”

서경은 짤막하게 감탄사를 내뱉었다. 정복에 힘썼다더니,

정복한 많은 나라들의 왕족을 데려다가 일일이 다 정략결혼을 한 모양이었다. 정복한 나라들의 빠른 안정을 위해선 아무래도 결혼이 제일이니까.

고려 때 태조 왕건도 그래서 부인이 그렇게 많았다고 하잖아. 만일 이 많은 황자들끼리 치고 박고 싸우면 어떻게 되는 거야.

“그래서?”

“음. 황족 중에 8황자가 좀 독특한데요. 일단 따로 별궁에 살아요. 여기가 그 별궁이고요.”

“왜?”

“그, 8황자가 좀 사정이 있으셔서요.”

“나처럼?”

“그게…….”

“아 뭔데.”

서경은 미간을 설핏 찌푸렸다. 짐작이 갔다. 백치를 상대로 제국에서 멀쩡한 황자를 내놓을 것 같지는 않은데.

베티가 다시 조심스럽게 입을 열었다.

“그게, 그 8황자가 어릴 때 어머니 되는 귀비랑 같이 살던 궁에서 불이 크게 나서요. 그 귀비라는 분은 돌아가시고, 8황자는 크게 다쳤대요.”

“뭐?”

그녀의 물음에, 베티의 얼굴이 파삭 일그러졌다.

“온몸에 큰 화상을 입고…… 등도 다쳐서 꼽추라고 하더라고요.”

“뭐?!”

이어지는 내용에 서경은 입을 다물지 못했다. 베티의 얼굴은 아까보다 훨씬 일그러져, 이제 완전히 울상이 되어 있었다.

"히이이이잉, 죄송해요. 그래서 온몸에 붕대를 감고 다니고 외부로 출입도 안 하고…… 그 황자 별명이 괴물이래요……."

서경은 그 자리에서 뻣뻣하게 굳었다. 지금 자신이 들은 게 사실이란 말인가?

그녀의 동공이 크게 좌우로 뒤흔들렸다. 침착하자, 강서경. 침착해 보자고. 공국의 아벨라가 큰 '하자'가 있는 만큼, 제국 측에서 내놓은 상대도 당연히 큰 '하자'가 있을 수 있지 않은가. 좀 더 적나라하게 말하자면…….

"급이 맞는다 이거지."

살짝 벌어진 입술에서, 한숨이 흘러나왔다.

백치와 괴물 황자라니, 이 얼마나 어울리는 만남이야. 그러니 제국이 그렇게 자신 있게 정략결혼을 하자고 했겠지.

제국과 공국은 혼인을 주도하지만 혼인에 참여하는 당사자가 아니다. 이 결혼은 그저 성립해야 할 계약에 지나지 않았다. 급을 견줘 보고, 주고받는 이해타산이 맞으면 성립하는 그런 매매계약.

그리고 그 여파를 아벨라와 그 신랑인 8황자가 고스란히 뒤집어쓰게 된 거다. 졸지에 아벨라 행세를 하게 된 자신도 마찬가지였다.

서경의 안색이 창백해졌다. 피가 빠져나가는 기분이 들고, 앉아 있는데도 현기증이 들었다.

하지만 이제 와서 신랑이 괴물이라고 이야기가 달라지는 것도 아니지 않은가.

자신은 보다 현실적인 해결 방식을 찾아야 했다. 그리고 자신이 생각하기에 유일한 타개책은 단 하나였다.

서경은 베티에게서 표정을 숨기며 주먹을 꽉 쥐었다. 뭐냐고?

뭐겠어, 도망이지.

몸에 큰 상처와 영구적인 장애를 가진 8황자에게 유감은 없다. 그러나 그가 자신의 도망에 큰 이유가 되었음을 부정할 수는 없다.

솔직히 서경은 지금의 이 몸이 정말로 마음에 들었다. 어린 절세미인. 백치라는 게 흠결이지만 그건 서경이 이 몸의 주인이 된다면 아무런 문제가 되지 않는다.

서경의 원래 직업은 대치동에서 영재들을 대상으로 수학경시대회 기하학을 가르치는 수학 강사였다.

한국에서의 삶이 아깝지 않냐고? 전혀! 일가족도 없고, 남은 건 학자금 대출과 가족들이 남긴 장난 아니게 높은 이율의 빚뿐이었다. 평범한 헬조선에서 사는, 평범한 헬조선의 직장인이 바로 강서경 자신이다.

이 안에 있던 진짜 아벨라는 어디로 갔는지, 서경의 몸이 어떻게 된 건지는 알 수 없지만 지금 이 몸은 그러니까, 서경에겐 마치 커다란 기회처럼 느껴졌다.

이 몸으로 살겠어.

이제부터는 자신이 아벨라다.

죽음으로 가장하고 튀어도 되겠다. 이렇게 백치로 볼품없이 저택에 갇혀 살다 이렇게 물건 넘겨지듯 넘겨지는 신세라면 차라리 도망치는 편이 원래 몸 주인에게도 좋을 것이다.

잘 봐. 얼굴 예뻐, 몸매 괜찮아, 나이 어려, 게다가…… 서경은 잠시 제가 입은 옷과 방 안을 둘러보았다. 이곳 사정을 잘은 모르지만 눈대중으로 보아도 값나가는 물건이 도처에 깔려 있었다. 그러니 이곳에 익숙해지기만 하면 적당히 돈 될 만한 것을 챙겨 도망가야지. 공국이 어떻게 되든 알 게 뭐람?

결혼계약서를 작성한 뒤, 아벨라는 베티와 함께 다시 8황자의 처소로 향했다.

8황자의 처소는 적색궁이라고 불렸는데, 그 거리가 황제가 살고 있는 백영궁으로부터 지나치게 멀었다. 마차를 타고 10여 분을 달려야 할 정도였다.

돌아가는 길, 아벨라는 마차 밖으로 고개를 빼 밖을 구경했다. 넓디넓은 궁궐의 뒤편, 야트막한 능선을 올라가면 그 뒤편에 온통 흰 건물이 한 채 있다.

아벨라는 가까워지는 흰 건물을 보며 한숨을 삼켰다. 갈 때도 느꼈지만, 황궁에서도 이렇게 깊이 들어와야 하니 오가기가 상당히 힘들어 보였다. 한번 들어가면 당연히…… 당연히 다시 나오기 힘들겠지. 아이고, 힘 빠져. 아벨라는 어깨를 늘어뜨렸다. 건물은 흰색이면서 이름은 왜 적색궁인지는 따져 물을 기력도 없었다.

게다가 멀리서 보면 흰 건물이라 깔끔해 보였지만 가까이 다가가면 갈수록 건물 벽 군데군데 금이 가고 깨진 곳이 보였다. 대리석을 깎아 만든 게 아닌, 회벽 위에 색칠만 해 놓은 것이다. 물론 색칠한 벽이 나쁘단 건 아니지만…… 본궁에 비해선 소박함을 넘어 왜소하기 그지없는 규모였다. 뭐, 거기까지는 괜찮다 치자.

궁의 내부는 외부보다 훨씬 더 심각했다. 처음 3일 동안은 적응하느라 침실에만 머물러서 몰랐다. 이곳은 거의 폐가였다. 척 봐도 색 바래고 낡은 가구들이 궁내를 채우고 있었고, 바닥엔 곰팡이 낀 카펫이 깔려 있었다.

더 놀라운 것은 이 독채에 사는 구성원이다. 부엌엔 8황자를 낳은 황비가 살아 있었을 때부터 황자를 모셨다던 늙은 찬모 주디와 기타 잡일을 하는 늙은 시종 세스 단둘뿐이었다. 단둘. 아니, 여기 산다던 황자를 포함하면 셋.

그러니까 황자비에게 할당된 시녀는 놀랍게도 단 한 명도 없었다. 그리고 궁내부장은 베티가 요청했음에도 앞으로 할당이 될지의 여부조차 알려 주지 않았다. 그 말에 베티는 그야말로 격노했다.

"궁내부장 진짜 미친 거 아니에요?!"

저거 봐.

아벨라는 궁의 안쪽 바닥을 밟자마자 괴성 비스무리한 소리를 내는 베티를 바라보았다.

베티의 귀가 벌겋게 달아올라 있었다. 아무래도 보통 화가 난 게 아닌 모양이었다.

"8황자가 괴물 황자니 뭐니 해서, 푸대접받을 줄은 알았어도 궁 안에 유배된 건 줄은 몰랐어요! 처음엔 저도 여기 온 지 얼마 되지 않아서 그냥 임시로 저만 있는 줄 알았더니! 그 너구리같이 생긴 영감이 뭐라는 줄 알아요? 아씨에게 배정된 시녀가 없대요!"
"그…… 진정해."
"제가 지금 진정하게 생겼어요?! 아씨는 딜루어 공국의 유일무이한 대공녀이자 이제 황자비라고요. 황자비한테 시녀 한 명조차도 배정되지 않았다는 게 말이 돼요?! 아씨가 무시당하신 거라고요! 그 너구리 같은 놈이 직접 찾아오진 못할망정 접견실로 오라 해서 계약서만 내놓을 때부터 알아봤어야 했는데!"
짐을 척척 내려놓던 베티가 "으아아아악!" 소리를 내며 머리를 한 움큼 쥐어뜯다 또다시 쪼르르 아벨라의 옆으로 다가와 무릎을 꿇은 채 그녀를 올려다보았다.
"아씨이."
"응."
"외람되지만, 아씨가 저와 말해 주셔서 정말 다행이에요. 저 혼자였다면 아마 참을 수 없이 슬펐을 거예요. 아씨는 저한테 천진난만한 표정으로 항상 웃기만 하셨으니까."
"……내가 그랬어?"
아벨라의 대답에, 문득 울상이 된 베티가 끄덕였다.
"그랬죠. 그런데 아씨가 이번에도 그러셨다면, 저 정말 울었을지도 몰라요. 불쌍한 아씨를 데리고 저는 이 독채에서 한평생 살아야 하는 거잖아요? 게다가 몸 편찮으신 황자 저하도 모셔야 하고! 그나마 아씨가 다시 말문도 의식도 되찾으셔서, 제 화를 이해해 주실 수 있어서 저는 정말 행복하고……."
"……하하. 그래 그래."
아벨라는 작게 '하하' 웃고는 부드럽게 베티를 내려다보았다. 결국 지금 자신이 제정신이라 다행이란 소린데, 얼마나 아벨라가 안 무서우면 이런 이야기를 하나 싶었다. 아니다, 베티도 이 낯선 환경에 당연히 패닉했겠지. 안쓰럽게도.

나중에 탈출할 때 베티라도 데리고 가는 게 좋지 않을까? 자신이 탈출할 때 베티를 이 궁에 남겨 두면 그녀가 무슨 고초를 당할지 알 수 없으니까. 아벨라는 주저앉아 저를 올려다보는 베티의 머리카락을 쓰다듬었다.

"베티, 괜찮을 거야. 혼자서라면 얼마나 무섭고 힘들었겠어. 그래도 둘이잖아. 네가 있어서 참 다행이야."

"흑, 아씨……!"

"그래."

아벨라는 그녀를 향해 부드럽게 웃어 보였다. 이 말만큼은 진심이었다. 베티가 곁에 있어서, 아니, 베티라도 곁에 있어서 정말로 다행이었다.

아벨라는, 아니, 서경은 본래 아벨라의 운명을 상상했다.

이 어두컴컴하고 빛도 제대로 들어오지 않는 외진 건물에서, 낡고 썩어 가는 가구들과 함께 고여 있다 스러져 갔을 것이다. 이곳이 어딘지 이해조차 못한 채.

더 최악을 생각할 수도 있었다. 어쩌면 이 삭막한 제국에서 몸 불편한 황자와 함께 살다 큰 분란에 휘말릴지도 모른다. 최후는 분명히 비참할 테고. 아벨라는 자신이 비참한 최후를 맞이하는지조차 인지하지 못할지도 모르지.

거기까지 상상하던 그녀는 고개를 설레설레 저었다.

하지만 지금은 아니다.

순간, 아벨라의 손에 꾹 힘이 실렸다. 마음에 단단한 중심을 박은 채, 아벨라가 베티를 불렀다.

"베티……."

"아씨!"

뜬금없이 베티가 아벨라의 말을 가로막으며 벌떡 일어섰다.

"으응? 왜?"

"이러고 계실 때가 아네요."

"뭐?"

아벨라는 베티를 멀거니 쳐다보았다. 아벨라가 그녀를 쳐다보건 말건 베티는 그 자리에서 주먹을 불끈 쥔 채 말을 이었다.

"오늘 저녁은 좀 적게 드시고, 목욕부터 하셔야 돼요."

"뭐? 왜?"

"오늘이 결혼 첫날이시잖아요. 처음으로 신랑을 만나는 거니까 당연히 예쁘게 하고 만나셔야죠."

"……예쁘게 하고?"

아니 그렇지만, 그게 의미가 있나……?

아벨라의 눈동자가 좌우로 흔들렸다. 첫날밤을 보낼 수 있을지조차도 모르는데! 아벨라가 당황해 베티에게 뭐라 반박하려고 입술을 연신 붙였다 떼었지만, 베티는 전혀 신경 쓰지 않고 말을 이었다.

"혹시 저하께서 바보라고 구박하면 어떡해요? 아씨가 계속 바보인 척하실 거면 외모라도 천사여야 한다고요. 사람들은 자신이 볼 때 어느 하나든 뛰어나면 무시하지를 못해요. 정말이에요!"

그 순간, 반박하려던 아벨라의 입이 아교를 바른 듯 딱 아물렸다. 그건 맞았다. 너무 맞는 말이라 더 이상 반박할 말이 없었다.

그래, 일단 대면은 해야 하니까.

"……알았어."

아벨라는 마지못해 천천히 대답했다.

해가 저문 뒤, 아벨라는 베티가 정성껏 단장해 준 차림으로 조용히 침대 위에 앉아 있었다.

놀라운 건 저녁을 먹고 그 오랜 시간 준비할 때까지도 황자는 돌아오지 않았다는 것이다. 그래도 오긴 오겠지. 아까 베티가 시종 할배한테 물었을 때 '치료 때문에 밤늦게 돌아오실 거요' 하고 대답해 주었으니까.

그런데 첫날밤이니까 역시…… 동침도 하려나?

아벨라는 아랫입술을 질끈 깨물었다. 동침이라니, 아직 마음의 준비가 채 되지도 않았는데.

남자의 장애 여부는 문제가 아니었다. 타의에 의한 동침은 정말로 하기 싫었다.

게다가 아벨라는 자신의 '변화'를 황자에게 알릴 생각이 없었다.

황자에게 아벨라가 사고할 수 있음을 들키지 않으면서도 동침을 피할 수 있는 방법은 없을까?

아벨라가 자기 싫다고 고개라도 저으면 황자가 들어줄까? 아니다. 아무리 생각해도 말이 안 됐다. 만일 황자가 포악한 성정을 갖고 있어 손찌검이라도 하면 어떡한단 말인가?

고민하며 침대에 멍하니 앉아 있는데 침실로 누군가 들어왔다. 로브를 입은, 등이 잔뜩 굽은 남자였다.

남자를 보는 순간, 아벨라는 놀라 크게 숨을 들이켰다. 남자는 등에 커다란 혹을 매달고 구부정한 자세로 천천히 방 안에 들어왔다. 키는 꼽추라는 것을 감안해도 꽤 많이 컸고, 덩치도 보통 덩치가 아니었다. 제일 눈길을 사로잡는 것은, 남자의 온몸에 둘러진 붕대였다.

남자는 말없이 서서, 그 자리에서 쓰고 있던 로브를 벗어 의자에 대강 걸쳐 놓았다. 붕대 사이로 삐져나온 머리칼은 선명한 금귤색이다.

아벨라는 최대한 시선을 멀리 둔 채, 그를 바라보고 있음을 들키지 않으려고 애를 썼다. 하지만 무척이나 어려웠다. 당연하지. 저런 모습을 한 사람과 만난 적은 한 번도 없었으니까.

사정을 모르는 남자는 이내 돌아선 채 상의를 주섬주섬 벗고 있었다. 이대로라면 적나라한 상처들이 보일 터다. 아벨라는 문득 남자가 하염없이 안쓰러워졌다.

온몸에 화상을 입었다니 얼마나 아팠을까. 치료는 제대로 받고 있을까? 이 시대의 의료 기술은 어떻지?

아니, 아니지. 정신 차려야 한다. 방 안은 어둡다고 해도, 어차피 화롯불 때문에 서로의 얼굴이 분간은 갔다. 그 말인즉슨, 자신이 남자를 관찰하는 것처럼 남자도 자신을 관찰할 수 있다는 것이다. 그러니 표정 관리해야지.

아벨라는 백치인 척 고개를 좌우로 미세하게 흔들고 시선을 분산시키려 노력했다. 그리고 그사이 남자는 이제 붕대를 거의 다 풀고 있었다. 두 팔은 이미 풀어졌고, 이제 배부터 시작해 어깨를 풀려는 모양이었다.

그 모습을 무표정으로 지켜보려고 노력하며, 아벨라는 속으로 아무 말이나 주워섬기기 시작했다. 그래도 붕대로 저렇게 감아 두니까 좋은 점은 저거 봐, 체형이 고정이 되잖아. 근육으로 덮인 탄탄하고 가는 허리를 보며 아벨라는 계속 생각했다. 아니, 어떻게 몸매가 저렇게 좋아? 붕대에 뭐가 있나? 마법으로 체형을 유지해 주나? 게다가 기리고 다녀서인지 피부도 그을리지 않고 뽀얗…… 잠깐만.

뽀얗다고?

아벨라의 눈이 화등잔만 하게 커졌다. 아니, 지금 내가 뭘 보고 있는 거야.

남자의 등이, 분명히 전신 화상이라고 들었던 남자의 몸이 상처 한 점 없이 지나치게 깨끗했다. 아니, 아예 상처가 없는 것은 아니었지만 저 상처들은 검을 단련하면서 베이고 치인 흔적들에 가깝지, 불에 덴 상처들이 아니다.

더 놀라운 부분은 따로 있었다. 남자가 붕대를 계속 풀자, 구부정한 등의 혹 부분…… 이었던 곳에서 커다란 가죽 공이 툭 떨어졌다. 남자가 똑바로 등을 편 채 두 팔을 위로 쭉 뻗어 스트레칭을 했다.

남자는 전신 화상도 꼽추도 아니었다. 아벨라는 그대로 뒤로 넘어가 까무러칠 것 같았다.

황자가 뒤를 돌아보았을 때, 아벨라는 황급히 표정 관리를 시도했다. 황자는 멀쩡한 몸매를 하고서 순식간에 성큼성큼 이쪽으로 걸어왔다.

이게 대체 어떻게 된 일이야?

완전 패닉 상태가 된 아벨라는 정신을 차리기 위해 최선을 다했다. 정신 차려라, 강서경. 아니, 아벨라야! 지금 이 자리에서 어떻게든 필사의 바보 연기를 펼쳐야 하는 것이다!

남자는 그런 자신을 계속 응시하고 있었다. 그러더니 불쑥 제 앞으로 얼굴을 들이밀었다. 으악. 속으로는 열 번이고 뒤로 나자빠지려는 것을 참으며, 아벨라는 간신히 무표정을 유지한 채 남자와 시선을 맞출 수 있었다.

남자의 얼굴은 화롯불을 등지고도 선명하게 보였다. 착각일까? 이렇게 어두운데 남자의 얼굴만이 저렇게 밝게 보일 리가 없는데도 아벨라는 홀린 듯이 남자의 얼굴을 바라보았다.

크지도, 작지도 않은 또렷하고 단단해 보이는 눈매와 지나치게 높은 콧날, 단단하게 다물린 입술과 강직해 보이는 턱. 지나치게 잘생긴 얼굴이었다.

말도 안 돼. 벌써 몇 번째 하는 말인지도 모를 말을 되뇌며, 아벨라는 크게 숨을 들이쉬었다. 아, 어떻게든 정신 줄을 잡아 보려고 노력했지만 허사였다. 심장은 제멋대로 폭주하고 있었고, 이젠 표정 관리조차 힘들었다.

아벨라가 당황해 어쩔 줄 모르는 사이, 남자는 그대로 아벨라를 올려다보고 있었다. 마치 유명한 미술 작품을 감상하는 듯한 태도였다. 남자는 하염없이, 그러면서도 꼼꼼하게 아벨라의 얼굴을 살폈다.

아벨라는 남자의 저 눈빛을 설명할 수가 없었다. 정말로 바라고 원하는 것을 얻은 듯한, 사랑스러운 무언가를 보는 표정.

아벨라의 심장은 계속해서 세차게 뛰고 있었다.

표정 관리고 뭐고, 이쯤 되면 그냥 울어 버리고 싶다. 아님 당신 뭐냐고 고래고래 소리라도 지르고 싶었다. 대체 이게 어떻게 돌아가는 상황이란 말인가.

그때였다. 그가 한쪽 무릎을 땅에 대고, 두 손은 아벨라의 손 위에 댄다. 그러더니 그 상태로 손을 꽉 잡았다.

엄마야.

남자의 두툼한 손이 아벨라의 희고 여린 손을 완전히 감쌌다. 그 순간, 아벨라는 두 눈을 꽉 감았다.

이제 여기서 기절하면 되는 건가요.

"아벨라."

남자가 조심스럽게, 그녀의 이름을 불렀다. 얼마나 달콤하고 다정하게 부르던지, 하마터면 대답할 뻔했다.

잠깐, 너무 친숙하게 이름을 부르는 거 아냐? 정작 아벨라는 황자의 이름이 가물가물했다. 이름이 뭐였지? 아까 사인할 때 분명히 봤는데.

그때였다. 남자가 다시 말을 이었다.

"아벨라, 내 아내."

황자는 아벨라의 손을 쥔 채로, 조용히 그녀의 이름과 '내 아내'라는 말을 두어 번 되뇌었다. 아벨라는 뭘 했냐고? 아, 말해 뭐 해. 정신이 들었다, 나갔다가 하는 게 정말 말 그대로 오락가락하고 있었다.

이게 대체 뭐람? 어처구니가 없었다. 아내라고 말하는 걸 보아하니, 내 남편이 맞아 보이긴 했다. 그런데 왜 멀쩡하고 잘생긴 얼굴을 하고 있냐고. 너 정말로 카셀란 제국 8황자 맞으세요? 전신 화상에 꼽추라던 그 양반 맞느냐고요.

남자는 잠시 시선을 내렸다가 다시 입을 열었다.

“백치지만 단어는 한정적으로 말한다고 들었어. 계속 말한다면 내 이름 정도는 기억해 줄 테지. 내 이름은 펠리체야. 펠리체.”
……응?
마치 아이를 가르치는 듯한 목소리다. 그가 말한 백치라는 단어에, 아벨라는 현재 상황을 자각했다.
그래, 나는 지금 백치다. 백치 행세를 하고 있다. 저놈이 화상 환자가 아니고, 심지어 잘생겼다는 초유의 사태에도 표정 관리를 해야만 하는 것이다.
하지만 좀처럼 진정되지 않았다. 지금 사태에서도 놀라지 않는 사람이 있을까? 아마 없을걸. 아벨라는 알 듯 모를 듯 눈살을 좁혔다. 그녀의 표정 변화는 전혀 알아채지 못한 채, 펠리체는 그저 고개를 내리고 자조 어린 웃음을 짓고 있었다.
“기억나냐고 물어보면…… 그건 무리지. 나에게 있어 유일하게 좋은 기억이었는데, 같이 누릴 수 없어 애석해.”
그건 또 무슨 소리야.
아벨라는 손이 붙들린 채 펠리체의 시선을 피해 잔뜩 얼굴을 구겼다. 기억이 나냐고? 이 몸이랑 너랑 원래 아는 사이라는 거야?
“어쨌든 됐어. 좋아.”
남자의 목소리는 말할 때마다 더욱더 깊어져 갔고, 더욱더 애틋해졌다. 게다가 아벨라의 손을 덮고 있는 이 남자의 손을 보라지. 남자의 손은 덜덜 떨리고 있었다.
뭐라고 해야 할까. 남자는 그러니까, 마치 자신을 소중한 연인처럼 대하고 있었다. 오랫동안 만나지 못했다가 해후하게 된 연인.

아벨라는 혼란스러운 눈으로 남자를 바라봤다. 영문을 모르겠다. 옛날의 아벨라와 알고 있었던 사이인 걸까? 아벨라는 안 그래도 혼미한 정신을 더더욱 차릴 수가 없었다.

"네가 백치가 되었다는 소리를 듣고 밥조차 뜰 수 없던 시절이 있었는데. 지금은 아무렇지도 않게 너를 이곳에 데려오는 짓을 저질렀어."

펠리체는 그녀의 손을 잡은 채, 다시 한숨을 내쉬었다.

"본의 아니게 내가 널 이용하는 꼴이 되었지만 후회는 없어."

이용? 대체 무슨 이용? 아벨라가 남자의 말을 최대한 주의 깊게 들으려는 때였다. 두 손을 들어, 남자가 공손히 입 맞췄다.

헉.

그 순간 아벨라는 남자가 입 맞춘 손끝이 저릿해지는 기분이 들었다. 너무 놀라면 아무 표정도 지을 수가 없구나.

아벨라는 겉보기에는 너무나 평온한 표정을 하고 펠리체를 내려다보았다. 남자는 입술을 대었다 고개를 들곤 그녀를 다시 똑바로 올려다보았다.

아벨라는 천천히 눈을 감았다가 뜨며 남자의 안색을 살폈다. 혹시 표정이 변하는 순간을 알아채면 어쩌지 싶었는데, 남자는 다행히도 눈치를 채지 못한 듯하다.

"아벨라, 가련하고 천진한 내 은인. ……그리고 내 아내, 내 여신. 나 홀로 네게 맹세하마. 너는 이 이야기를 기억하지 못하겠지만, 나라도 하겠어."

남자는 다시 딱딱한 무표정으로 그녀를 바라보았다. 눈동자는 깊게 가라앉아 있었고, 잠시나마 호선을 그리고 있던 입술은 진중하게 다물려 있었다.

"네 목숨은 내가 지키겠어. 내가 잘못되더라도, 너만은. 이는 이미 딜루어 대공작에게도 맹세하였으나, 네게 다시 말하겠어. 내가 지키고 싶은 것은 너니까. 알아듣지 못하더라도 넌 들어야만 해."

남자는 그녀를 똑바로 바라보며 말을 이었다.

"이 진창에서 널 지키겠어."

아. 아벨라는 자신도 모르게 나오는 탄성을 깊이 삼켰다. 은인? 여신? 목숨을 지켜 준다니? 더러운 진창이라니? 자신이 가르치던 초등학생들도 오글거린다며 하지 못할 말들을 심지어 '맹세'로 표현한다.

만일 이게 책이나 드라마 같은 곳에서 나오는 장면이라면 그 즉시 채널을 돌리고 집 바닥을 굴러다니면서 오글거린다고 대폭소했을 것이다. 한국에서의 그녀는 이런 분위기를 정말로 싫어했으니까.

하지만…… 그렇다고 정말 기분이 나쁘냐면 그건 또 아니다. 남자에겐 진심이 느껴졌다.

게다가 여긴 드라마도, 책 속도 아니다. 실제로 벌어지고 있는 일이다. 남자에겐 처연미가 있었다. 금방이라도 죽을 위험에 처한 사람처럼, 극한에 몰린 기운이 느껴졌다.

아벨라는 남자의 눈동자와 마주치며 생각했다. 이런 남자와 자신이 옛날에 연결된 사이였다고? 대체 어디서? 아벨라는 어디서 이 남자를 만난 걸까? 한 번이라도 만났다면 베티가 분명 만나 봤다고 말해 줬을 텐데.

아벨라는 다시 한번 지금 자신에게 일어난 일을 정리하려고 애썼다. 남자가 사실은 멀쩡한데도 모두에게 그 사실을 숨기고 있고, 아벨라를 은인이라고 표현하고 있으며 이용해서 미안하다고 말했다. 게다가 목숨만은 살려 준다고 맹세까지 했다.

아무리 둔한 사람이라도 알아챌 수 있을 테지. 여기엔 어떤 복잡하고 다단한 사정이 도사리고 있었다. 남자는 마치, 아니, 이 밤 자체가 마치 함정 같았다. 발이 스치는 순간 당장에 발목을 낚아채는 함정. 그리고 아벨라도 의도치 않게 여기에 이미 휩쓸리고 있었다.

이게 대체 무슨 일이야. 아벨라의 얼굴이 문득 뒤틀렸다가, 한순간 잠잠해졌다.

—환자인 척해!

—……뭐라고?

—엄청 아픈 척해, 그럼 안 건드려.

일곱 살쯤 되어 보이는 여자아이가 또랑또랑한 목소리로 크게 소리쳤다. 푸른 드레스를 입은 여자아이는 동화에서나 볼 법한 금발에 푸른 눈을 하고 있었다.

여자아이 앞에는 긴 금귤색의 머리칼을 가진 남자애가 우두커니 서 있었다. 얼핏 보았다면 머리가 짧은 여자아이일 거라 여길 정도로 곱고 세밀하게 생긴 아이였다.

하지만 그렇게 곱상한 생김에도 불구하고 다부진 턱과 일자로 다물린 강직한 입술이 남자아이를 사내처럼 보이게 했다.

여자아이는 남자아이가 서 있음에도 아랑곳 않고, 다시 풀썩 주저앉아 토끼풀을 뜯었다.

—우리 아빠가 화를 낼 때, 시종이 아프다고 하니까 그 시종에겐 화를 내지 않았어. 대신 그 시종을 일 시켜서 제대로 보좌하지 못하게 한 시종장이 혼이 났어.

여자아이는 토끼풀을 모으며 말을 이었다.

—내가 아픈 척하면, 글공부를 하지 않아도 선생님이 봐줘. 대신 다음에 두 배로 해야 되는데, 어쨌든. 그러니까…… 오빠는 아픈 척을 해.

"헉."

아벨라는 눈을 번쩍 뜨고 번개처럼 허리를 퉁겨 일어났다.

뭐야? 어떻게 된 거야? 아벨라는 당황한 채 방 안을 둘러보았다. 맙소사, 얼마나 잔 거야. 벌써 아침 해가 방 안을 밝히고 있었다. 간밤, 타닥이는 좋은 소리를 냈던 난로 안 화롯불은 이미 검게 재만 남긴 채 꺼져 있었다. 남자가 로브를 걸쳤었던 의자는 아무 흔적도 없다. 방바닥을 덮을 정도로 길었던 붕대도 보이지 않았다. 남자가 없었다. 아벨라는 대번에 인상을 찌푸렸다.

그럼 꿈인가?

그럴 리가…….

아벨라는 황급히 자신이 잠들기 전까지의 일들을 떠올렸다.

남자는 그런 그녀를 계속 바라만 보다 이내 손수 침대에 눕혀 주곤 마치 아이를 어르듯이 재워 주었다. 마지못해 자는 척 눈을 감자, 그제야 남자도 누워 눈을 감는 것 같았다.

그리고 어느샌가 까무룩 아벨라 또한 잠이 들었더랬지. 그게 꿈일 리가 없다. 그렇게나 생생한걸.

그나저나 남자는 언제 나간 거지? 어이고, 멍청이. 아벨라는 제 머리를 주먹으로 쥐어박았다. 그걸 봤어야 했는데. 또 자란다고 잘 잤어요.

게다가 어제 그 말도 안 되는 쇼를 봐서인지, 간밤에 이상한 꿈을 꾼 것 같기도 했다. 다시 정확하게 기억하려니 기억도 안 난다. 어쨌든, 이제 남자가 없으니 적이도 말하는 건 상관없겠지.

"……허."

침대 헤드에 베개를 덧대 등을 기대며, 아벨라는 허탈하게 한숨을 쉬었다. 잠을 자고 일어났다고 해서 어제의 놀람이 가시는 게 아니었다. 천지가 개벽했다 해도 믿을 정도의 충격은 여전히 남아 있다.

황자는, 그러니까 괴물 황자라던 8황자는 멀쩡했다.

미이라처럼 붕대를 두른 채 구부정한 등에 혹을 달고 다녔지만, 혹은 사실 바람 빠진 가죽 공이었고 붕대 안의 살은 화상 자국 하나 없었다.

그러니까 그는 전신 화상도 아니고 꼽추도 아니었다. 대체 왜? 왜 이 황궁에 스스로 유폐되어선 장애를 꾸며 냈단 말인가?

그리고 제일 이상한 건, 그녀에게 무척이나 다정하게 군 점이다. 마치 이전의 아벨라를 안다는 것처럼.

이걸 캐내려면 어떻게 해야 하지? 바짝 마른 입술을 꽉 누르며 아벨라가 생각에 잠길 때였다. '콩콩콩' 노크 소리가 가볍게 들리더니 이윽고 문이 열렸다.

"아씨!"

베티였다. 베티가 총총 빠른 걸음으로 걸어와 아벨라에게로 다가왔다.

"베티!"

"아씨, 괜찮으세요? 저하는 만나셨어요? 저하는 많이 다쳤어요? 네? 아씨보고 뭐래요?"

들어오자마자 숨 쉴 틈 없이 질문한 베티는 두 눈을 반짝이며 아벨라를 바라보았다. 말 시켜 놓고 대답할 틈도 주지 않으면서 대체 언제 대답하라고. 아벨라는 대답 대신 한숨을 내쉬었다.

어쩔 수 없이 베티에게는 황자는 보지도 못했다고 대답하는 수밖에 없었다. 어느새 까무룩 잠자고 일어났더니, 침대에 누운 자국만 남기고 사라졌다고.

베티는 실망한 기색으로 어깨를 늘어뜨렸지만 어쩔 수 없었다. 그렇다고 제가 어제 본 일을 그대로 말할 수는 없으니까.

베티의 도움을 받아 세수를 하고 실내복으로 갈아입은 뒤, 식사를 하기 위해 식당으로 걸어가던 중이었다. 아벨라는 은근한 목소리로 베티를 불렀다.

"베티."

"네?"

"있잖아, 나 예전에 카셀란 제국에 온 적 있어?"

"제가 기억하기론 없는데요."

그렇단 말이지. 잠시 생각에 잠겼던 아벨라가 다시 되물었다.

"베티는 언제부터 대공가에서 일했지?"

시선이 닿는 복도 구석의 낡은 카펫을 불만스럽게 쳐다보던 베티가 그녀의 말에 생각에 잠겼다.

"음, 그게…… 아씨를 모시기 시작한 지 이제 딱 14년 되어

가네요. 아씨가 갑자기 언어를 잃으시고, 사물 분간이나 피아 식별을 잘 못하셨던 게 제가 알기론 여덟 살 즈음이었으니까."

백치라고 부를 정도의 증상이 여덟 살부터 있었단 말이지.

"그럼 그전의 일은 모르겠네?"

"아무래도 그렇지요. 그렇지만 아씨, 여덟 살 때까지는 정말로 똑똑하셔서 어른들도 혀를 내둘렀다고 들었어요. 그런데 하루아침에 그렇게 되셔서 다들 놀랐대요. 병을 앓은 것도 아니고, 사고를 당한 것도 아닌데 정말 하루아침에 그렇게 되었다고."

……어? 베티의 말에 아벨라는 내딛던 걸음을 멈추고 그 자리에 우뚝 섰다. 귀에 걸리는 단어가 있었다.

"잠깐만…… 여덟 살이라고?"

"네."

"……."

어라, 그것 참 이상하네.

아벨라는 잠시 말을 멈춘 채 생각에 잠겼다. 아벨라가 여덟 살 때까지 똑똑했다가 '갑자기' 바보가 되었다고? 단순히 '안됐네'라고 말하고 넘어가기엔 걸리는 무언가가 있었다.

강서경과 기억이 겹친다.

아벨라는 여덟 살 때까지 똑똑했다지만, 그와 반대로 강서경은 열 살 때까지 지적 능력이 떨어졌었다.

일반 학교에 다닐 지능이 되지 않아, 특수학교를 2년 정도 다니기까지 했을 정도였다. 말도 늦고, 행동도 굼뜬 데다 계산은 아예 할 줄 몰랐다.

그런데 이상하지.

심각한 지적장애는 열 살이 되던 어느 날, 순식간에 사라졌다. 뜬금없이 또랑또랑 엄마 아빠부터 떼고, 의사 표현을 자유롭게 하기 시작했다.

다시 한 인지능력 검사에서는 기억력도, 암기력도, 이해력도 남들보다 뛰어나다는 결과가 나왔다.

이때를 설명해 주셨던 부모님의 표현을 빌리자면 '마치 갑자기 각성한 듯' 상태가 변한 것이다. 온 집안이 뒤집어졌다. 기적이었다.

서경에게 지적장애 1급 판정을 내렸던 대학병원은 자연 치유된 희귀 사례로 서경을 연구해 보겠다는 제안까지 했다고 한다.

서경은 그런 시절을 기억하지 못했다. 기억이 안 났다. 지금 이걸 아는 것도 엄마가 맨날 말해 줘서 아는 것이다.

엄마는 서경이 갑자기 정상인 범주의 지능을 갖게 된 이유가, 자신이 한 기도가 보답받았기 때문이라고 믿었다. 한국에 있을 땐 갖은 이유를 다 대면서 서경마저 절에 끌고 다니려고 애쓰셨었지.

서경이 열심히 공부해 대학에 붙었을 때도 '서경아, 너는 부처님 때문에 대학도 붙은 거야. 응?' 하고 말했을 정도였다.

……갑자기 말하다 보니 엄마 보고 싶네.

아벨라가 여덟 살 때까지 영재였다는 사실과 자신이 열 살 때까지 바보였던 점, 그리고 자신과 아벨라의 나이 차이가 두 살이라는 것을 생각하면 이상하게 뭔가 좀 들어맞는 기분이 들었다. 아직까진 그냥 추측에 가깝지만.

아벨라가 고개를 저을 때였다. 베티가 "아씨." 하고 부르며 그녀를 재촉했다. 벌써 세 걸음 이상 떨어져 있었다. 아벨라가 재빨리 그녀를 따라 속도를 맞췄다.

"그나저나 아씨, 그건 왜 물어보세요? 어젯밤에 어땠는지도 안 말해 주시고."

"아무 일도 없었대도? 나도 잠든 사이에 와서 자고 나갔더라고. 그럼 아무튼 여덟 살 이전에, 똑똑했던 아벨라하고는 만난 적이 없겠네?"

아벨라는 베티에게 대강 둘러대며 다시 질문했다. 당분간은 베티에게도 황자에 대해 말할 생각이 없었다. 베티에게 의논할 만한 사정도 아닌 것 같고.

베티는 그런 아벨라에게 '정말로 아무 일도 없었을까' 같은 표정을 잠깐 짓곤 고개를 끄덕였다.

"네. 맞아요."

그렇단 말이지. 아벨라는 베티의 대답에 다시 궁리를 시작했다. 저 황자는 분명히 아벨라를 알고 있는 것 같은데, 베티가 황자를 본 일이 없다면…… 여덟 살 이전에 만났다는 소린가?

그렇게 어릴 때 만났는데 '은인'이라 불렀다고? 대체 뭘 해야 여덟 살짜리 여자애가 평생 은인이라고 기억될 수 있는 거지? 확인할 길이 없으니 답답하기만 했다. 그렇다고 대공한테 물어볼 수도 없고.

아벨라가 답답한 표정을 지으면서 한숨을 삼킬 때였다.

"아씨, 다 왔어요."

베티가 그녀에게 속삭이곤 앞서서 식당의 문을 열었다.

아벨라는 제 앞에 차려진 음식을 잠자코 내려다보았다.

삶은 감자 두 알, 은접시에 놓인 완두콩 한 접시와 삶은 계란 한 알, 척 봐도 퍽퍽해 보이는 호밀빵 한쪽. 끝이었다. 주어진 찻잔에선 고약한 향이 풍겼다. 냄새만 맡아도 오래 묵은 듯한 홍차였다.

……음식이 왜 이래.

황궁 살림이 많이 어려운가? 하지만 소위 제국이라는 곳인데? 아니면 이곳의 음식 문화가 원래 이런가?

하지만 아벨라는 그렇지 않음을 알고 있었다. 이미 제국에 도착해 식사 한 적이 있었으니까. 게다가 먹는 사람이 '황자비'라고 상정하면…….

아벨라는 베티를 바라보았다. 설명을 요구하는 표정에, 베티가 고개를 끄덕였다.

"제가 알아볼게요."

베티도 엄청 당황스러운 모양이었다. 평소보다 빠른 몸놀림으로 식당에서 뛰쳐나갔다.

아벨라는 베티를 기다리며, 일단 감자 한 알을 까서 우물대기 시작했다. 그래도 잘 삶긴 삶았네 뭐. 감자의 질도 나쁘진 않았다. 우유라도 한 컵 있으면 좋겠다.

아벨라가 감자를 다 먹어 갈 때였다. 베티가 다시 식당 문을 열고 들어왔다.

그런데 표정이 매우 어두웠다. 소위 말하는 똥 씹은 표정이다. '어, 왔어?'라고 아는 척을 하기 위해 손을 흔들려던 아벨라의 손이 슬그머니 다시 얼마 남지 않은 감자를 붙잡았다. 무슨 일이지. 무슨 말을 듣고 왔기에 저렇게 풀이 죽었담?

"……무슨 일이야?"

베티가 자신의 앞까지 다다르길 기다리다, 낮은 목소리로 물었다.

"아씨."

순간, 베티의 표정이 파삭 일그러졌다.

"어, 어? 왜 그래?"

"아, 어쩌면 좋아요!"

"베티? 어? 울어?"

아벨라가 놀라 외치자 베티가 나시 훌쩍이면서 아벨라를 향해 말을 이었다.

"어떡해요? 찬모가 이게 우리가 가진 식료품의 전부라서 이렇게 나올 수밖에 없대요!"

뭐라고? 상상을 초월하는 답변에 아벨라는 인상을 찌푸리면서 되물었다. 아니, 이게 지금 말이 돼? 어제만 해도 게살케이크 같은 음식들이 있었던 것 같은데!

"뭐? 정말로? 아니 왜? 지금 뭐, 가뭄이야?"

"아니에요. 그게 일주일에 한 번씩 황궁에서 식량이나 기타 배급을 해 주러 오는데, 요청한 것도 다 누락하기 일쑤고 준다고 해도 하급품만 준다는 거예요. 황궁에서 우리만 이렇게 먹고 있대요!"

"뭐가 어쩌고…… 저째?"

일부러 배급을 누락시킨다고? 왜?

"그게 말이 돼? 황자잖아. 그리고 이곳은 황궁 한가운데고. 어떻게 이렇게 황자를 괄시할 수 있는데?"

"모르겠어요. 8황자가 좋은 취급을 못 받나 봐요. 황제에게 인정을 받지도 못하고 매일매일 치료만 받는 데다, 현 황후가 지금 아파서 궁궐 살림을 총괄하는 게 황비인 샬롯인데, 이 샬룻 황비가 8황자를 매우 싫어하신다나 봐요."

그건 또 무슨 소리야? 8황자를 미워하는 세력이 있다고? 그것도 황후 다음으로 권력이 있는 여성이? 아벨라는 어리벙벙한 표정으로 눈을 깜박였다.

그래, 미움을 받을 수는 있지. 그런데 미워하는 방법이 너무 치사하고 졸렬하지 않은가.

"마침 어제가 배급일이었는데, 배급일이었는데도 음식이 이래요. 정말 우리 어쩌면 좋아요."

베티가 와락 두 손으로 얼굴을 가린 채 훌쩍이기 시작했다. 그러나 그녀를 위로하기엔, 아벨라도 이 소식이 충격적이었다. 황궁 한가운데에서 굶어 죽게 생겼다.

산 너머 산이 아닌가.

아직 숨도 고르지 못했는데 이곳저곳에서 기다렸다는 듯이 문제가 속출하기 시작했다.

황자는 왜 정체를 숨기고 있는 것이며, 왜 이 황궁 내부의 사람들은 8황자를 홀대하지? 아니, 다쳐서 붕대까지 매고 다니는 사람한테 너무들 하는 거 아냐? ……물론 정말 다친 건 아니지만.

아니, 다 떠나서 그 무엇보다도 이 말도 안 되는 주거 환경부터 좀 뜯어고쳐야 할 필요성이 있었다.

사실 지금처럼 시녀가 없고 음식이 소박한 정도라면 아벨라의 입장에서야 크게 상관은 없었다. 시녀 없이 산 세월이 더 길었던 데다, 오히려 다른 사람들이 없는 편이 정체를 숨기기 편했다.

하지만 아벨라 개인이 아닌 황자와 황자비의 문제라면 말이 달라진다. 이렇게까지 권위가 개판인 황족이 또 어디 있단 말인가?

그냥 견뎌 볼까도 싶지만 그러기엔 저놈들이 이 수준을 유지하면서 괴롭힌다는 보장이 없다. 더 심하게 괴롭힐 수도 있고, 나아가선 황궁 한가운데에서 굶어 죽는 일이 발생할 수도 있을 것 같았다.

아벨라도 그런 일이 어디 있냐고 부정하고 싶지만, 아벨라 이전의 삶에서 배웠던 역사에선 심지어 태자가 뒤주에 갇혀 굶어 죽었다. 그러니 뭔들 불가능하겠어.

아벨라에겐 이 상황을 타파할 수단이 필요했다. 제국에 들키지 않고 되도록 몰래 이 상황을 해결할 수 있는 수단. 도망갈 때도 도움을 받을 수 있는, 소위 '믿는 구석'.

그런데 그런 게 뭐가 있지? 아벨라가 베티와 할 수 있는 일이 있을까? 아벨라는 잠시 생각에 잠겼다. 일단 바보임을 유지한 채 제국의 푸대접을 견디면서, 혼자 잘 먹고 잘살 수 있는 방법…….

잠시 뒤. 굳게 다물려 있던 아벨라의 입술이 열렸다.

"베티."

"네?"

베티가 얼굴을 가린 손을 내리며 물었다. 울었던 듯 눈가가 발갛게 물들어 있었다. 가엾은 베티. 그래, 일단 먹고사는 문제부터 어떻게 해결하자. 방법은 이것밖엔 없는 것 같지만…… 아벨라는 베티를 향해 결연하게 물었다.

"우리 값나가는 물건 좀 챙겨 온 거 없어?"

"……예?"

"돈이 필요해. 일단 먹고는 살아야 할 거 아냐."

"하지만 아씨."

"가진 거 다 털어 보자고. 일단 황궁에서 저렇게 구는데 뭐라도 해야지. 패물 같은 거 챙겨 온 거 없어? 공국에서 멀리 시집가는 딸한테 특별히 비상금을 줬다거나? 아무튼 그런 거 없어?"

베티가 뜨악해하거나 말거나, 아벨라는 다시 야무진 어조로 물었다. 그래, 결론은 오로지 하나뿐이다. 자력갱생.

돈이 나올 구멍이 없다면, 만들면 된다. 저 잔뜩 싸 갖고 온 드레스라도 팔아 치워 돈을 마련해야 한다. 그래야 자신들이 마음껏 학대한 줄 알고 방심하고 있던 놈들의 뒤통수도 더욱 더 성공적으로 칠 수 있을 거다.

베티는 잠시 생각에 잠긴 얼굴을 하다, 코를 훌쩍거리며 대답했다.

"가지고 온 혼수들이 있었는데…… 성문에서부터 마차째로 빼앗기다시피 했어요."

"그걸 빼앗겼다고? 전부?"

분명히 출발하기 전, 아벨라의 뒤를 따르던 마차만 한 다섯 대 정도 있었다고. 분명히 기억한단 말이다. 그거 다 패물 아냐? 그걸 모조리, 전부 다 빼앗겼단 말이야? 다섯 대를 모두 다?

에라이, 나쁜 놈들. 아벨라는 제국을 향해 마음속으로 중지를 치켜 올리며, 다시 다급하게 그녀를 향해 물었다.

"하지만 뭐가 어떻게 되었든 나는 대공의 딸이잖아. 뭐 한 살림 챙겨 왔을 거 아냐. 나만 꼴랑 온 거 아니잖아. 어?"

"지금 우리가 가진 건 옷가지랑 짐뿐인데……."

"뭐? 그럼 우리 돈 나올 구석이 단 하나도 없어?"

베티는 코를 훌쩍이며 생각에 잠겼다가 이내 침통하게 고개를 끄덕였다.

아이고, 내 신세야.

아벨라는 허탈한 표정을 지었다. 닭 쫓던 개가 된 심정이 이럴까. 돈 될 만한 게 정녕 하나도 없는 걸까? 아벨라가 옷가지라도 팔아야 되니 고민할 때였다. 갑자기 베티가 다시 고개를 들었다.

"악! 아씨! 생각났어요!"

"깜짝이야! 뭔데?"

그 자리에서 펄쩍 뛰어오른 아벨라가, 이내 밉지 않게 베티를 흘기곤 되물었다. 베티가 눈을 반짝이며 대답했다. 볼이 상기되어 있었다.

"있죠, 딜루어 은행에 가 보시는 건 어때요?"

"딜루어 은행?"

"분명히 제국 지점도 있을 거예요."

"아니, 그게 무슨 뜬금없는 소리야. 딜루어 은행?"

"네! 아씨, 신탁을 확인해 보셔야 해요!"

갑자기 이게 무슨 개 풀 뜯는 소리람. 아벨라의 눈이 동그래졌다. 딜루어 공국의 이름으로 은행 같은 게 있다고? 은행에, 거기다 신탁?

"내 이름으로 신탁이 있을 거라고?"

"돌아가신 마님, 그러니까 대공비께서 아씨가 태어났을 때 아씨 앞으로 들어 놓으신 게 있다고 들었어요. 저도 대공가에 갓 들어왔을 때 들은 거라 정확하진 않지만."

신탁이라니……. 이런 곳에도 은행이라는 게 있구나. 아벨라가 미간을 좁힌 채 다시 한번 되물었다.

"정말로?"

"네. 그게 일찍 돌아가신 대공비께서 남긴 몫일 거예요. 대공비께서는 딜루어 공국이 아닌 저 남쪽의 섬들이 모인 나라 크톤 연합국 출신이시거든요. 꽤 높은 지위셨다고 들었는데…… 아씨가 '그렇게' 되시기 직전에 돌아가셨대요. 대공비께서 직접 아씨 이름으로만 넣은 신탁이라 대공께서도 어쩌질 못한다고 들었어요. 그래서 아씨가 성인이 되시는 해에나 대리로 처리한다고 하셨었는데……."

"성인? 신탁이 성인일 때 풀려?"

"네, 아씨가 스무 살 되셨을 때요."

에이, 좋다 말았네. 김샌 표정으로 아벨라가 입술을 뾰족하게 내밀었다.

"그럼 진작 처리하고도 남았겠지. 나 스물네 살이라며."

"그런데……."

아벨라의 야유에도 굴하지 않고, 베티는 다시 꿋꿋하게 말을 이었다.

"근데, 아씨. 저는 아씨가 여덟 살이 되신 이후로, 항상 아씨 옆에 붙어 있었거든요? 그런데 그 누구도 아씨의 위임장이나 그런 걸 받으러 오신 적이 없어요. 아무리 눈 가리고 아웅이라도 절차란 게 있으니 아씨 지장이라도 받으러 와야 되잖아요."

뭐?

아벨라의 눈이 다시 반짝였다.

"그렇다면."

"제 생각엔 거기 돈이 좀 있을 것 같아요. 대공 전하나 다른 분들이 잊을 정도니 큰돈은 아닐 거고요. 그냥 추측이지만요……."

그렇단 말이지.

아벨라는 대답하는 대신 검지와 엄지로 제 턱을 짚은 채 곰곰이 생각하기 시작했다.

정말 신탁이라는 게 있다면 지금의 궁핍한 생활에서 벗어나는 것은 물론 나중을 위해서도 도움이 될 것이다.

하지만 신탁은 딜루어 은행에 보관되어 있고, 딜루어 은행엘 가려면 일단 외출을 해야 한다. 당연히, 몰래.

들키지 않을 수 있을까?

아벨라는 심란한 표정으로 생각에 잠겼다. 자신은 정략결혼으로 제국에 온 볼모였다. 더군다나 백치. 그런 아벨라가 결혼한 지 얼마 되지도 않아서 딜루어 은행엘 간다고? 말만 들어도 절대로 불가능한 일 같다. 만에 하나 자신을 도와줄 아군이 있다면 또 모르겠지만.

마침 적당한 인물이 떠올랐다.

바로 아벨라의 남편이자 밤에는 멀쩡한 그 위인, 제8황자 말이다.

그의 도움을 어떻게 받는 게 좋단 말인가? 베티에게 대신 허락받게 하는 건 무리다. 황자는 늦은 밤에나 들어오는 데다, 베티는 황자를 본 적도 없는 상태니까.

아예 화끈하게 확 까발리고 협조를 구해? 아…… 아냐. 이건 좀 더 나중에 고려해 보자.

게다가 8황자궁 주변엔 아무것도 없다. 아니, 카셀란 황궁 자체의 구조가 원래 그랬다.

허허벌판에 거대한 본궁과 별궁 둘만 일정한 간격으로 놓여 있다. 또한 건물 간 거리도 멀어 마차는 필수였다.

만일 탈출하게 된다면 아무에게도 들키지 않고 몰래 마차를 수배할 수 있을까? 아벨라가 생각하기엔, 이는 불가능할 것 같았다.

차라리 걸어갈까? 생각하던 아벨라는 고개를 저었다. 아니다. 절대 불가능이다. 걸어 다니려면 걸을 수 있겠지. 하지만…….

아벨라는 지금 입고 있는 드레스를 떠올렸다. 이런 불편한 옷과 구두를 입은 채로 걸어간다고? 황궁을 나가기는커녕 문까지 이르지도 못하고 탈진할 게 분명했다.

아, 그렇다면 황궁을 몰래 나설 수 있는 방법은 정녕 없는 걸까? 한참을 궁리하던 아벨라는 다시 그릇을 보았다. 에이 모르겠다.

"일단 먹자."

아벨라는 한숨을 삼키고 앞의 감자를 애써 자르기 시작했다.

아침을 다 먹고 난 뒤, 아벨라는 궁을 탐색하기 시작했다.

궁 자체는 매우 넓고, 방들도 많은 편이었지만, 다들 텅텅 비어 있는 데다 첫 인상처럼 낡고 좀이 슬어 있었다. 오랫동안 방치되어 있는 상태라 그런지, 괜히 으스스하기까지 하다. 한참 둘러보던 아벨라는 자신도 모르게 어깨를 움츠렸다. 폐가도 아니고, 이게 뭐야.

청소도 제대로 되어 있지 않은지, 눈에 띄지 않는 구석이나 배열되어 있는 장식들 위에는 먼지가 뽀얗게 쌓여 있었다. 한

번 손가락으로 쓱 쓸어 보던 아벨라는 인상을 찌푸린 채 그 자리에서 손을 털었다.

"이건 이대로 내버려 두면 안 되겠어."

그렇지만 이만한 공간을 청소하려면 청소 인원이 꽤 많이 필요할 것이다. 품도 많이 들 거고. 그리고 청소는 막상 하면 귀찮고 힘든데 끝내면 표도 안 나는 대표적인 가사 운동 아닌가.

"……그냥 내버려 둘까?"

귀찮은 일을 상상하던 아벨라는 조용히 뒤돌아섰다. 사실 예전에도 그리 깔끔한 편은 아니었으니.

아벨라는 층계를 올라가며 8황자 궁을 탐색했다. 이 궁은 총 4층으로 이루어져 있는데, 위로 갈수록 더 넓어 보였다. 맨 위층인 4층은 환기도 잘 하지 않는지 쾌쾌한 냄새가 자욱하기까지 했다.

"괜히 올라왔다. 정말 귀신이라도 있는 거 아냐?"

아벨라는 자신도 모르게 인상을 찡그리며 다시 조심스럽게 걸음을 옮기기 시작했다. 어쩐지 으스스한 게, 해가 중천인데도 귀신이 나올 것만 같다. 그냥 갈까? 아벨라는 먼지가 둥둥 떠다니는 4층을 둘러보며 망설였다.

"아니다. 한 번만 둘러보고…… 내려가자."

그래, 이왕 온 김에 둘러보자. 그래도 여기까지 올라왔잖아.

내키지 않는 걸음을 애써 옮기며 복도를 거닐던 아벨라의 눈이 한곳에 멎었다.

다른 곳은 해지고 색이 바래 있는 카펫인데, 유독 저 복도만 카펫이 새빨간 게 새 카펫 티가 났다.

아벨라는 새 카펫이 있는 복도를 향해 다가갔다. 그리고 보니, 복도 구조가 좀 이상했다. 1층과 2층과 3층은 똑같이 이곳에서 막혀 있는데, 4층만 이쪽 길이 뚫려 있다.

새 카펫은 아벨라에게 보였던 길목을 기점으로, 막다른 길까지 쭉 이어져 있었다. 그리고 막다른 길목의 끝엔…….

"문?"

웬 문이 있었다. 양쪽 문으로 열게 되어 있는, 꽤 큰 크기의 문. 문의 입구는 아주 화려하게 꾸며져 있었는데, 만든 지 몇 년 되지 않은 문 같았다. 다 낡은 회랑과 복도 사이에 이런 문이라니, 어찌 보면 이질적이기까지 하다.

이게 뭐지. 아벨라는 자신도 모르게 그쪽으로 조심스럽게 다가갔다. 참을 수 없는 호기심 때문이다. 손잡이를 돌려 보니, 잠겨 있지 않은 듯 걸쇠가 돌아가는 소리가 났다.

열어 볼까? 그래, 열어 보자. 여기까지 왔는데 열어라도 봐야지. 혹여 이상한 게 있다면 당장 도망가면 되지 뭐.

"실례합니다."

속삭이며, 조심스럽게 문의 손잡이를 돌려 문을 열었다.

'끼익' 하는 경첩 소리가 나며 문이 천천히 열리기 시작했다. 그리고 열린 틈 사이로 비춰진 광경에, 아벨라는 자신도 모르게 숨을 들이쉬었다.

커다랗고 아름다운 방이었다. 이 궁에서 어쩌면 제일 넓고, 또 가장 아름다운 곳이라고 해도 과언이 아닐지 모른다.

아벨라는 성큼 문 안으로 들어섰다. 짙은 붉은색의 카펫, 옅은 크림톤의 벽, 그리고 기둥과 천장의 틈새들은 모두 금인 듯 화려한 무늬로 양각되어 있었다.

그리고 더욱더 독특한 점은, 한가운데 놓여 있는 의자와 테이블이 이 방 안에 있는 가구의 전부라는 것이다.

"여기서 파티도 열 수 있겠다."

혼잣말하던 아벨라의 시선이 문득 한쪽 벽에 가 멈췄다. 이상하게 한쪽 벽의 가운데만 이질적인 금색 커튼으로 가려져 있었다. 저건 또 뭐야.

커튼을 들춰 본 아벨라는 그 순간 놀라 한숨을 쉬었다. 웬 여성의 초상화가 그곳에 걸려 있었나. 여성은 초상화 안에서 두 손을 공손히 모으고 앉아 아벨라를 응시하고 있었다.

금귤색의 머리칼은 예쁘게 틀어 말아져 있고, 반짝이는 갈색의 눈동자는 마치 살아서 움직이는 것처럼 생생하게 빛나고 있었다. 게다가 저 한껏 환하게 웃고 있는 미소라니.

"엄청 미인이고, 엄청 잘 그렸네."

그리 평하며 아벨라는 그림을 응시했다. 풍만한 가슴과 완만한 어깨의 선, 그리고 아름다운 아이보리의 드레스까지. 더할 나위 없는 미인이었다. 하지만 여기서 궁금한 게 한 가지 있다면, 왜 이 그림이 여기 이 방에 모셔져 있냐는 거지.

아벨라는 방 한가운데 있는 의자와 테이블을 바라보았다. 의자가 놓인 위치를 보아, 이 의자와 테이블은 바로 이 그림을 보기 위해 배치된 게 틀림없었다.

그렇다면 이 방은…….

오직 이 그림을 보기 위한 방이라는 소리인가? 아벨라는 순간 인상을 찌푸렸다. 엄청 소름 돋는데. 이 그림의 여자가 대체 누군데?

이 의자에 편히 앉을 수 있는 자는 이 궁에서도 단 한 명뿐이 아닌가. 황자 말이야.

"이 그림이 대체 뭐기에?"

아벨라는 고개를 갸웃했다. 이 그림이 엄청 대단한 의미가 있는 그림인가. 아니면, 이 초상화의 주인이 의미가 있는 걸까. 아마…… 후자겠지.

설마 연인?

아벨라는 잠시 생각하다가 고개를 저었다.

"에이, 모르겠다."

그래. 모르겠다. 이런 건 깊게 생각할 필요도 없다. 물어보고 싶은데 물어볼 수도 없고 말이야. 당분간은 알 길이 없으니, 지금은 묻어 둘 수밖에.

아무것도 없는 낡은 궁, 유일하게 공들인 방에 있는 것이라고는 그림 한 점뿐.

아벨라는 자신이 본 걸 정리하며 한숨을 쉬었다. 뭐, 여차하면 궁의 집기라도 내다 팔까 생각했는데 팔 것도 없다. 하긴, 막상 판다고 해도 내다 팔 곳이라도 있겠느냐만. 남은 건 여전히 의심스러운 8황자 하나네.

그나저나 은행의 신탁을 어떻게 확인한담. 무슨 뾰족한 수가 없을까? 아벨라가 그림 앞에서 한참을 궁리하던 때였다.

"내 어머니야. 인사하겠어?"

갑자기 들린 목소리에, 아벨라는 그 자리에서 펄쩍 뛰어올랐다. 악! 악! 악! 악! 너무 놀라 입 밖으로 소리조차 못 낸 채 후다닥 뒤를 돌아본 순간이었다.

"아, 이런. 놀랐을까."

남자가 안타까운 어조로 말한다.

이 자식아, 당연하지! 아벨라는 당장이라도 튀어나오려는

욕을 억눌렀다.

펠리체였다. 펠리체가 그곳에 태연히 서 있었다. 어제처럼 붕대를 두르고 곱사등이임을 가장한 차림이 아니었다. 셔츠에 바지, 간단한 조끼를 걸친 편안한 차림이었다. 게다가 얼굴엔 옅은 미소까지 띠고 있었다.

"놀라게 하려던 건 아니었는데. 미안해, 아벨라. 나는 널 찾으러 온 거야."

왜?

"네 샤프롱이자 유일한 말벗이자 시녀인 베티에게 인사도 해야 하는데다…… 널 두고 말할 게 있어서. ……그런데 네가 이곳까지 와 있을 줄은 몰랐지만."

묻지도 않았는데 알아서 답해 준다. 인사? 아니, 원래 정략결혼은 결혼만 하고 상대방에게 아무런 관심도 안 주는 거 아니었어?

아벨라의 눈동자가 이리저리 굴렀다. 자신이 지금까지 본 소설이나 드라마에선 모두 그랬는데.

그때였다. 갑자기 펠리체가 아벨라를 향해 성큼 다가왔다. 아벨라가 종종걸음으로 뒷걸음 쳤던 거리가, 단 두세 걸음 만에 가까워졌다. 아벨라가 자신도 모르게 고개를 내렸을 때였다.

"잠깐 실례할게."

"꺄앗!"

펠리체가 그녀를 안아 올렸다! 아벨라는 자신도 모르게 새된 비명을 질렀다. 하지만 펠리체는 아벨라의 놀란 소리에도 아랑곳 않고, 자신의 팔에 그녀를 앉히듯이 품에 완전히 안아 들었다. 아벨라는 균형을 잡기 위해 그의 어깨에 손을 올려야 했다.

어제도 생각했는데, 참 덩치가 크다. 얼굴은 엄청 곱고 섬세한데 말이야. 아벨라를 안아 든 팔만 해도 단단한 근육이 여물어 있었다.

"미안해, 아벨라."

그녀를 안은 펠리체가 이내 큰 보폭으로 방문을 향해 걸어 나갔다. 아벨라에게 닿았을 때와 같이 금세 문 앞에 다다랐다.

펠리체가 방문을 나서려 할 때였다. 그는 문득 멈춰서 가만히 뒤를 돌아보았다. 얼결에 아벨라 또한 펠리체가 바라보는 곳을 보았다.

펠리체는 벽에 걸려 있는 여성을 보고 있었다. 어머니라고 했던가. 아벨라가 다시 펠리체에게로 눈을 돌리던 때였다. 아벨라는 펠리체의 눈을 스치고 지나가는 수많은 감정들을 보았다. 헤아릴 수 없는 수많은 감정.

왜 어머니의 사진을 이렇게 따로 걸어 둔 걸까? 혹시, 펠리체가 가짜 환자 행세를 하는 것과 관련이 있는 걸까? 아벨라가 여러 생각들을 줄지어 떠올리는 때였다.

펠리체는 다시 천천히 그림 앞으로 다가갔다. 아벨라를 안은 채로, 그림을 보며 나직이 속삭였다.

"그동안은 보러 오지 못해서 죄송해요, 어머니. 그래도 자주 왔었어야 했는데. 아벨라예요."

펠리체는 살아 있는 사람에게 소개하듯이 아벨라를 그림 쪽으로 보여 주었다. 얘가 왜 이래? 아벨라가 펠리체의 품속에서 어색하게 눈을 깜박일 때였다.

"저는 잘 지내고 있어요. 복수는 하지 말라고 걱정하실지도 모르겠지만. 이번엔 꼭 샬롯이 발뺌조차 하지 못하도록 얽어

매겠습니다."

펠리체의 말을 들은 아벨라의 눈동자가 흔들렸다. 잠깐, 샬롯이 누구지? 들었었는데? 아, 베티에게 들었었다. 샬롯 황비. 황실의 살림을 주관한다던 여인. 그런데 펠리체가 지금, 그 샬롯에게 복수를 하겠다고 말한 건가?

왜? 샬롯이 펠리체의 어머니에게 무슨 짓이라도 했나? 뭐라 들은 거 같긴 한데, 모르겠다. 아벨라는 혼란스러운 눈으로 펠리체를 올려다보았다.

"그래도 곧, 다시 또 올게요."

펠리체는 그림을 올려다보며 속삭이곤 그대로 아벨라를 안은 채 돌아섰다.

아벨라는 펠리체의 표정을 흘끗 보았다. 그는 속을 알 수 없는 눈을 하고 있었다. 아까 그림을 볼 때와는 전혀 다른 무감각한 눈이다.

아벨라는 자신도 모르게 펠리체의 목에 두른 팔에 힘을 주었다.

8황자궁의 내실, 낡은 테이블 앞.

베티는 정말 어색한 표정으로 자리에 앉아 있었다. 애써 시선을 피하며 앞의 찻잔을 들었다 놓는데, 그 모습이 퍽 애처로웠다.

아벨라는 베티가 왜 이렇게 어색하게 구는지 이미 알고 있었다.

"많이 놀랐을 걸 아네."

우아하게 말하는, 저 말도 안 되게 잘생긴 양반 때문이겠지.

펠리체.

그는 주디에게 차를 부탁하고는 제 앞에 손수 베티를 앉혔다. 이게 베티에게 한다던 인사인가? 인사치고는 지나치게 정중했다. 마치 베티를 손님처럼 대하는 태도였다.

"동양의 차나무 잎을 세 번 덖은 차라고 하더군. 꽤 어렵게 구한 잎이야. 들게."

응?

하지만 분명히 오늘 아침만 해도 베티는 나한테 차도 질 떨어지는 잎밖에 남지 않았다고 했는데?

들리는 말에, 아벨라가 고개를 내려 차를 살폈다. 맑은 녹빛의 물이 잔잔하게 우러나고 있었다.

이거, 아무리 봐도 예전에 마셨던 녹차 같은데. 아벨라는 조심스럽게 향을 맡았다. 차를 몰라도 알 수 있었다. 향도 은은하고 색도 맑은 게, 이 차는 분명히 상등품이다.

베티도 놀란 모양이었다. 아까까지만 해도 어색해 죽으려고 하더니, 차라는 소리가 나오자마자 고개를 똑바로 치켜들고 되물었다.

"……그렇게 좋은 잎이 있었나요?"

펠리체는 그런 베티를 보곤 목을 울려 '하하' 하고 웃는 소리를 냈다.

"화상 환자로 알려져 있던 내 멀쩡한 얼굴보다 제 주인에게 갈 찻잎의 사정이 더 궁금한 모양이지. 대단한 충정이구나."

"아, 그건 죄송합니다……."
"아니. 오히려 더 호감 가는 언행이었으니 개의치 말게."
혹시 펠리체의 심기를 거슬렀을까 싶어, 베티가 저어하는 얼굴로 그를 바라보았다. 하지만 펠리체는 정말로 아무렇지 않아 보였다. 아벨라는 알 수 있었다. 저 얼굴에 서린 웃음은 진심이었다.
"물은 말에 대답하자면 원래는 좋은 차가 있어야 했지. 하지만 생각보다 보급품이 늦어졌어. 하지만 오늘 점심부터 식료품 사정이 좀 나아질 거야. 오늘 아침의 조악했던 사정은 미안했네."
보급품이 온다고?
"보급품이 온다고요? 하지만 주디는 제게 궁에서 지원이 나오는 건 아무것도 없다고 했는데요."
나이스, 베티!
가려운 곳만을 정확히 긁는 질문이었다. 펠리체가 베티의 물음에 고개를 끄덕였다. 베티의 물음을 예상하기라도 한 듯 편안한 표정이었다.
"맞아."
펠리체가 여유롭게 다리를 꼬았다.
"'황궁'으로부터 오는 보급품은 없지."
순간 아벨라와 베티의 눈이 조금 더 크게 뜨였다. 보급품이…… 황궁에서 오는 것 말고 따로 있나?
"오늘 아침까지만 해도 주디는 자네에게 '우리'에 대한 이야기를 전혀 해 주지 않았을 거야. 그녀는 내가 태어났을 때부터 이곳을 지켜 온 사람 중 하나고, 내가 말하라고 할 때까지 입을 열지 않아. 결론부터 말하자면."

펠리체는 제 몫의 찻잔을 향해 시선을 쏟았다가 다시 베티를 마주 보며 말을 이었다.

"이 궁은 꽤 독자적인 방식으로 물자를 보급하고 있네. 내 부인과 자네에게도 이제 필요한 걸 공급할거야. 그리고 약속컨대…… 절대로 부족하지 않을 거야."

뭐?

아벨라는 저도 모르게 놀라 눈을 크게 떴다. 아차, 표정 관리! 아벨라는 자신이 멀쩡하다는 걸 들킬까 재빠르게 고개를 푹 숙이고, 꼬물꼬물 손가락 장난을 하는 척했다. 하지만 머릿속은 지금 들은 이야기를 받아들이기 위해 팽팽 돌아가고 있었다.

잠깐만. 지금 내가 뭘 들은 거야?

아벨라가 혼란스러워하는데, 베티가 다시 입을 연다.

"……독자적인 방식이요?"

"이 부분은 주디에게 들어 알고 있겠지. 우린 황궁의 지원을 전혀 받지 못해. 그러니 스스로 일굴 수밖에 없었어."

대체 스스로 어떻게 일궜다는 거야? 아벨라는 이야기를 들으며 무의식적으로 손가락을 쥐어뜯기 시작했다. 있지도 않은 거스러미를 손가락을 세워 뜯었다. 집중하면 나오는 버릇이었다. 이러다 손가락에서 피가 나기도 하고, 손끝이 뭉툭하게 변하기도 했지만, 쉽게 고칠 수가 없었다.

그런데 바로 그때였다. 펠리체가 갑자기 아벨라의 손을 부드럽게 잡아 왔다.

"쉬, 아벨라, 손이 다칠지도 몰라."

펠리체의 움직임에 베티가 놀라 눈을 동그랗게 떴다. 갑자기 손을 잡힌 아벨라는 더했다. 정말로 심장이 발바닥까지 떨어졌다가 돌아온 기분이었다. 얘가 오늘 사람 여러 번 놀라게 하네, 정말!

자신이 손장난을 하는 건 대체 언제부터 봤단 말인가? 펠리체는 아벨라가 손가락 장난을 멈출 때까지 그녀의 손을 잡았다가 놓았다.

"……미안하네, 나도 모르게. 다시 이야기할까."

펠리체가 베티에게 다시 대답하기 시작한 것은 그다음이었다.

"그 독자적인 방식은 좀 나중에 밝히고 싶어. 어쨌든 자네에게 이렇게 알리는 건 궁이 누추한 몰골을 하는 건 이목을 피하기 위해서지, 정말로 가난해서가 아님을 알아주길 바라서야. 목적이 있으니까. 그 목적 때문에 나 또한 내 몸을 가린 채로 아주 오랫동안 숨어 살아왔고."

어조는 여전히 다정했지만, 아벨라는 보았다. '오랫동안 숨어 살아왔다'라고 말하는 펠리체의 눈동자는 서늘하게 가라앉아 있었다.

"현재 살림의 대부분은 주디와 세스가 맡고 있어. 하지만 시간이 지나면 자네에게도 이 궁의 대략적인 사정을 밝힐 예정일세. 그전까진 주디에게 쓰임을 말하면 돼. 아벨라에게 필요한 어떤 것이든 말하게, 비용은 신경 쓰지 말고. 주디 또한 자세한 내용은 물어보지 않을 거야. 그리고 자네에게도 넉넉한 봉급을 주겠네. 이미 공국에서 받았거나 받고 있을지도 모르나, 그와는 별개야."

베티는 놀라 입마저 벌렸다. 아벨라는 베티의 기분을 십분

이해할 수 있었다. 왜냐면 자신도 딱 그 기분이었으니까!

베티가 아벨라를 홱 돌아보았다. 아벨라는 순간 베티가 보내는 눈빛을 이해할 수 있었다. '아씨, 혹시 어제 저하 멀쩡하신 모습 봤어요? 지금 처음 보는 거 아니죠?'

아벨라는 아주 작게 고개를 위아래로 한번 끄덕였다. 미안하다. 아침엔 차마 말할 수가 없었어…….

"저하."

베티는 아벨라를 바라보던 시선을 돌려 다시 입을 열었다.

"제게 이런 중요한 사실을 알려 주셔서 감사합니다. 하지만 어제야 겨우 제국에 당도한 타국의 시녀를 믿으실 수 있나요? 저는 아씨를 모시는 일개 시녀일 뿐인데요."

아벨라는 베티가 돌려 말하는 내용이 무엇인지 알 것 같았다.

'나는 공국 사람인데 너 혹시 나한테 바라는 거 있으세요? 왜 이딴 걸 알려 줌?'

그때였다. 펠리체가 짤막하게 웃음을 터뜨렸다.

"베서니 필 다알리아 백작 영애. '일개' 시녀라기엔 지나치게 높은 신분 아닌가."

응? 백작 영애?

아벨라는 다시 놀란 표정을 감추기 위해 고개를 푹 숙였다. 그 상태로 베티를 흘긋대는데…… 아벨라의 눈이 다시 동그랗게 떠졌다. 베티가 놀라 눈을 홉뜬 채로 펠리체를 바라보고 있었다. '정곡이 꿰뚫렸소'라고 대놓고 광고하고 있는 듯한 표정이었다.

백작 영애라고? 베티가? 아니, 물론 높은 분을 모시는 사람들 역시 귀하게 쳐주지만 백작 영애는 좀 지나치게 높은 신분 아닌가?

베티의 표정을 살피며, 펠리체는 태연히 말을 이었다.

"공국의 명문가 다알리아 백작의 외동딸. 음전하고 현숙하여 어린 나이에도 다른 귀족 영애들의 샤프롱 노릇을 하곤 했지. 내가 자네의 정체를 모를 거라고 생각하면 오산일세. 자네가 유능한 샤프롱이고, 예법과 도덕에 엄격하며 집안이 지나치게 좋다는 걸 알고 있어."

……그랬어?

아벨라는 내심 놀라 눈을 휘둥그레 떴다. 하지만 아벨라 앞에서의 베티는 수더분하고, 말이 많고, 소탈한 소녀 같았다. 엄격하지도 않을 뿐더러, 예법을 자세히 따지지도 않았는데…….

그때였다. 베티가 갑자기 허리를 꼿꼿하게 편 채로 눈을 빛냈다. 어깨를 활짝 편 채 턱을 당기는 것만으로도 베티의 주변 분위기가 변했다. 마치…… 정말 고귀한 영애 같았다.

"……그렇게나 자세히 알고 계시리라 생각하지 못했습니다. 저하께서 공국엔 관심이 없으리라 감히 착각했습니다."

"부디 착각을 고쳐 주길 바라네. 자네에 대한 건 대공 전하께 직접 들었어."

이제 다시 베티가 두 번째로 놀랄 차례였다. 아벨라는 베티가 고개를 들고 잔뜩 경악하는 표정을 짓는 것을 지켜보았다.

"직접 들으셨다고요?"

"맞네. 나는 딜루어 대공 전하를 잘 알거든."

"어, 어떻게…… 저는 몰랐……."

베티가 당황해 말까지 더듬었다. 그를 지켜보던 펠리체가 장난스러운 웃음을 지었다. 찻잔을 들어 입술을 축이곤 계속 말을 잇는다.

“모를 만해. 친교는 기밀이었으니까. 게다가, 제국과 황제가 훼방을 놓아 공국의 시녀와 수행원들을 하나도 데리고 오지 못하게 되었다는 것도 알아.”

……응? 아벨라의 눈동자가 다시 반대편을 향해 도르르 굴렀다. 펠리체의 말 중 걸리는 부분이 있었다.

그러고 보니 공국 측의 사람이 하나도 없었다. 이 정도쯤 되는 공녀라면 베티 말고도 이곳까지 따라오는 수행원이나 시녀들이 더 있어야 하는데. 펠리체의 말을 들어 보니 제국이 방해를 한 모양이었다.

펠리체는 잠시 숨을 내쉬곤 말을 이어 나갔다.

“공작께선 그렇기 때문에 아벨라의 측근으로 붙일 이에 신중에 신중을 기하셨다고도 말씀하셨네. 그리고 나는 자네와 아벨라를 무사히 지키겠다 말씀드렸고. 자네에겐 이 사실을 꼭 알리고 싶었네.”

오가는 대화를 들으며, 아벨라는 속으로 혀를 내둘렀다. 아니, 아무것도 할 줄 모르는 백치를 데려오면서 수행원이나 시녀들조차 데리고 오지 못하게 했다고? 이래 놓고 궁내부장은 궁인들을 내주길 거절하고?

아벨라는 베티를 흘긋 보았다. 베티도 만만찮게 머릿속이 복잡한 표정이었다. 처음엔 곧잘 표정을 숨기더니 이젠 아예 표정 관리는 포기한 듯 보였다. 아무리 그래도 너무 놀란 티를 내고 있는 거 아냐?

그때였다. 펠리체가 찻잔을 소리 내어 내려놓고, 허리를 좀 더 테이블로 기울였다.

"베티, 내가 오늘 이 자리를 통해 자네에게 가장 말하고 싶었던 부분은 이걸세."

아벨라는 펠리체를 바라본 순간 자신도 모르게 숨을 죽였다. 펠리체의 눈이 선연하게 빛나고 있었다.

"나는 제국의 편이 아니야. 그 사실은 대공께서도 알고 계시지. 그러니 감히 자네에게 부탁하겠네. ……나를 믿어. 이곳에서 내 아내를 지키는 사람은 자네뿐만이 아니니까."

그 뒤, 오후와 저녁 내내 베티는 혼이 나간 사람처럼 굴었다. 아벨라는 그 기분을 십분 이해할 수 있었다.

펠리체와의 티타임 이후 나온 식사는 정말 경천동지할 정도로 질이 좋았다. 특히 방금 먹었던 저녁은 환상적이었다. 녹아들 듯 부드러운 육질의 송아지 꼬리 찜과 부드러운 토마토 스프, 그리고 에그녹과 감칠맛 나는 그레이비소스를 곁들인 로스트 치킨이라니, 오늘 아침에 비하면 천국 수준이 아닌가. 펠리체의 말은 거짓이 아니었다.

게다가 펠리체와 대화를 하고 난 뒤 주디와 세스의 태도도 친근해져, 베티는 오늘 하루 종일 궁 이곳저곳의 비밀을 배워야 했다.

베티가 정신을 차리고 첫마디를 내뱉은 것은 저녁, 아벨라의 목욕 시중을 들면서였다.

"……아씨, 믿어지세요? 식기가요, 제국의 남부에서 나오는 청토로 만들어진 도자기였어요. 그걸 부엌 뒤 공간에 숨겨 두고 있었다고요. 게다가 주디가 아까 식료품 창고를 구경시켜 주었는데요, 냉기마법으로 보존되는 냉장고가 있었어요. 얼음이 있었다고요! 저 정말 기절하는 줄 알았다니까요."

말해 무엇하랴. 베티만큼 아벨라도 놀랍기만 했다. 게다가 베티의 정체도 새롭게 알게 되지 않았던가.

"아니, 그보다…… 난 네가 그렇게 대단한 사람인 줄도 몰랐어. 백작 영애라고? 현숙하다고?"

아벨라가 물에 젖은 손으로 볼을 긁적이며 대답했다. 베티의 표정이 순간 허물어졌다.

"히잉. 아씨, 그건 죄송해요. 제가 진작 말했어야 했는데……. 왠지 소개하기가 싫었어요."

"소개하기가 싫었다고? 왜?"

베티가 아벨라의 팔을 부드러운 스펀지로 문지르며 속삭였다.

"저는 아씨를 모시고 나서 얻은 게 많아요. 아씨 앞에선 엄숙할 필요도 없었고, 절 억누를 필요도 없었고요. 귀족 여식의 의무를 아씨 앞에선 하지 않아도 되어서 좋았어요. ……아씨를 따르기로 마음먹은 건 아씨가 정말 좋은 분이기도 하셨지만, 제가 편했기 때문이고요. 그래서 돌아오신 아씨께도 구태여 제 작위나 제 위치를 소개하고 싶진 않았어요. 그냥 친근하게 대해 주셨으면 했고……."

이야기를 들으니, 어쩐지 좀 짠해졌다. 이해가 되지 않는 것도 아니었다. 백작 영애라니, 말만 들어도 책임이 무거운 삶이었을 게 분명했다.

"그랬구나. 그럼 앞으로도 그렇게 대해 줘. 내가 제정신이 돌아왔다고 괜히 예절 차리기 없기야?"

"아유, 아씨. 예절을 차린다고 이젠 차려지지도 않아요. 그나마 다른 공적 행사에서나 간신히 겉치레만 할 수 있는 정도뿐이라고요."

베티에게도 그녀에게 미처 말하지 못했던 어려움이 있었으리라. 오늘 아침, 그래도 아벨라 덕에 버틸 수 있다고 훌쩍였던 베티를 생각하며 고개를 끄덕였다.

"내가 감히 네 고된 부분을 이해한다 말할 순 없지만, 적어도 이젠 네가 하는 말을 들어 줄 순 있잖아."

아벨라는 제 다른 팔을 문지르는 베티를 향해 다정하게 이야기했다.

"이젠 내게 기대."

"아씨……."

베티의 눈이 그렁그렁해졌다. 분위기가 다시 안온해지고, 둘 모두 한결 표정이 좋아졌다. 아벨라는 이미 느낄 수 있었다. 둘 사이의 유대감은 이미 싹이 터 자리 잡았다.

베티는 목욕이 끝나자 아벨라에게 부드러운 실크로 된 잠자리용 슈미즈를 입혀 주었다. 베티가 은근한 목소리로 다시 입을 열었다.

"그런데 아씨."

"응?"

"아씨는 언제쯤 털어놓으실 거예요?"

베티는 자세히 말하지 않았지만, 아벨라는 베티가 '누구에게' '무엇을' 털어놓을 거냐고 묻는지 잘 알고 있었다. 펠리체에게 언제 백치가 아님을 알릴 거냐는 뜻이겠지. 아벨라는 잠시 생각에 잠겼다 짤막하게 대답했다.

"글쎄. 당분간은……."

아니, 당분간보다 더 오래 말할 생각이 없었다. 어쩌면 아예 말하지 않을 수도 있고 말이야. 이미 마음속에 도망이라는 목표를 품었는데, 굳이 제 비밀을 스스로 밝히거나 할 필요 없을 것 같았다.

"그러니 베티 너도 조심해야 해. 사람이 있을 땐 나한테 말 걸기 없기야."

"아유 아씨, 절 뭘로 보시고. 맡겨만 주세요."

베티의 믿음직스러운 대꾸에, 아벨라가 방긋 웃었다. 그래도 베티라도 있어 다행이었다. 베티마저 없었다면, 이 급변하는 상황 속에서 적응할 엄두조차 나지 않았을 거다.

아벨라는 천천히 침대를 향해 걸어갔다. 머지않아 저 스스로 펠리체에게 말을 걸 거라는 사실은 꿈에도 모른 채였다.

Chapter 2

Chapter 2

며칠 뒤.

아벨라는 궁의 뒤뜰을 향해 이동하고 있었다. 오랜만에 밖에서 차를 마시는 게 어떠냐고 베티가 제안했기 때문이다.

오늘은 펠리체가 궁에 없었다. 요 며칠 사이, 아주 질릴 정도로 낮이고 밤이고 붙어서 자신을 바라보더니, 오늘은 볼일이 있다고 말하곤 사라졌다. 정확히 무슨 볼일인지는 모르겠지만 간만에 혼자 걸으니 기분이 상쾌하기 짝이 없었다.

펠리체가 옆에 있었던 게 싫은 건 아니다. 하지만 그가 옆에 붙어 있는 동안, 꽤 힘들었다. 바보인 척 백치인 척 연기하는 건 생각보다 훨씬 까다로운 일이었으니까.

하지만 이야기를 듣는 건 재미있었다. 아벨라는 그동안 있었던 일을 떠올렸다.

—아벨라.

펠리체는 자신을 안아 들고 궁 곳곳을 누비며 설명했다. 그의 어린 시절 이야기나 이목을 피하기 위해 일부러 낡은 것들을 전시해 두었다는 이야기들은 재미있었다.

이목을 피한 뒤엔 단지 귀찮아 그대로 두었다는 뒷이야기가 있었지만, 이건 듣지 않은 걸로 하자.

어쨌든 신선했다. 백치에게 이렇게 자세한 설명을 하리라곤 생각하지 못했는데. 펠리체의 설명은 솔직하고 또 자세했다. 게다가 반응도 좀 귀여웠고 말이야.

아벨라는 입궁할 때 패물을 몽땅 뺏겼다는 이야기를 들은 펠리체를 떠올리곤 웃음을 머금었다.

—빌어먹을.

펠리체가 이를 악물었다.

—누가 가져갔을지 알겠어, 렌티아겠지.

렌티아? 아벨라는 펠리체의 셔츠 자락을 갖고 노는 척하며, 방금 들은 이름을 기억해 두었다.

—맙소사, 탐욕스럽기가 제 어미를 그대로 빼닮았군! 이 궁에서 그렇게 넘치게 누리고도 뭐가 부족한 건지.

렌티아의 어미가 아주 탐욕스러운가 보다. 아벨라는 펠리체의 품에서 화내는 펠리체의 얼굴을 오래도록 바라보았다.

펠리체가 아벨라를 위해 화내 주는 것은 반가웠지만……. 아벨라는 그가 단순히 아벨라가 당한 처우에 한해서만 화를 내고 있는 것 같지 않았다. 오랫동안 쌓이고 쌓인 해묵은 감정이란 생각이 들었다.

그때 그림 앞에서 펠리체가 했던 맹세와 연관이 있나? 렌티아의 어미는 그럼…… 샬롯인가?

아벨라가 혼자 꼬리에 꼬리를 물고 생각할 때였다. 펠리체가 아벨라에게 다시 허리를 숙였다. 그러곤 다정하게 속삭인다.

—아벨라, 내가 제국 최고의 장인을 불러 줄게. 뺏긴 보석들도 찾아와야겠지만.

확실한 것은, 펠리체는 제게 퍽 상냥하단 점이다. 또 굉장히 신사적이었는데, 아벨라가 백치라고 해서 그녀를 정말로 아무것도 모르는 백치처럼 대하거나 무시하지 않았으며, 신체를 희롱하는 일도 없었다.

게다가 펠리체가 제 앞에선 내밀한 모습을 거리낌 없이 보이는 것도 좀 귀여웠다.

아이쿠. 이러다가는 베티와 같이 뒤뜰에 도착하겠다. 베티가 먼저 가 있으라고 했는데. 아벨라는 크게 기지개를 펴고는, 다시 자박자박 걸음을 옮겼다.

내실에서 뒤뜰로 이동하려면 층계를 지나 부엌의 문으로 이동해야 하는 것 같은데, 베티는 자신에게 새로운 길을 안내해 주었다.

1층 내실의 뒷문으로 가서, 유리 온실을 지나면 뒤뜰로 이동이 가능하다고 했다. 그런데 잠깐. 유리 온실? 그런 게 이 궁에 있었나?

"베티에게 그걸 먼저 물어봤어야 했는데."

아벨라는 나직이 중얼거리다가 흠칫해서 주변을 둘러보았다. 다행이다. 주변엔 아무도 없었다. 며칠 전 펠리체는 이 궁에 주디와 세스, 그리고 베티뿐이라고 공언했다.

그래도 조심하자. 아벨라가 다시 주변을 천천히 둘러볼 때였다.

응?

이상한 위화감이 들었다. 아벨라의 표정이 변해 주변을 꼼꼼히 훑기 시작했다.

확실히 무언가가 바뀌어 있었다. 처음엔 착각인가 싶었는데, 아니었다. 창틀이 새 것처럼 바뀌어 있었다. 고풍스러운 목조 장식의 끝엔 녹이 슨 은제 장식이 아닌, 빛나는 금도금이 되어 있다.

게다가 이 카펫.

색도 같고 재질도 같았지만, 낡아 빠지고 이리저리 해졌던 이전의 카펫과는 완전히 달랐다. 원래 이렇게 진한 색이었다고 알리려는 듯 선명하고 우아한 빛깔에, 아벨라의 눈동자가 사정없이 뒤흔들렸다.

분명히 변했다. 아벨라는 이어 옆을 바라보았다. 그러고 보니, 바랬던 벽의 색도 온데간데없었다. 희고 투명한 색 그대로였다. 게다가 이 빠지고 낡았던 복도의 장식품들은 멋들어진 도자기와 아름다운 풍경화로 바뀌어 있었다.

"……잠깐."

아벨라는 지나쳤던 응접실로 다시 돌아 나갔다. 아벨라의 눈이 휘둥그레졌다. 가구의 종류나 개수, 배치는 처음 이곳에 왔을 때 봤던 광경과 똑같았다. 하지만 질이 달랐다. 모두 기존의 가구보다 훨씬 더 좋은 가구들로 바뀌어 있었다.

궁이…… 좋아졌다.

그렇다면 정말 유리 온실이라는 것도 착각이 아니라…….

아벨라는 베티의 설명에 따라 내실의 뒷문으로 가 문을 열었다. 이곳에 문이 있는 줄도 몰…….

순간 열린 문 사이로 보인 광경에, 아벨라의 입이 쩍 벌어졌다.

"정말로 있어!"

유리로 된 온실이 정말로 있다!

아벨라는 자신도 모르게 감탄사를 터뜨렸다. 폐가에 가깝다고 생각했던 8황자궁에 유리 온실이라니?

이곳이 자신이 생각하고 있는 시대와 비슷하다면 이런 유리로 만들어진 온실은 그야말로 돈 많은 자들만 누릴 수 있는 호사였다. 아니, 굳이 멀리 갈 필요 없이 한국에서도 만만치 않은 가격이었다.

습하고 더운 온도가 유지되고 있는 유리 온실 안에선 상큼하고 달콤한 향이 잔뜩 풍기고 있었다. 주변을 둘러보던 아벨라의 표정이 기묘해졌다. 저건 레몬이고, 저건 멜론이고, 땅 아래 저건…… 저건 밭인데. 게다가 저 덩굴과 열매는…….

"수박?"

말하지 않기로 다짐하기 무섭게, 아벨라는 기어코 다시 중얼거렸다.

다가가 살펴보니 관목형 살구나무와 자두나무까지 보였다. 게다가 군데군데 보이는 히비스커스 꽃 덩굴들이라니. 향도 좋고 아름답고 다 좋은데…….

"어째 꽃은 곁다리고…… 다 과일들 같은데."

아벨라는 고개를 갸웃거렸다. 설마 일전에 펠리체가 말했던 독자적인 방식이라는 게 자급자족 같은 건가?

아벨라는 총총 나무들과 식물들을 지나쳤다. 온실의 뒤편, 베티가 말한 뒤뜰로 통하는 듯한 문이 보였다.

아벨라는 이제 망설임 없이 문의 손잡이를 쥐고 힘껏 열었다. 이 문 밖의 뒤뜰도 바뀐 궁처럼 무언가 바뀌었을 거라는 확신이 있었다.

"……!"

그리고 문이 열리는 순간, 아벨라의 눈이 조금 더 커졌다.

코끝을 스치는 향만으로도 알 수 있었다. 앞으로 자신이 이 궁에서 가장 좋아하게 될 곳은 바로 이 뜰이었다.

아벨라는 문 밖으로 나와 주변을 둘러보았다. 뜰엔 계절에 걸맞은 꽃들이 아름답게 피어 있었다.

다양한 색의 장미 덤불들은 귀여운 모양으로 가지치기되어 있었다. 장미 덤불의 뒤로는 전나무들이 촘촘히 심어져 있어 마치 울타리 역할을 하는 듯했다.

아벨라는 장미 덤불 사이 나 있는 길로 천천히 걸어가기 시작했다. 연한 녹빛의 잔디는 얇은 슬리퍼만 신은 발을 부드럽게 감싸 주었다.

그리고 그렇게 걷기 시작한 지 몇 분도 채 지나지 않아, 아벨라의 걸음이 다시 멈췄다.

"와."

아벨라는 나지막이 감탄사를 터뜨렸다. 수국이었다. 푸른색의 수국이 가득 피어 있는 군락의 옆, 라벤더색의 테이블보를 두른 다과상이 차려져 있었다.

3단 트레이에 담긴 풍성한 음식들과 다과, 그리고 워머로 데워져 있는 티 포트. 아벨라의 눈이 반짝였다.

아마 자신을 위해 준비한 테이블이 맞겠지?

아벨라는 그렇게 확신하고 자리로 다가갔다. 스스로 냅킨도 무릎에 가져다 대고, 의자도 홀로 끌어 착석했다. 베티가 보았다면 '요 며칠 예법 배우셨잖아요!' 하고 속상해하는 티를 냈을 거다.

하지만 세상의 어떤 사람이 이 광경을 보고 제정신을 차리겠어. 테이블에 앉으니 수국 송이들이 더욱더 잘 보였다. 시든 송이들도 없고 모두 고르고 아름답게 피어 있다.

"말도 안 돼, 정말 아름답잖아."

아벨라는 자신도 모르게 나직이 중얼거렸다. 아벨라가 크게 놀라는 이유는 다름이 아니었다.

아벨라는 이곳에 입성할 때의 뒤뜰을 똑똑히 기억하고 있었다.

궁 주변의 뜰은 정말로 심각했다. 낡은 궁을 더욱더 피폐하게 보이게 만든 일등 공신이었다.

덤불이 성기게 엉겨 있고 잡초가 점령했었던 그 옛날의 뒤뜰, 그런데 그곳이 이렇게 변했다.

대체 언제 이렇게 변한 거지? 시간이 있었던가? 공사하는 소리는 왜 들리지 않았던 거지? 대체 누가 공사를 도운 거란 말인가? 궁엔 주디와 세스밖에 없다고 했었잖아? 베티는 알고 있었을까?

그리고 아벨라는 그 순간 자연스럽게 펠리체를 떠올렸다. 그가 제 옆에서 아벨라 자신을 돌본 이유와도 혹시 관련이 있는 걸까? 손을 쥐어뜯던 아벨라의 손을 잡아 준 것처럼, 이번에도 공사하는 곳곳을 돌아다니다 다칠까 봐 보호해 준 걸까?

만일 그런 거라면…… 정말 지나치게 다정한 사람이 아닌가.

아니, 근데 대체 왜.

왜 백치일 뿐인 여자애에게 이렇게 구구절절하게 잘해 주는 거야?

아벨라는 혼란스러워 이마를 짚었다. 확실한 건, 펠리체는 아벨라를 결혼 전부터 알고 있었다는 점이다.

또한, 다른 사람들에겐 여전히 백치일 뿐인 자신에게 함부로 대하기는커녕 줄곧 애정 어린 모습만을 보여 주었다.

하지만 그런 펠리체를 믿기보단 오히려 경계심이 앞섰다. 의심하는 게 당연하다. 그녀는 이제껏 펠리체 같은 남자를 만나 본 적이 없었다. 아, 드라마 빼고.

"그래도 궁이 변한 건 좋다."

이 환상적인 정원도 그렇고. 아벨라는 피식 웃으며 주전자의 워머를 벗겼다. 아무래도 베티가 안 올 모양이니 먼저 마실 셈이었다. 까다로운 음식도 아니고 주전자에 있는 차 따르면 그만이니까.

그런데 그때였다.

"아씨이이이이이이이이이잇!"

갑자기 온실의 뒷문 쪽에서 찢어질 듯한 비명 소리가 들렸다!

"……!"

아벨라가 고개를 번쩍 치켜들고 비명이 들린 쪽을 살폈다. 그러자 얼마 지나지 않아 요란한 소리와 함께 베티가 나타났다.

베티는 스커트를 두 손으로 잔뜩 움켜쥐고 있었다. 우당탕탕 질주해 순식간에 아벨라 앞까지 도착한다.

"아씨, 아씨! 이러실 때가 아니에요!"

"뭐, 뭐야? 베티?"

아니 왜 갑자기 이런 식으로 등장을. 놀라 눈이 동그래진 아벨라에게, 베티가 숨을 몰아쉬며 덥석 아벨라의 손을 쥐었다. 아벨라는 얼결에 베티의 손을 잡다가 다른 감촉에 고개를 숙였다.

베티가 건넨 것은 황금색의 카드였다. 아벨라가 카드를 열자, 아름다운 글씨체로 '귀하를 모십니다.'로 시작하는 정중한 문구가 적혀 있었다. 몇 줄 읽던 아벨라가 눈을 동그랗게 떴다.

"초대장이잖아?"

본궁에서 열리는 정기 다례회에 초대한다는 내용이었다. 아벨라의 물음에 베티가 크게 고개를 끄덕이며 대답했다.

"네! 아씨가 황궁 다례회에 참석하셔야 한대요! 다과만 갖고 가려는데 갑자기 샬롯 황비 저하의 궁에서 나왔다면서 초대장을 줬어요!"

"베티, 잠깐만."

베티가 말을 이으려던 찰나였다. 초대장을 살펴보던 아벨라가 인상을 찌푸리며 그녀의 말을 막았다.

"불러 주는 건 좋은데 날짜가 이상해."

"네? 언제인데요?"

아벨라는 자신도 모르게 헛웃음을 지으며 초대장을 베티에게 흔들어 보였다.

"오늘이라는데?"

"네에에에에?"

베티가 대경해 그 자리에서 펄쩍 뛰어올랐다.

어처구니가 없어서. 아무리 이곳의 상식이 부족하디부족한 아벨라라도, 초대가 이렇게 급하게 이루어지는 게 아니라는 것은 잘 알고 있었다.

게다가 이 다례회는 황실의 이름으로 열리는 행사다. 그러니 예법대로라면 초대를 당일에 하진 않을 게 분명했다.

그런데 아벨라에게는 행사 당일 초대장이 왔다. 아벨라가 오늘 이 궁에 당도한 것도 아니니, 결국 합리적으로 추론할 수 있는 결론은 단 하나다.

"이건 아씨를 괴롭히려는 수작이에요!"

아벨라의 생각도 그렇다. 베티는 아벨라의 머리를 말며, 입에서 불을 뿜었다. 베티를 도와줄 꾸밈 시녀들이 아예 존재하지 않다 보니, 베티는 손이 보이지 않을 정도로 움직이고 있었다.

"말도 안 되는 거예요. 세상에, 당일 초대장이라니! 골탕 먹이는 방법도 정도가 있지! 저도 샤프롱 일을 하면서 귀부인들 장난이야 여러 번 들었지만 이건 상상 초월이에요!"

"정말 날 초대하고 싶었다면 미리 초대장을 주거나 행사를 미뤘어야 하는 거지?"

"당연하죠! 이건 완전히 아씨더러 오지 말라고 못 박은 거라고요!"

베티의 말이 맞았다. 황궁의 여인들은 아벨라를 눈에 띄게 무시하고 있었다.

이유도 잘 알고 있다. 공국 출신의 바보라니 성의를 다할 필요성을 느끼지 못했겠지. 성의를 다해도 바보니 기억하지 못할 테니까.

그사이 베티는 순식간에 달군 머리틀로 머리카락을 말고 코르셋을 듬성하게 조인 그녀의 몸에 쏙 파니에를 씌웠다.

그런 뒤 재빨리 몸을 돌려 화장품들을 화장대에 와장창 소리를 내며 올려놓았다. 파니에의 허리 매듭을 꼬물꼬물 지어 보려던 아벨라가 그녀의 눈치를 살피며 조심스럽게 물었다.

"그럼…… 안 가면 안 돼?"

"안 가신다고요?"

순간 베티가 매듭을 짓다 말고 그 자리에 멈췄다. 그녀가 눈을 깜박이다가 고개를 저었다.

"하지만 정기 다례회예요. 꼭 가셔야 하는데요……."

"정기 다례회가 그렇게 중요해?"

아벨라가 물어볼 때였다. 베티의 눈이 순간 번뜩였다.

"정-말 중요해요! 정기적으로 열리는 다례회라는 건, 제국의 내명부에 등록된 모든 인사들이 다 모인다는 소리라고요! 아씨보다 높은 부인들이 모두 모여 문안 인사를 한꺼번에 받겠다는 소리나 다름없어요! 사교계 데뷔만큼이나 중요한 자리라고요! 여기에 나가지 못하면 단단히 책을 잡혀요. 그렇지만……."

베티가 아벨라의 몸에서 손을 떼고 옆으로 한 발자국 비켜섰다. 두 손을 공손히 모은 채, 난처한 표정으로 말한다.

"아씨가 싫으시면 안 가셔도 돼요. 어떤 사람들이 있을지 아씨는 하나도 모르시는 데다가……. 저하께서도 아마 아씨가 지금 이 초대장을 받았다는 걸 모르실 것 같기도 하고……."

하지만 아벨라는 연신 꼼지락거리고 있는 베티의 두 손을 발견했다. 말과 다르게 베티는 엄청 초조해 보였다.

아벨라는 베티가 초조해하는 이유를 알 것 같았다. 이 자리의 중요성을 누구보다도 잘 알고 있기 때문이겠지. 펠리체가 말하길, 베티는 공국에서도 소문난 유능한 샤프롱이라고 했었으니까.

막상 저런 모습을 보니, 안 간다고 잘라 말할 수가 없었다.

"하지만 엄청 중요한 자리라며?"

아벨라가 마지못해 그녀를 향해 물었다.

“중요한 자리긴 하죠……. 갓 결혼한 부인이라면 빠질 수가 없는 자리고……. 아씨는 지금 대외적으로 백치로 알려져 있지만……. 그래도 얼굴을 비추셔야 이쪽도 도리를 다하는 게 아닌가 싶고 또 일단 초대장을 받았으니 안 나가면 무슨 꼬투리를 잡을지도 모르고…….”

“아, 알았어.”

“네?”

“가자고, 다례회. 얼른 대충 입혀 줘. 네 샤프롱으로서의 양심을 지켜 줄게. 거기 앉아만 있다 오지 뭐. 대신 펠리체한테도 바로 연락을 넣자. 주디한테 말하면 되나?”

아벨라는 베티에게 시원스럽게 대답하며 고개를 끄덕여 보였다. 그래, 까짓 거 가자. 간다고 죽는 것도 아니고, 무슨 일 있겠어?

가기로 확정한 이상, 망설일 이유가 없었다. 베티는 허겁지겁 드레스의 피스들을 꺼내 아벨라의 뒤로 돌아와 아벨라가 대충 매어 놓았던 파니에를 단단하게 다시 동여맸다. 그러곤 단숨에 로브 드레스의 치마 부분부터 입혀 주었다.

파스텔톤 분홍색으로 이루어진 귀여운 드레스였다. 천의 허릿단과 소매 부분엔 붉은 실로 섬세한 찔레꽃무늬가 아로새겨져 있었다.

목덜미는 바로 위쪽 가슴골이 보이기 직전까지 파여 있고, 풍성한 소매엔 리본이 매어져 있었다. 목깃 부분은 좀 더 진한 크림색이다. 치맛단에 잡힌 셔링들 사이로 크림색의 레이스가 비쳤다.

정말 눈부신 속도로 옷을 입힌 베티는 이제 아벨라의 얼굴을 매만졌다. 단숨에 눈 화장까지 마친 뒤, 구두까지 꺼내 온다.

"이거 신으세요, 그리고 이제…… 아!"

구두를 신겨 주려 무릎을 굽히던 베티가 순간 안타까운 탄성을 질렀다.

"왜?"

"아씨, 어떡해요? 패물함이 없어요. 거기에 공국에서 갖고 온 귀하디귀한 액세서리는 다 들어 있는데……."

아, 맞아. 패물함은 혼수와 함께 뺏겼다고 했지. 펠리체가 뭐랬더라, 렌티아라는 이름이었던 것 같은데. 그 여자가 가져갔을 거라고 했다.

펠리체는 되찾아 주겠다고 말했지만…… 모두가 예상할 수 있었다. 펠리체가 패물을 되찾기란 쉽지 않을 터였다.

게다가 펠리체가 자신을 위해 맞춰 준다고 했던 목걸이와 보석들도 꽤 시일이 걸릴 예정이다. 어떻게 아냐고? 제가 자는 줄 알고 문가에서 세스와 속삭이는 걸 들었다.

"지금 있는 거 대충 하고 가면 안 돼?"

"큰일 날 소리를요!"

베티가 소리를 높여 반박했다.

"다례회가 소소한 대화를 나누는 자리라지만, 이 다례회는 그런 소소한 대화를 나누는 사람들이 모두 황족이라고요! 시녀 수십이 달라붙어서 머리부터 발끝까지 완벽하게 차려입었을 거예요!"

다다다 대꾸하던 베티가 절망적인 표정으로 머리를 쥐어뜯었다.

"아씨, 어쩌면 좋아요. 정말로 마땅한 액세서리가 없어요."

이젠 완전히 땅으로 꺼질 듯한 목소리로 베티가 속삭였다.

아벨라는 베티의 고민을 조금도 이해할 수 없었지만, 어쨌든 그녀를 도와 채비를 끝마쳐야 했기에 같이 생각에 잠겼다.

그때였다. 아벨라의 시야에, 한쪽 구석에 꽂혀 있던 프림로즈 다발이 보였다. 누군가 아침에 꽂아 놓은 건지 아주 싱싱해 보였다. 아벨라가 눈을 깜박였다.

"그럼 저 꽃은 어때?"

"꽃이요? 꽃이 있어요?"

베티가 되물었다. 아벨라는 손으로 꽃이 있는 쪽을 가리켰다.

"저기."

"어마, 저기 꽃이 있었네요. 누가 꽂아 놨지?"

순간 아벨라의 머릿속에 누군가가 스쳐 지나갔다. 시녀도 없는 이 궁에서, 이런 꽃을 마음대로 아벨라의 침실에 꽂아 둘 수 있는 사람.

아벨라는 머릿속에서 펠리체를 내몰려 애쓰며 대꾸했다.

"……아무튼 우리 리본은 있잖아. 저걸로 화관이라도 만들자."

아벨라가 말하는 순간, 베티가 그 자리에서 펄쩍 뛰어올랐다.

"예에에? 저건 지나치게 소박해요! 아니, 소박하다 못해 궁색할 거예요!"

"하지만 안 어울리는 액세서리를 하는 것보단 나을걸. 일단 드레스와 색이 맞기도 하고. 아, 저 남은 리본은 팔에 매자."

"화동처럼요?"

베티가 한층 더 미간을 좁혔지만, 아벨라는 그녀에게 대강 고개를 끄덕이며 설득조로 말했다.

"시간 없어. 그리고 솔직히, 이런 중요한 행사를 당일에 초대할 정도로 그 여자들이 나에게 적대적이라면 내가 뭘 해도 비웃을 것 같지 않아?"

아벨라의 지적에, 베티가 울상이 된 채로 잠시 입을 다물었다. 그녀 자신도 아벨라의 지적이 맞는 것을 알고 있는 모양이다.

베티는 큰 결심이라도 한 양 한숨을 내쉬었다. 그러곤 손을 뻗어 꽃병에서 꽃다발을 꺼내선 화관을 엮기 시작했다. 순식간에 꽃이 만발한 화관이 완성되었다.

베티는 완성된 화관을 든 채 아벨라의 앞으로 다가와 머뭇거렸다. 시간 없다면서? 아벨라가 베티를 향해 입술을 뾰족 내밀곤 재촉했다.

"빨리 씌워 줘."

"아씨, 저는 몰라요. 네?"

베티는 울상을 지으면서도 핀을 가져와 화관을 머리에 고정해 주었다. 동시에, 남은 크림색과 분홍색의 새틴 리본을 팔과 목에 묶어 주었다. 꽤 괜찮은데? 아벨라는 속으로 생각했다.

농담이 아니라 아벨라가 보기엔 거울 안의 자신이 나쁘지 않았다. 오히려 예쁘면 예뻤지. 화관에 매달린 작은 장미 송이들과 어울리게끔 팔과 목에 맨 리본 가운데에도 꽃을 꽂았다.

물론 이 자리가 어떤 자리인지를 감안하면 소박하다 못해 볼품이 없는 게 맞지만 뭐 어때. 비웃을 테면 비웃으라지.

어차피 별반 좋은 분위기도 아닐 것 같고. 이왕 가는 거 사람들이나 천천히 탐색하는 게 좋겠다. 여기까지 생각을 마친 아벨라는 그대로 베티와 함께 본궁으로 가는 마차에 올라탔다. 세스가 직접 따라와, 마부를 자청해 주었다.
학원으로 따지자면 이 인원은 '소수정예'쯤 되려나. 아벨라는 비집고 나오려는 헛웃음을 참으며 밖을 바라보았다.

제국의 본궁은 백영궁으로 불린다고 했다. 궁의 기둥들이 모두 귀한 백영으로 이루어졌기 때문이다. 제국의 수호룡이 그들에게 선물했다는 설화가 전해 내려오지만 그 말이 정말인지는 아무도 모른다.
아벨라가 보기엔 그저 화려하고 아름다워 보이는 궁이었다. 참나. 이럴 거면 8황자궁도 지을 때 백영으로 좀 지어 주지. 통일성 모르냔 말이다, 통일성. 당연히 백영으로 통일해야 하는 거 아냐?
정말로 8황자궁이 백영이었으면 좀 좋아. 당장 끌로 떼어다가 팔았음 됐는데. 그럼 신탁 걱정을 할 필요 없잖아.
이런 생각을 하는 사이, 벌써 궁이었다. 생각보다 금방 도착했다. 그렇게 생각하며, 아벨라가 마차에서 내려섰을 때였다.
궁 안으로 들어갈 줄 알았더니, 마차가 그녀들을 내려 준 곳은 궁에서 조금 더 벗어난 웬 정원이었다. 마차에서 내리며 주위를 둘러볼 때였다. 같이 따라 내리던 베티가 주위를 둘러보곤 숨을 크게 집어삼켰다.
"헉, 아씨. 정원이네요……."
"정원이 왜?"
대꾸하려던 아벨라가 정원의 입구 앞에 서 있는 시종을 보곤 입을 다물었다. 덩달아 베티도 그를 보곤 입을 다문 채 그를 지나쳤다.

푸른 궁정복을 차려입은 시종은 아벨라와 베티의 얼굴만 보곤 자연스럽게 몸을 비켜 그녀들을 들어가게 했다. 시종을 지나 몇 걸음 떼자마자, 베티가 속닥거렸다.

"야외라는 거잖아요!"

"그러니까 야외가 왜?"

"차양이 없어요! 보통 이런 야외 파티에선 차를 마시고 한 바퀴 돈다고요! 이때 차양이 완전 필수적인데 차양을 갖고 오지 않았어요! 초대장엔 야외라고 써 있지 않았는데……!"

"나도 기억해. 그냥 그리핀 전당이라고만 써 있었어."

"전당이 야외에 있나 봐요!"

아벨라는 이곳에 온 지 일주일도 안 된 타국의 사람이었다. 그리핀 전당이 정원 한가운데 있는 건지 어떻게 알겠는가?

"어쩌죠? 지금이라도 가서 갖고 올까요? 하지만 차양 대와 차양 틀을 조립해서 천을 달려면 이틀은 더 있어야 하는데, 더군다나 차양은 무거워서 저 혼자서는 못 들어요."

"베티, 쉬."

순간 아벨라는 바람 새는 소리를 내곤 고개를 조금 더 세웠다. 걷는 길 저 너머에서, 아까와는 다른 시종이 그녀들을 향해 걸어오고 있었다. 아까 본 궁정복. 그녀들을 안내하기 위한 또 다른 시종임이 분명했다.

그가 다가오는 동안, 아벨라는 다시 뒤를 돌아 베티에게만 보이게끔 빼끔거렸다.

'알아서 할게. 괜찮아.'

시종은 그녀들에게 깊숙이 절하고 한마디 말없이 앞장섰다. 아벨라는 베티에게 언제 말했냐는 듯이 다시 무표정하게 시종을 따라 걸었다.
사실 차양 자체는 없어도 아무렇지 않았다. 그렇잖아. 하루 햇살 좀 쬐었다고 죽겠어? 그렇지만 기분이 나쁜 게 문제였다.
아니다. 백치니까 알려 줄 필요도 없다고 생각했겠지. 아벨라는 스스로 이해하곤 한숨을 삼켰다. 장담컨대, 아벨라가 올 줄 생각도 못했을 것이다.
그나저나 대정원은 정말로 크고 또 넓었다. 이곳을 다 돌려면 3일을 꼬박 걸어도 모자라게 생겼다. 정말 넓네. 왜 이곳엔 마차가 못 들어오지?
아벨라는 주변을 꼼꼼히 살폈다. 길 양옆엔 아예 측백나무를 빽빽이 심어 놓고, 마치 벽처럼 꾸며 놓은 걸 보니, 지금 걷고 있는 이 길은 미로인 것 같았다.
대학 시절, 학점을 채우려고 들었던 과목 중에 '조경의 이해'라는 과목이 있었다. 거기서 18세기 후반의 조경 양식이 이렇다고 설명했던 기억이 난다. 이런 형식의 정원을 실제로 보게 될 줄이야.
아벨라가 미로의 어떤 길목을 돌았을 때였다. 궁인이 그 자리에서 허리를 숙였다.
"도착했습니다."
눈에 들어오는 광경에, 아벨라는 입술을 동그랗게 벌린 채 놀란 표정을 지었다.
시야에 들어오는 정원의 광경은 정말로 아름다웠다. 아까 봤던 8황자궁 뜰도 아름다웠지만 이곳은 정말로 별천지였다.
희게 쏟아지는 강한 햇볕 아래, 다양한 꽃들이 조화롭게 서로 아름다움을 다투고 있었다.

아벨라는 탄성을 삼키며 주변을 둘러보았다.
제일 먼저 눈에 들어오는 꽃은 아무래도 입구부터 화사하게 피어 있는 장미다.
8황자궁 뜰에도 피어 있는 장미였지만 장미 수백, 수천 송이가 그녀의 허리 높이로 한가득 피어 있는 장관에 비할 바는 못 된다. 각자 다양한 색으로 아름답게 피어 있었다.
한편 장미들이 피어 있는 사이로 길이 나 있었는데, 잔디 사이로 일정한 간격으로 흰 돌이 디딤돌처럼 놓여 있었다.
베티가 치맛단을 잡아 주는 사이, 아벨라는 조심히 디딤돌을 밟아 저 멀리 보이는 테이블을 향해 걸었다.
가까운 줄 알았더니 은근히 멀다. 게다가 그리핀 전당이라더니, 전당은 무슨.
그리핀 전당은 그리핀 조각상 주변에 둥글게 해 가림용 돌 지붕만 올린 정자였다. 보통 이런 작은 정자를 전당이라고 부르진 않잖아?
어쨌든 이 그리핀 조각상 가운데에 커다란 다과 테이블이 놓여 있었다. 그리고 테이블 주변, 아름답게 차려입은 여자들이 삼삼오오 앉아 있었다. 드레스가 멀리서 보기에 마치 어여쁜 꽃송이들 같았다.
"이런."
점점 그 여자들에게 가까워지는 때였다. 베티가 치맛단을 잡다 말고 뒤에서 당혹스러운 듯한 신음을 흘렸다.
"또 왜?"
아벨라가 속삭이듯 물었을 때였다. 뒤돌아 직접 살펴보니, 그녀의 표정이 심상치 않았다. 눈에서 마치 불이라도 뿜을 것 같은 얼굴로, 베티가 차갑게 중얼거렸다.

“저분들…… 이미 차 마시고 있어요.”

“뭐?”

아벨라가 놀라 되물었다. 그러고 보니 저 중 몇이 흰 잔을 들어 홀짝이고 있는 것처럼 보였다. 헉, 정말이잖아?

“두 시라고 하지 않았어?”

“저도 그렇게 봤는데…….”

베티의 안색이 점점 창백해지고 있었다. 굳이 묻지 않아도 어떻게 돌아가는지 보였다.

심지어 시간조차 잘못된 초대장을 보냈단 말인가?

내막을 눈치챈 아벨라가 아랫입술을 꽉 물었다가 놓았다. 이대로 등 돌려 가 버릴까 망설였지만, 아니다. 불가능했다.

들어올 때 이미 봐 뒀다. 이곳은 출입구가 단 하나라서 오고 가는 사람들을 하나하나 다 관찰할 수 있는 구조였다.

그 말인즉슨, 지금 이렇게 드러내 놓고 홀로 입장한 이상 되돌아 나갈 수도 없다는 뜻이다.

아벨라의 눈썹이 미미하게 좁혀졌다 펴졌다.

“와도, 안 와도 나는 곤란해질 예정이었네.”

아, 이거 본격적인데. 아벨라는 잠시 아랫입술을 내밀어 ‘후’ 하고 숨을 쉬었다. 삐져나온 옆머리가 살랑살랑 흔들렸다.

안 돼, 정신 차리자. 어떻게든 이 일을 해결해야 한다.

아벨라는 보폭은 최대한 천천히 늦추면서 주변을 재빨리 살펴보았다.

정략결혼한 부인이 많고 황자를 열 명씩이나 낳았다고 해서 테이블이 열 몇 개 정도는 되리라 생각했는데, 의외로 테이블의 수가 적었다. 단 세 개뿐이다.

그리고 각 테이블마다 두 세 명만이 자리를 채우고 있었다. 사람들만 세어 보면 열 명도 되지 않는 숫자였다. 후궁의 여성들이 이것밖에 되지 않는다고? '모두' 모인 건데?

정기 다례회라고 함은, 황실 내명부에 등록된 여자들이 모두 모이는 자리라고 베티가 말했는데. 이거 원래 빠질 수도 있는 거 베티가 잘못 알려 준 거 아니야?

아벨라는 의문을 품으면서도 시선을 가운데 테이블에 두었다.

또 베티가 마차에서 귀띔하길, 원형테이블의 경우 가장 상석은 맨 가운데라고 했다. 과연, 테이블마다 가운데에 앉은 여성들의 외모나 꾸밈이 주변 여성들보다 훨씬 더 화려했다.

그리고…… 아마 가운데 테이블에서도 중앙에 앉은 여성이 '특별한' 여성이겠지. 아벨라가 그녀를 살펴보았다. 확실했다. 보랏빛 프랑세즈 로브 드레스를 걸친 나이가 지긋한 여성이, 머리에 금장된 보랏빛 트라이코트를 쓴 채 그녀를 바라보고 있었다. 얼굴은 평범한 중장년층의 부인이었으나, 눈만큼은 선명하게 빛나고 있었다.

아벨라는 끝까지 느릿하게 걸어, 테이블의 앞에 섰다. 가운데 테이블에 앉은 여성들은 테이블에 앉은 채, 아벨라를 바라보았다. 좋은 말로라도 결코 곱다고 말할 수 없는 눈빛이었다.

"늦었군요, 8황자비."

"……."

제일 가운데의 부인이 입을 열었다. 척 봐도 묵직하고 위엄있는 목소리였다. 황후인 게 분명했다. 아프다더니 심하게 아프지는 않은 모양이다.

아벨라는 속으로 여러 생각을 하면서도 똑바로 고개를 쳐든 채 빙그레 웃었다. 약간 맥이 풀린 듯한 실없고 밝은 웃음이었다.

어떻게든 백치인 척을 계속하자. 그녀는 자신의 상태를 핑계로, 그녀들에게 아무런 예도 취하지 않을 작정이었다.

아벨라가 눈만 말똥말똥 뜬 채로 뻣뻣하게 서 있자, 제 뒤에 서 있던 베티가 아벨라의 한 걸음 뒤까지 걸어 나와 그 자리에 무릎을 굽힌 체 고개를 숙였다. 얼마나 무릎을 굽혔는지, 아벨라의 눈에 베티의 정수리가 거의 보일 정도였다.

"황공하옵니다. 다 제 부덕입니다."

"네가 주인을 돌볼 줄 모르는구나."

베티의 말에, 가운데에 앉아 있던 여성이 기다렸다는 듯이 질책했다. 차마 백치를 나무라진 못하니 그 밑의 시녀를 잡겠다는 속셈이 분명했다.

그때였다. 황후의 오른쪽에 앉은, 자줏빛 숄을 걸친 채 월영 목걸이를 단 여성이 차갑게 비웃었다.

"이해하소서, 황후 전하. 백치지 않습니까. 타국에서 와서 몸이 피곤했던 모양입니다."

딱 봐도 알겠다. 저 자주색 숄 쪽의 성격이 엄청나게 나빠 보인다. 얼굴은 아름답고 입술도 단아했지만 눈매에 심술이 덕지덕지 붙어 있었다.

게다가 저 무척이나 화려한 치장과 눈두덩에 짙게 발린 말린 장밋빛의 아이섀도우를 보라지. 게다가 뭘 또 주렁주렁 달고 있는지, 청초한 얼굴과는 도무지 어울리지 않는 해괴한 장식들이었다.

그러자 황후 왼쪽의 진한 녹빛 드레스를 걸치고 있던 여성이 슬쩍 끼어들었다.

"혹시 티타임을 주관하신 샬롯 황비가 초대장을 보낼 때 문제가 있었던 게 아닐까요?"

잠깐 샬롯이라고?

"제가 주관한 파티에 문제가 있었다는 말씀이신가요, 길라 황귀비 저하?"

"그래요, 예를 들어…… 시간을 잘못 알려 준 건 아닌가요? 티타임 시간은 열두 시였는데, 지금은 딱 두 시 정각이로군요."

길라 황귀비라고 불린 여자가 인자하게 웃으며 대답했다. 하지만 이 세계의 예법을 모르는 아벨라도 지금의 분위기는 알 수 있었다. 둘이 주고받는 대화 뒤로, 번개와 천둥이 쾅쾅 몰아치는 환상이 보였다.

"하! 황귀비 저하, 정말 해도 해도 너무하십니다! 전 황후께서 직! 접! 제게 넘겨주신 주최 권한으로 열심히 다례회 준비를 했는데, 저깟 백치 계집 때문에 저를 책망하시는 건가요?"

그러자 길라 황귀비가 빙그레 웃었다. 여유로운 미소였다.

"'저깟 백치 계집'에게 다 뒤집어씌운 채 괴롭히려는 걸지도 모르지요. 샬롯 황비 그대가 8황자를 좀 미워했나요? 8황자궁이 활활 불타는 날, 제가 본—."

"정말 못하는 말이 없으십니다, 저하!"

잠깐……. 이게 무슨 말이야? 8황자궁이 불탄 적이 있다고? 지금 자신이 살고 있는 거기?

게다가 샬롯이란 이름은 무척 귀에 익었다. 펠리체가 자신의 어머니의 그림 앞에서 속삭였던 이름이다.

저 샬롯 황비라는 사람이 다례회를 주최했고, 길라 황귀비라는 여자와는 앙숙이고……. 그리고 저 샬롯은 펠리체와도 매우 사이가 안 좋을 거란 생각이 들었다.

문득 아벨라는 다시 베티를 바라보았다. 그 와중에도 베티는 무릎을 굽히고 있었다. 게다가 숙인 고개를 한층 더 깊이 숙이고 있었다.

아벨라는 드러난 베티의 목덜미가 덜덜 떨리는 걸 보고 입술을 깨물었다.

가엾은 베티, 얼마나 무서울까. 이해한다. 자신을 대신해서 지금 제국에서 가장 입김이 센 여성들에게 문책당하고 있는 상황이었다. 이러다가 불똥이라도 튀면……. 나쁜 상황을 상정하던 아벨라의 얼굴이 굳었다.

내가 베티를 지켜 줄 수 있는 방법이 있을까?

"그만."

그때였다. 황후가 손을 들어 그녀들의 말을 막았다. 신기하게도 황후가 든 손을 보자마자, 황귀비와 황비 모두 아교 붙인 듯 입술을 딱 다물었다. 잠잠해지자, 황후가 다시 단호한 어조로 입을 열었다.

"처음 보는 자리부터 얼굴 붉힐 필요 없지. 상황을 들어 보니 착오가 있었을지도 모르겠구나. 네 주인의 자리로 뫼시거라."

"망극하옵니다, 전하!"

베티가 그 자리에서 허리를 깊숙이 숙여 절했다. 황후의 처분이 마음에 들지 않았는지, 샬롯 황비라 불린 여인이 베티의 인사를 외면한 채 황후를 보며 외쳤다.

"이 제가 황후 전하를 대신해 직접 연 다례회입니다! 착오가 있을 리가요! 반드시 저것들을 엄하게 다스려야 이 제국을 얕

보지 않을 것입니다, 전하!"

그러자 황후는 한숨을 푹 쉬고 잠시 코를 울려 작게 웃었다. 마치 자신에게 외치는 이 말들이 같잖다는 듯한 얼굴이었다.

"샬롯 황비, 진정하게. 길라 황귀비의 말대로 모처럼 궁 안의 여성들이 모두 모여 환영 행사를 연 것인데, 나는 오늘 같은 날 크게 화를 내거나 벌을 줄 생각이 없소."

아벨라는 그사이에 그녀들의 얼굴을 세세히 관찰하고 있었다.

그때, 조심스럽게 아벨라의 팔꿈치에 뭔가 닿는 느낌이 들었다. 고개를 돌리니, 창백해진 베티가 그녀를 이끌었다.

아차, 미안해라. 베티의 질린 표정을 본 아벨라의 눈썹이 살짝 휘었다. 베티가 못난 주인 때문에 고생이 많다. 나중에 꼭 이 빚을 갚겠어.

다례회를 시중들던 시녀들이 맨 왼쪽 테이블의 의자를 조금 뺀 채, 아벨라가 다가오기를 기다렸다. 베티는 자리를 안내하는 기척을 놓치지 않고, 바로 아벨라를 끌어 앉혔다. 아벨라는 자신을 호기심 어린 눈으로 바라보는 두 쌍의 눈을 무시한 채 테이블에 자리 잡…….

"악!"

……자마자 자신도 모르게 작은 신음을 토한 채 손바닥으로 눈을 가렸다. 악! 내 눈! 엄청 눈이 부시다 못해 아팠다. 형광 연두색 바탕의 PPT를 보는 것보다 훨씬 더한 밝기였다!

다례회의 테이블은 분명히 벚나무 그늘 아래 차려져 있었는데, 아무래도 그 그늘은 아벨라의 바로 앞에서 끝나는 모양이었다.

한마디로 자리 배치를 그녀 혼자만 땡볕에 앉게끔 했다는 소리다. 이 얼마나 교묘한 수작이란 말인가!

게다가 지금은 딱 점심을 향해 가는 시간, 즉 해가 가장 높은 시간이었다. 얼마나 햇살이 강한지, 아벨라 앞에 놓인 찻잔과 스푼이 아주 눈을 태울 정도로 빛을 반사해 댄다. 아벨라는 결국 참지 못하고, 손바닥을 펴 손차양으로 눈을 가리고 나서야 앞을 바라볼 수 있었다.

"황녀 저하."

"네?"

"무슨 비명 같은 게 들린 것 같지 않으세요? 혹여 렌티아 님도 들으셨을까 여쭸어요."

그때였다. 바로 옆에 앉은 여성이 다른 여성을 향해 입을 열었다.

뭐냐, 왜 저래 또. 아벨라는 눈을 찌푸리면서도 입을 연 여성을 똑바로 바라보았다.

척 봐도 보통 치장이 아니었다. 옅은 겨자색의 드레스를 입고, 갈색의 머리칼을 부드럽게 꼬아 옆으로 흘러내리듯이 땋아 둔 채 머리카락 사이사이에 진주를 꿰어 두었다. 또한 진주로 장식한 줄 사이를 촘촘히 루비 알갱이로 메운 목걸이는 매우 화려하기 그지없었다.

그런 그녀의 말에 렌티아 황녀라고 불린 여성이 입꼬리를 한쪽만 올려 웃었다.

"셰이라 언니, 저도 들었어요. 정원에 사는 다람쥐 우는 소리 아닐까요?"

진한 녹색의 눈동자, 머리칼은 아까 가운데 테이블에서 아벨라를 향해 독설을 날렸던 황비와 같은 흑발이었다. 앞으로 여미게 되어 있는 연한 하늘빛의 공단 로브 드레스를 입었는데, 목에는 금세공이 세 줄에 걸쳐 세밀하게 들어가 있는 아름답고 푸른 다이아 목걸이를 하고 있었다. 아니, 이 테이블은 다레회에 뭐 저렇게 화려한 보석을 했대, 눈만 부시게.

어쨌든 그녀의 대답에 셰이라, 그러니까 처음 말을 꺼냈던 겨자색 드레스가 날카롭게 비웃는 소리를 냈다.

"그렇겠지요. 설마 이곳의 누군가가 질렀겠어요? 이곳에 칠칠치 못하고 정숙하지 못한 이가 어디 있다고. 바보가 아닌 이상, 그런 소리는 사람이 낼 수가 없어요."

"저하도 참, 재미있는 이야기를!"

……응?

손차양을 하고 있던 아벨라의 눈썹이 작게 꿈틀거렸다. 무슨 이야긴가 했더니, 아까 자신이 눈부셔서 소리 질렀을 때를 말하는 거였다.

어라, 얘네 봐라.

아벨라의 표정이 설핏 굳었다. 지금 이들에게 아벨라는 백치다. 보통 사람들처럼 말하고 행동하지 못하는 사람.

그런데 이들은 지금 그런 사람이 고통스러워 낸 소리를 '사람이 내는 소리가 아니다'라고 말하며 비웃었다. 배려는 못해 줄망정 장애가 있는 사람을 비웃다니 저열하기 그지없었다.

아벨라의 속이 부글부글 끓었다. 아벨라는 손차양도 내린 채 그녀들을 일순 똑바로 노려보았다.

다시 희디흰 도자기 찻잔들의 반사광에 눈이 따가웠다. 하지만 아벨라는 그 따가움을 견뎠다. 화가 났다. 저들이 자신이 괴로워하는 걸 보며 웃는 모습을 보기 싫었다.

이곳에 당도하기 전부터 고운 대접 따윈 포기했다. 하지만 이렇게까지 유치할 줄은 몰랐다. 생각 같아선 다 엎어 버리는 건데.

아니다, 아벨라. 참자. 참아야 돼. 무작정 다 엎어 버릴 수도 없잖아. 아벨라는 눈을 천천히, 그리고 질끈 감았다가 떴다.

아무래도 생각했던 것보다 훨씬 힘든 시간이 될 것 같았다.

아벨라의 예상은 아주 정확하게 적중했다. 아주 더럽게 힘든 시간이었다. 처음으로 취직했던 학원에서 당했던 학원 강사들의 텃세보다도 훨씬, 훨씬 힘들었다.

고작 티타임이 이렇게나 길 줄은 상상조차 못했다. 심지어 1부와 2부로 나뉘어 있었다. 부마다 각각 다른 종류의 티 포트를 마시게 되어 있는 모양이다.

첫 번째로는 쌉쌀한 향의 진한 홍차와 함께 햄과 머스타드, 야채와 구운 토마토를 곁들인 티 푸드가 나왔다. 티 푸드라기엔 식사에 가까웠다. 아무래도 점심나절이니 배를 든든하게 할 목적인 듯했다.

그리고 그 시간 내내 아벨라는 같이 앉은 여자들에게서 온갖 모욕을 다 들었다. 마치 스포츠 같았다. 아벨라를 흉보며 저들끼리 깔깔대며 연대와 친목을 다졌으니까.

어떻게 까였는지 대강 기억나는 부분을 옮기자면.

"아무리 도리라지만, 바보에게 이름을 소개해 봐야 어쩌겠어요? 제 목소리가 아까워요. 잰 알아듣지도 못할 텐데."

"어차피 기억도 못할 텐데, 조금 밀쳐도 흠은 아니겠죠?"

"얼굴에 밀가루라도 바르고 왔는지, 저 희멀건 것 좀 보세요. 머리는 왜 또 저 꼴이람.”

정도가 있겠다.

이보다 더 심한 수준의 말도 있었는데, 굳이 다시 떠올리고 싶지는 않다. 하여간 머리부터 발끝까지 조목조목 까였는데, 그 강도가 세세하고 치사할 정도로 악랄했다.

아니, 참 나. 기가 막혀서.

아벨라는 스스로 까이면서도 도무지 이해가 가지 않았다. 아벨라는 한낱 백치에 불과할 뿐인데, 이렇게까지 괴롭힐 필요가 있나? 원래의 아벨라라면 저 소리를 모두 알아듣지도 못하니, 타격도 없을 텐데.

저런 비웃음이야 저들 자신의 체면만을 깎을 뿐이 아닌가.

어쨌든 열은 받지만, 참아야 한다. 게다가 정보 수집도 충실히 되고 있었다.

저들이 중간중간 본인들의 이야기나 다른 테이블의 근황들을 풀어 줬기 때문이다. 백치 앞이니 말조심을 할 필요가 없다고 생각하는 모양이다. 아벨라로서는 고마운 일이었다.

아벨라는 대화들을 정리하기 시작했다. 아까 듣기론 그녀들의 이름이 각각 렌티아 4황녀와 셰이라 3황자비라고 했다. 그리고 렌티아 4황녀는 샬롯 황비의 딸이고, 셰이라의 남편 되는 3황자 또한 샬롯 황비의 아들이었다.

저들의 출생을 알고 난 아벨라는 속으로 혀를 내둘렀다. 한국 속담에 콩 심은 데 콩 난다고 했던가.

저 정도로 인성이 더러워야 샬롯의 딸과 며느리가 될 수 있는 모양이었다. 그럼 샬롯은 얼마나 성격이 나쁘다는 거야?

또 길라 황귀비 옆의 테이블에 누가 앉아 있는지도 알 수 있었다. 셰이라와 렌티아가 시종일관 저들을 질겅질겅 씹어 댔기 때문이다.

저기에 앉은 자들은 황태자비와 4황자비, 3황녀라고 했다. 아마 두 테이블은 사이가 무척 좋지 않은 모양이었다. 이걸 세력이라고 봐도 좋을까?

그나저나 이게 황궁 내에 살고 있는 여성의 전부라니. 왕자가 열 명이나 되는데? 황녀만 네 명이나 된다며? 열 황자들의 황자비만 해도 열 명일 텐데, 미혼이 많은가?

아벨라가 두 손으로 찻잔을 덥석 들어 마시며 생각할 때였다.

셰이라가 차갑게 비웃으며 찻잔을 들었다.

"하여간, 괴물 8황자가 저 백치와 결혼을 했으니 이로써 '결혼한 황자는 황제 후보다'라는 낭설은 깨진 셈이네요. 다음 황태자는 누가 되려나."

순간 아벨라가 두어 번, 빠르게 눈을 깜박였다. 본능적으로 알았다. 지금 흘러나오는 이야기는 개중에서도 중요한 이야기다. 아, 여기에 녹음기 같은 게 있었더라면!

아벨라는 턱을 괸 채 시선을 저 멀리 꽃밭을 향해 두었다. 하지만 귀는 그들을 향해 활짝 열린 채였다.

"황제 폐하께서 국혼을 명하신 황자들만 결혼할 수 있으니까요. 그간 허락이 귀했잖아요."

렌티아가 대답하곤 저편을 살폈다. 길라 황귀비의 옆 테이블에 앉아 있는 여성들에게 시선을 두는 것 같았다. 아벨라는 들키지 않게끔 몰래 렌티아를 따라 저편을 보았다.

그런데 저쪽 테이블은 이상하게 분위기가 가라앉은 보였다. 서로 대화도 잘 오가지 않고 웃음도 짓지 않았다. 그리고 꾸민

모양도 이쪽에 앉은 무리들에 비해 매우 수수하기 이를 데 없었다.

특히 황태자비라는 여성은 어두운 단색의 로브 드레스만을 입고 있었다. 장신구라곤 눈을 씻고 봐도 찾아볼 수 없었다. 그나마 허리에 두른 검은 비단 천이 그녀의 꾸밈새의 전부였다. 오가는 이야기들 사이 애써 미소는 짓지만 무기력한 표정이었다.

뭔가 슬픈 일이라도 있는 걸까? 아벨라가 다시 찻잔으로 시선을 돌리려던 때였다.

갑자기 셰이라가 허리를 숙여 렌티아의 귀에 입술을 대었다. 그러더니 몹시 말소리를 낮춰 속삭였다. 아벨라에게도 들리지 않는 작은 목소리였다. 그리고 셰이라의 말을 들은 렌티아는 급히 놀라, 그녀에게 고개를 저어 보이며 주변을 살폈다.

“셰이라 언니! 그 말은 여기서는……!”

아벨라의 눈초리가 일순 가늘어졌다. 바로 그 순간이었다. 테이블 앞으로 훨씬 화려한 궁정복을 갖춰 입은 자가 총총 다가와 우아하고 정중하게 절했다. 그의 절을 본 황후가 테이블에 놓여 있던 은종을 우아하게 집어 들어 흔들었다. 영롱한 종소리와 함께, 모두의 시선이 한 번에 황후에게 쏠렸다.

“포트를 갈 시간이니, 모두 일어나 잠시 정원을 산책하도록 합시다.”

그녀의 말이 떨어지자마자 모두들 부산스럽게 일어났다. 각 부인들의 시녀들이 자연스레 차양을 펼쳐 들며 그녀들을 따랐다.

다행히 셰이라가 했던 말들은 모두에게 알려지지 않고, 바람에 흩어지듯 사라질 수 있었다

물론, 아벨라를 제외했을 때의 이야기였다.

아벨라는 셰이라가 렌티아에게 무슨 말을 하는지 똑똑히 보았다. 셰이라에겐 불행한 일이었다.

셰이라는 작게 속닥거린 데다 입가까지 가렸지만, 오로지 황후가 앉은 쪽만 가렸다. 멍청한 셰이라, 앞으론 양 손바닥 모두 세워 가리도록 해.

고소를 머금으며, 아벨라는 셰이라가 렌티아에게 속삭였던 말을 떠올렸다. 아까 셰이라는 렌티아를 향해 아주 똑똑한 입 모양으로 이렇게 속삭였다.

—저쪽은 황태자가 죽은 게 황비 저하 때문이라고 생각하더라고요. 증거도 없이 어찌 우길까요?

두 번째 티 포트가 준비되는 사이, 아벨라는 베티와 정원의 변두리 구석을 걸었다. 정원 중앙에 아름답게 꽃 피어 있는 화단들엔 황후나 황비, 황자비들이 이미 자리를 잡고 있는 데다, 조용히 생각할 시간이 필요하기 때문이다.

아벨라는 자신의 머리를 팽팽 돌리기 시작했다. 셰이라 3황자비가 렌티아 황녀에게 속삭였던 말들을 정리해 두어야 했다.

1. 황태자가 죽었다. 누가 죽였는지는 모르겠지만, 저쪽 테이블의 여성들은 샬롯을 의심하고 있다.

2. 황태자가 죽은 이후 공석이 된 자리를 두고, '국혼을 치러야지 황태자 후보'라는 낭설이 있다.

아벨라는 황태자가 죽었는지도 몰랐다. 게다가 그를 암살이라고 생각할 정도로 석연치 않은 점들이 많다는 것도. 그래서 아까 황태자비가 그렇게 쓸쓸하게 앉아 있었던 거구나.

하지만 아벨라가 결혼을 할 수 있었던 것을 보면 국장은 이미 끝났고 죽은 지 꽤 오래되었다는 결론이 나온다. 왜냐하면 국장일 때엔 기쁜 일들을 취소하거나 없애는 경우가 보통이니까.

태자비가 아직 죽음의 영향에서 벗어나지 못했지만 올해 제국에서 축제가 열리고 황자들이 결혼할 수 있을 정도로 시간이 지났다면 얼추 황태자가 죽은 때는 작년에서 재작년이라고 생각할 수 있겠다.

그런데 샬롯 황비가 정말 황태자를 죽인 걸까? 아, 이거 뭔가 있는데.

잠시 고민에 잠겨 있던 아벨라는 문득 뒤를 돌아보았다.

그런데 아까 전부터 베티가 유독 말이 없다. 지금도 고개를 푹 숙이고 있는 게, 아까 황후에게 혼이 난 이후로 많이 풀이 죽은 모양이었다.

그럴 만도 하지. 까딱하면 끌려 나가서 생사조차 불분명해질 수 있는 상황이었으니까. 게다가 믿어야 할 주인은 제정신이 돌아왔는데도 바보인 척이나 하고 있고. 아벨라에게도 실망했을지도 모른다.

어떻게 풀어 줘야 하지? 아벨라가 베티에게 걸 말을 찾기 위해 고심하는 사이였다. 베티가 고개를 번쩍 들었다.

"아씨."

"응."

놀란 아벨라가 칼같이 대답하는 때였다. 고개를 든 베티는 아벨라가 걱정한 것처럼 풀이 죽지도, 울먹이지도 않은 멀쩡한 얼굴을 하고 있었다. 아니, 오히려 굉장히 진지한 얼굴로 아벨라를 똑바로 바라보았다.
"제가 말할까 말까 망설였는데요."
"으, 으응. 말해."
아벨라는 고개를 당긴 채로 대답했다. 자신을 똑바로 바라보는 베티의 눈빛엔 어쩐지 묘한 박력마저 어려 있었다. 뭐라고 물어보려는 거지? 아벨라가 목으로 침을 꿀꺽 삼켰다. 베티가 이내 고개를 낮추고 속삭였다.
"아씨, 아씨 테이블에 앉아 있던 황자비 저하와 황녀 저하가 하고 있던 목걸이 말이에요……."
목걸이? 아벨라의 눈동자가 동그랗게 변했다.
"그거 아씨 거 같아요. 아니, 분명히 아씨 거예요!"
뭐라고? 베티의 입에서 나온 뜬금없는 말에 아벨라의 눈이 커다랗게 뜨여졌다.
"정말 틀림없어요, 아씨 거예요. 아씨의 테이블에 앉아 계셨던 분들이 하나씩 걸치셨던 목걸이들이 아씨의 패물이라고요!"
베티는 아벨라가 놀란 게, 자신의 말을 믿지 못해서라고 생각했는지 더더욱 열띤 어조로 덧붙였다.
"분명해요. 3황자비 저하가 하고 계셨던 진주와 루비로 이루어진 목걸이는 열여섯 살 생일, 대공 전하께서 아씨의 쾌차를 기대하실 적 구해 오신 목걸이고요, 4황녀 저하가 차고 계셨던 다이아는 대공비께서 물려주신 푸른 다이아예요! 제가 그 보석들을 맨날 맨날 관리했어요. 제 성심을 다해 부드러운 비단으로 문질렀다고요. 목걸이의 모양과 진주가 몇 개인지는 꿈에서도 욀 수 있어요."
가만있어 봐.

"그럼 얘네가……."

"아무래도 아씨의 패물함을 저쪽에서 가져간 것 같아요."

아벨라는 베티를 가만히 바라보았다. 아무런 감정도 실려 있지 않은 완벽한 무표정이었다. 베티를 믿지 않기 때문에 그런 표정을 지은 게 아니었다. 오히려 베티의 말을 믿기 때문에, 순간적으로 모든 얼굴의 근육이 풀어졌다.

참을 수 없이 화가 치솟았다. 점점 차곡차곡 쌓인 화와 억울함이 임계점에 달한 기분이다.

아벨라의 주먹 쥔 손에 힘이 실렸다. 아, 어쩐지 말하는 내내 저들은 계속 제 목의 보석을 매만지거나 저를 힐끔힐끔 보며 이야기하더라. 눈 눈부시라고 보석으로 빛 반사를 하는 건 줄 알았더니, 완전히 다른 이유였다.

멍청하게 앉아 있는 자신을 보며 마음껏 깔보며 비웃은 것은 이해라도 해 보겠다. 뭐, 원래 사람 품성이 그렇다는데 어쩌겠어.

하지만 사정을 모르는 사람 앞에서 보란 듯이 빼앗은 패물을 걸치고 구경하는 건 아무리 생각해도 아니다.

그 순간, 아벨라는 제 안에서 실처럼 가느다랗게 이어지고 있던 인내심이 끊어지는 소리를 들었다.

갚아 주고 싶었다.

2부가 시작되는 벨이 울리자, 아벨라는 천천히 자리로 돌아왔다.

테이블이 다시 마련되어 있었다. 언제 다 먹었냐는 듯이 빈 그릇과 차가 사라져 있고, 다시 티 트레이와 포트가 새 것으로 세팅 되어 있었다. 달콤한 후식류와 어울리게끔, 차도 말린 과일과 섞은 찻잎으로 진하게 우렸다.

시종들이 자리를 빼어 주자 다시 여성들이 착석했다. 이번엔 자리를 바꿔 앉았다. 아까 아벨라의 자리엔 제4황자비가 앉았는데 그녀가 그 자리에 앉자마자 시종들이 재빠르게 그녀의 위에 차양을 쳤다.

저것들이? 차별이 아주 유난하다 못해 하늘을 뚫는다.

모난 눈을 한 아벨라는 제자리에 착석했다. 아벨라의 자리는 아까 황태자비가 앉아 있었던 그늘 테이블이었다. 더 이상 눈이 부시지 않게 되어 다행이지 뭐야.

또한, 아주 다행스럽게도…….

“아, 아름다운 꽃을 봐서 기분이 좋았는데 다시 저 얼굴을 보니 기분이 잡치네요.”

“조금만 참아요. 얼른 끝내고 같이 제 처소로 가셔요. 귀한 간식을 받았는데, 황녀 저하께 접대하고 싶으니까요.”

“언니, 감사해요. 그럼 초대를 기꺼이 받을까요?”

또 이 여자들과 같은 자리를 앉게 되었다.

아벨라는 의자에 등을 여유롭게 기댄 채, 순간 이쪽을 바라보는 황녀와 눈을 마주쳤다.

순간 아벨라와 눈이 마주친 렌티아 황녀가 몸을 움찔했다. 아벨라의 투명한 푸른 눈이 매섭게 그녀를 뒤쫓고 있었다.

렌티아 황녀는 엉겁결에 그녀의 눈을 피해 황급히 눈을 내리깔았다.

그녀의 얼굴에 당혹스러움이 실렸다. 아벨라는 렌티아를 똑바로 바라보며 코웃음을 쳤다. 무슨 생각하는지는 안 봐도 뻔했다. '지금 내가 저 천치에게 쫄아서 눈을 깐 건가?' 따위의 생각을 하고 있겠지.

렌티아 황녀가 입가를 꾹 내리며 다시 눈을 치켜들었다. 지지 않겠다는 듯 다시 똑바로 아벨라를 노려보는데, 아벨라는 그 표정마저도 우스웠다.

렌티아가 고개를 셰이라 황자비에게 돌려 입을 연다. 아벨라는 표정 변화 없이, 계속해서 렌티아 황녀를 쳐다보았다. 저 다부진 표정을 보아하니 '철저하게 괴롭혀 주지' 같은 표정인데.

"저, 저 계집 이상해요. 눈을 까뒤집는 게요. 아무리 생각해도 저 계집에게 이런 목걸이가 있었다는 건 믿기가 힘드네요. 지나친 상등품이 아닌가요?"

아벨라의 눈에 날이 섰다. 베티의 말이 사실이었다. 저들이 갖고 있는 목걸이는 정말로 아벨라의 목걸이였던 것이다.

셰이라 황자비는 아벨라를 바라보지도 않고 말했다.

"저 계집은 신경 쓰지 마세요. 남편은 진물만 덕지덕지 흘러서 붕대나 감고 다니는 괴물에, 본인은 얼굴만 반반한 백치인데! 우리야 얻을 것만 얻으면 되는 거죠. 공국이 그렇게 돈이 많다잖아요!"

그에 렌티아가 비뚜름하게 미소 지으며 접선 주머니에서 접선을 꺼내 오른쪽 볼에 대었다.

그러곤 더욱더 낮은 목소리로, 하지만 셰이라와 아벨라에겐 들리게끔 속삭였다.

"8황자는 돈도 없을 테니, 보석을 잃어버린 아내에게 해 줄 수 있는 게 없겠죠. 그렇지 않아요? 하고 온 꼴을 좀 보세요. 뻔하지요? 보석 하나 달지 못하고 온 걸 보세요."

"황비께서 저 계집의 패물을 부러 조공품으로 분류해 나눠 주셨으니까요. 이를 영광으로 삼아야 해요. 보석은 어울리는 사람을 찾아가는 법이죠."

순간 세이라 황자비와 렌티아 황녀가 눈을 마주치며 깔깔 웃었다.

아벨라는 화가 머리끝까지 솟았다. 훔친 것도 모자라서, 자신들이 어떻게 이 목걸이를 갖게 되었는지 사백하고 있었다.

조공품? 조공품으로 멋대로 분류했다고? 황후는 이 사실을 알고 있는 걸까? 황후 대신 다례회를 준비할 정도니, 그녀의 힘이 그렇게 크단 소리겠지?

그렇다면 초대장을 오늘 준 것부터 시간, 장소 공지 누락, 그리고 위치 선정까지 고의일지도 모른다. 아니, 거의 확실했다.

이젠 도저히 못 참아.

그 순간, 아벨라는 빠른 눈썰미로 테이블의 구조를 살폈다. 야외 다례회라서일까? 철거를 용이하게 하기 위해, 고풍스러운 목조 판과 테이블 다리 사이의 고정은 매우 헐겁게 되어 있었다.

이 정도면 목조판만 들어도 엎을 수 있겠는데. 아무도 보지 못하는 사이 테이블의 두께를 어림잡던 아벨라는 입매를 꽉 다물었다. 좋았어.

아벨라가 지금부터 무슨 짓을 할 예정인지, 이곳의 누구도 짐작하지 못할 것이다. 아벨라의 눈에 순간 한기가 단단히 서렸다.

야, 다 죽었어. 아벨라는 그 자리에서 입꼬리를 최대한 끌어올려 웃었다. 웃으며 이를 악물고 속삭였다.

"베티."

바로 뒤에 서 있던 베티는 아까와는 달라진 그녀의 눈매에 놀랐지만 곧 조용히 아벨라에게로 허리를 숙였다. 아벨라는 웃으면서, 최대한 입가를 가리곤 조용한 목소리로 베티에게 속삭였다.

"지금 마차로 가서 마부에게 갈 시간을 알려."

"네?"

"당장 이 자리에서 사라져 있으란 소리야. 어서."

베티는 침을 크게 삼키곤 그 자리에서 후다닥 물러나 사라졌다.

때가 됐다.

아벨라는 그 자리에서 벌떡 일어났다. 그녀 혼자만 벌떡 일어났기에, 모든 이들의 시선이 그녀에게로 쏠렸다.

아벨라는 눈부시게 웃으며 눈마저 살며시 휘었다. 만면에 띤 미소, 볼엔 홍조마저 떠올라 있다.

아벨라는 그 순간, 이곳의 그 누구보다도 아름답고 행복해 보였다. 햇살에 그녀의 금발과 그 금발 위에 얹은 장미 화관이 아름답게 빛났다.

그녀가 얼마나 행복하게 웃던지, 한순간 그녀를 미워하는 사람들마저 그녀에게서 눈을 떼지 못할 정도였다.

아벨라는 그렇게 살살 웃으면서, 테이블에서 돌아 나와 몸을 돌려 자신이 앉았던 테이블 앞에 섰다.

정확히는, 아까 베티가 알려 준 패물들을 걸치고 있는 여자들을 향해서.

시종일관 비꼬는 표정으로 아벨라를 바라보고 있던 렌티아와 셰이라가 갑자기 자신들 앞에 선 아벨라를 향해 인상을 찌푸렸다.

"뭐, 뭐죠?"

"망측하게도, 이제 여기가 어디인지 구분조차 안 되는 모양이에요. 저리 가세요!"

옆에 있던 황녀가 '쉬, 쉬' 하며 마치 동물을 내쫓는 소리를 내자 황자비가 웃음을 터뜨렸다. 아벨라는 아무 말 없이 다시 방싯방싯 웃으며 좀 더 테이블을 향해 다가갔다.

화관에 달려 있던 장미 꽃잎 중 하나가 살랑거리며 아벨라의 어깨로 떨어졌다.

"저리 가래도? 사람 말을 못 알아 듣겠어요?"

깔깔대던 셰이라가 이젠 짜증마저 어린 기색으로 소리칠 때였다. 순간 아벨라는 똑바로 그 여자와 눈을 마주쳤다. 아벨라는 아주 입꼬리가 찢어져라 웃었다. 그러곤 목소리를 마치 아기처럼 내며 이렇게 말했다.

"줘."

"뭐를……? 끼야악!"

여자들이 입을 열려던 찰나, 아벨라는 대답할 틈조차 주지 않고 테이블을 들어 엎었다.

와장창!

요란한 소리와 함께 그대로 테이블이 여자들 쪽으로 넘어갔다. 테이블 위에 세팅되어 있던 값비싼 다기들과 뜨거운 찻주전자, 그리고 다과들이 그녀들을 향해 쏟아졌다.

"끼야아아악!"

"앗, 드레스가!"

테이블로부터 조금 떨어져 앉아 있었어도, 테이블이 그렇게 곧장 뒤집어졌으니 당연히 여자들의 드레스는 엉망이 되었다.

치마가 뜨거운 차로 젖자 황급히 놀라 일어난 렌티아와 제4 황녀를 아벨라는 유심히 바라보았다. 저 계집애가 첫 번째다. 아벨라는 치맛자락을 단단히 움켜쥔 채 테이블을 밟고 도약했다. 누구에게로? 렌티아 황녀에게로.

"내놔!"

아벨라는 짤막하게 아이처럼 말하곤 그 누구보다 화려하게 웃으며 그녀의 머리칼을 한 손으로 틀어쥐었다.

장갑을 끼지 않아 다행이었다. 아까 나오면서 장갑을 벗고 리본도 풀어 놓았는데, 덕분에 머리채를 잡기 딱 좋았다.

"끼야아아아아아아악! 놔! 놓으라고!"

렌티아가 공간이 찢어지도록 고함을 질렀으나, 아벨라는 쉽게 놓아줄 생각이 없었다. 짓고 있는 미소는 여전히 한 치의 오차도 없었다.

아벨라는 틀어쥔 머리를 두세 번 흔들곤, 다른 손으론 그녀가 하고 있는 푸른 다이아 목걸이를 낚아챘다.

화려한 구성에 비해 고리는 약한 데다, 렌티아가 고리를 느슨하게 매어 놓아 진주로 된 줄이 끊어지지 않고도 목걸이째 간단하게 풀렸다. 다행이지 뭐.

아벨라는 목걸이를 손에 단단히 쥐고 빙그레 웃었다.

"내 거야. 아벨라 거."

아벨라는 다시 단호하게 말하곤 여자의 머리채를 놓았다. 아이 말투라기엔 사감이 팍팍 실린 말투였으나 상관없었다.

지금 이 사태를 지켜보는 사람 중에 아벨라의 백치 흉내가 어색하단 걸 깨달을 사람이 어디 있겠냔 말이다.

아벨라는 다음 타깃에게 자연스럽게 다가갔다. 바로 옆의 셰이라는 그 자리에서 굳어 경기마저 일으키고 있었다. 물론 그러거나 말거나, 아벨라는 신나게 웃으며 발을 성큼성큼 놀려 그녀의 머리채를 다시 낚아챘다. 그녀에게 다가가는 아벨라의 움직임이 마치 춤을 추는 것 같았다. 다시 외치는 소리는 한결같았다.

"내 거! 아벨라 거!"

순식간에 벌어진 난장판에 여자들 모두가 그 광경을 지켜만 보았다. 너무 놀라 말릴 수도, 비명조차 지를 수 없었다.

아벨라 혼자서 두 여자의 머리채를 잡았다 놓았다 난리도 아니었다. 셰이라와 렌티아의 머리에 단단하게 고정되었던 머리핀들과 장식들이, 아벨라의 손짓 한 번에 땅으로 우수수 떨어졌다.

사람들은 이제 숫제 공포스러운 눈으로 그녀를 보기 시작했다. 주변의 시녀들마저도 이 살벌한 광경에 눈치만 보느라 함부로 나설 수가 없었다.

아까 걸어 나올 때만 해도 무척이나 아름다웠던 그녀의 미소가 이제는 좀 다르게 보였다.

그녀들 모두, 황궁에 들어오기 전 길거리 어딘가에서 한 번쯤 보았던 광인을 떠올렸다. 머리에 꽂은 장미가 다른 의미로 그녀에게 찰떡같이 어울리는, 그런 느낌.

"미쳤어……."

저 광경을 지켜보던 누군가가 망연히 중얼거렸다. 황족으로 나고 자란 여성이 함부로 입에 담지 못할 말이었으나, 아무도 그녀를 나무라지 않았다. 모두 같은 마음이었기 때문이다.

“끼야아아악! 가드! 가드! 여봐라, 저 계집을 어서 떼어 내!”

그 광경을 지켜보던 샬롯이 기겁하여 말리려 할 때였다. 샬롯의 옆에서 황후가 오른손을 들었다.

“아니.”

황후는 미소를 머금으며 난장판을 벌이는 아벨라를 바라보았다.

“좀 진정된 뒤에 투입하는 게 어떻소?”

“제 딸과 며느리가 죽어 가고 있습니다!”

“하지만 깨진 집기가 위험하잖소.”

말도 안 되는 이유였다. 샬롯의 눈이 시커먼 독기로 물들었다. 황후는 지금 일부러 저들을 방치하고 있었다.

이제 아벨라는 도망치려는 셰이라 황자비의 발목을 걸어 넘어뜨린 채 야무지게 손을 뒤로 틀어 반지를 빼내고 있었다. 다례회를 개판으로 만든 게 속 시원하다는 듯, 정말로 행복해 보이는 웃음이었다.

Chapter 3

Chapter 3

제국의 제3황녀, 아이타 단 카셀란은 자신의 처소로 막 돌아온 참이었다.

백영궁은 총 5개의 층으로 이루어진 건물이었다.

백영궁은 'ㄷ' 자 형태로 이루어져 있으며 중앙의 본관을 기준으로 양옆을 동관, 서관으로 불렀다.

동관엔 황후의 사람들과 길라 황귀비 휘하의 자제들이 살고 있으며, 샬롯과 그녀의 자제들은 서관을 쓰고 있었다. 아이타는 동관, 그중에서도 3층을 혼자 독차지해 쓰고 있었다.

아이타는 자신이 둘렀던 목걸이를 풀어 현관 앞에 대기하고 있던 시녀에게 넘겨주었다. 그녀의 뒤로 또 다른 시녀 둘이 총총 따라붙었다.

"다녀오셨어요."

"오늘 있던 접견 일정들 다 취소해. 쉬고 싶으니까."

"알겠습니다. 실내복과 목욕물을 준비하겠습니다. 욕실에서 씻으시겠어요?"

"아니, 방으로 옮겨 와 줘. 오일은 타임과 레몬을 섞어서. 소금은 쓰지 않겠어."

"알겠습니다."

한 시녀가 뒤로 물러나자 나머지 하나가 옆에서 그녀의 옷 매듭을 풀기 시작했다. 코르셋의 고리가 풀리고 나서야, 아이타는 배 속 깊이 숨 쉴 수 있었다.

"새로 맞춘 코르셋이 지나치게 조였어."

"다시 맡겨 처리하겠습니다."

시녀가 그녀에게 편한 실내용 슈미즈 가운을 입힌 뒤 벗은 옷을 들고 나감과 동시에 욕조가 등장했다. 모든 진행이 매우 속전속결이었다. 이유인즉슨 아이타가 무척이나 시간을 중요하게 여기기 때문이다.

"사람을 물려. 혼자 몸을 담그고 생각할 시간이 필요해. 필요하다면 부르겠어."

아이타는 옷을 벗으며 욕조를 놓는 시녀들에게 짤막하게 명령했다. 아이타가 혼자서 탈의하거나 옷을 입는 경우엔 그녀를 건드리면 안 된다. 이때의 그녀는 무척 예민하기 때문에, 화를 낼 뿐만 아니라 온갖 물건을 던질 수도 있었다. 아이타를 익히 아는 시녀들은 머리를 조아리고는 재빠르게 문을 나섰다.

순식간에 홀로 남았다. 아이타는 천천히 방 안에 서서 시녀들의 발걸음이 사라지는 소리를 들었다.

남은 것은 뜨거운 물로 가득 채워진 도자기 욕조와 목욕 도구들, 그리고 자신뿐.

"……."

그런데 그때였다.

잠시 물끄러미 욕조를 바라보던 아이타가 다시 가운을 추스르고 옷매무새를 만졌다. 사실 아이타의 목적은 목욕이 아니었다.

아이타는 총총 침대 옆 협탁으로 걸어가, 손잡이 안쪽의 스위치를 누르며 서랍을 열었다. 특수한 구조로 만들어진 협탁은 스위치를 누르면 서랍 바닥의 숨겨진 공간이 열리는 구조였다.

서랍 안엔 거울 하나밖에 없었다. 섬세한 은세공이 된 아름다운 거울이었다. 그녀는 거울을 들여다보았다. 아이타는 황후처럼 아주 평범한 금갈색의 머리카락과 갈색 눈동자를 갖고 있었고, 외모 또한 평범했다. 성격도 평탄하기 그지없어 모난 구석이 별로 없었다.

"아이타."

아이타는 짤막하게 자신의 이름을 중얼거렸다. 이게 시동어였다.

거울이 은은하게 진동하기 시작했다. 이 거울은 지정된 자와만 화상으로 대화할 수 있는 마법이 걸린 아티팩트였다. 황족들도 일부만 갖고 있는 아주 고가의 통신용품. 아이타는 이 거울을 지금 부르고자 하는 인물에게서 받았다.

[아이타.]

오래 기다리지 않아 낮고 부드러운 목소리와 함께 익숙한 얼굴이 거울 위로 떠올랐다. 붕대를 둘둘 감고 로브를 뒤집어쓴 채 붕대 사이로 눈을 빛내고 있다. 척 봐도 기괴하기 짝이 없는 몰골의 남자였다.

"펠리체."

태어난 배는 다르지만 같은 해, 같은 달에 태어났다.

저 몰골이 되기 전부터 제3황녀 아이타와 제8황자 펠리체는 형제들 중에서도 각별하게 친했다.

심지어 펠리체가 그 '사고'를 당하고 샬롯 황비에 의해 적색궁에 유배되다시피 갇히고 나서도 그랬다.

아이타는 제 형제를 놓치지 않을 거라 맹세했고, 지금은 그의 가장 든든한 우방이었다.

[다례회는 끝났어? 그녀는 어때?]

그러나 그렇게 든든한 우방인 자신도 이 소식을 어떻게 전해야 할지 감조차 잡히지 않았다. 그저 한숨을 푹 내쉬고, 이렇게 말할 수밖에.

"펠리체…… 네 아내가 사고를 좀 쳤어."

백치라고만 들었는데, 그렇게까지 미쳤을 줄은 몰랐다.

아벨라는 몰랐지만 사실은 황후와 길라 황귀비의 옆에 앉아 있던 여성들 모두는 아벨라가 무슨 실수를 해도 그러려니 하고 넘어갈 준비가 되어 있었다. 그렇잖은가. 아벨라는 자타공인 백치였고, 아무 힘도 없음을 모두가 알고 있으니까.

그러니 아벨라가 다례회에 늦게 참석했어도 그들은 충분히 이해했다. 왜냐면 이 다례회를 주관한 사람은 내명부의 실권을 장악한 샬롯 황비였으니까.

그녀의 악독하고 야심 찬 성격은 유명해, 다례회에 앉아 있던 여성들 또한 샬롯과 그녀의 며느리, 딸에게 한 번쯤 거하게 뒤통수를 맞았다. 불쌍한 백치라고 할지언정 샬롯 황비 무리의 텃세를 피할 수 없었음이 분명했다.

그리고 실제로 만나 본 아벨라는 상상을 초월하게 아름다웠다. 단순히 이목구비가 예쁜 게 아니었다. 그녀가 두르고 있는 분위기라고 해야 할까.

입고 있는 복장이 화려한 것도 아니었다. 입은 드레스는 고급스러웠지만 디자인은 극히 단순했고, 걸치고 있는 장신구도 없었다. 하고 있는 건 아이들이나 할 법한 화관과 리본 코르사주뿐이었는데도, 비싼 장신구를 두른 양 화사함이 넘쳤다. 그녀가 걷는 걸음걸음마다 꽃이 피어나는 환상이 보였다.

아이타는 자신의 친어머니인 황후의 굳어진 눈가가 순간 움찔하는 걸 보았다. 아이타가 장담컨대, 아벨라가 백치가 아니고 고의로 늦었다고 한들 황후는 그녀를 용서했을 터였다. 황후는 순수하고 고와 보이는 여성에겐 자신도 모르게 너그러워지는 경향이 있었으니까.

아벨라에겐 무언가 있었다. 설명할 수 없는 묘한, 사람을 끌어당기는 분위기. 아무것도 모른다는 듯이 해사하게 웃고 있을 땐 지켜 주고 싶었고, 무표정하게 사람을 볼 때엔 그 발밑에 엎드리고 싶었다.

아이타는 확신할 수 있었다. 저 아벨라가 제정신이라면, 지금쯤 미색을 이용해 세계를 주무르고도 남았을 거다.

그러니 샬롯의 딸 렌티아와 샬롯의 며느리 되는 셰이라가 그녀를 몹시 질투하는 것도 당연했다. 아이타는 티파티 내내 렌티아와 셰이라가 아벨라를 못살게 구는 것을 보았다. 무슨 말을 하는지는 정확하게 들리지 않았지만 뻔했다. 아벨라가 제정신이었다면 분해서 못 견딜 정도의 언행이겠지.

게다가 오늘 그녀들의 행색은 지나치게 화려했다. 여느 귀족 가문의 가보급일 정도로 우아하고 화려한 목걸이들을 하나씩 두르고 왔는데, 아이타의 눈엔 그게 곱게 보이지 않았다. 그저 어디서 돈줄이라도 하나 챙겼나 싶을 뿐이다. 내명부의 의 실세인 샬롯과 줄을 대고 싶어 몸이 단 귀족들은 이 수도에서도 한 트럭일 테니까.

오죽하면 황태자비가 그쪽 테이블을 보며 "그나저나, 너무 심하네요."라고 속삭였을 정도였다. 황태자비는 황태자가 죽은 이후, 급격히 말문을 잃었다. 공식 행사에서도 한마디도 하지 않고 자기 상념에 빠져 있는 경우가 허다했다. 그런 그녀가 안 좋은 소리를 할 정도로 심각한 수준이었다.

그러니 아이타는 자신이 끼어들어야 하나, 말아야 하나 한참을 고민했다. 애초에 펠리체에게 사전에 받은 부탁은 '그녀의 행동 상황'을 지켜보라는 거였다.

아이타는 티 포트를 바꾸는 때, 저쪽 정원 끄트머리에서 시녀와 함께 있는 아벨라를 바라보았다. 괴롭힘당할까 봐 꽃밭에도 있지 못하고, 저쪽 구석으로 피해 있는 모습이 퍽 가련하기까지 했다.

그 순간 아이타는 굳게 마음먹었다. 좋아. 2부에도 그 괴롭힘이 심하면 그때 나서자. 샬롯의 눈에 띄면 좋지 않지만, 그래도 아벨라는 불쌍하잖아.

그리고 아마 딱 그때였을 거다. 아벨라가 티 테이블을 뒤엎은 게.

내내 "내 거! 아벨라 거!"라고 소리치며, 아벨라는 한참을 쥐 잡듯 두 여자를 잡아 댔다. 머리채를 잡힌 렌티아와 세이라가 그녀를 잡아 할퀴려고 필사적으로 버둥거렸는데, 그 아벨라는 그럴 때마다 렌티아와 셰이라의 머리채를 풀었다가 다시 감아 잡아채면서 그 손길들을 이리저리 피했다. 정말 다시 생각해도 능수능란한 기술이었다. 백치만 아니라면 싸움꾼이라고 생각했을 것이다.

아이타는 거울 속 펠리체에게 그 광경을 한창 전달하다 몸을 바르르 떨었다. 다시 생각해도 뒷목에 솜털이 오소소 돋았다.

아이타의 이야기를 들은 펠리체가 진지하게 물었다.

[……그런 건 상관없어. 그녀는, 다치지는 않았어?]

얘 좀 봐? 아이타는 코웃음을 치며 어깨를 들썩였다. 어처구니가 없다는 듯한 태도였다.

"내가 한 이야기를 대체 어디로 들었니? 아벨라가 머리채를 잡힌 게 아니라, 아벨라가 머리채를 잡은 거라고."

[머리채를 잡다가 장식에 찔렸을 수도 있잖아.]

"……너 정말……. 아니다, 됐다."

아이타는 고개를 절레절레 저었다. 잠시 둘 간엔 어색한 침묵이 이어졌다. 펠리체가 다시 입을 연 것은, 몇 분의 정적이 지나고 난 뒤였다.

[그럼 그 뒤로 그녀는 어떻게 됐어?]

"어떻게 되긴."

아이타는 질문이 같잖다는 듯이 눈썹을 찌푸리다 간단하게 대답했다.

"끌려갔지, 로열 가드들한테."

당연했다. 다례회엔 황족들만 있는 게 아니었다. 황족들을 지키는 기사들도 있었다. 황실 기사단인 로열 가드들 중에서도 한 명씩, 그녀들을 위해 특별히 선정된 기사들.

그녀들에게 행사가 있을 때마다, 그들은 기사단 훈련 중에 축출되어 와 그녀들을 지켰다.

하지만 그런 그들이라도 섣부르게 나서 아벨라를 제압할 수가 없었다. 이유는 간단했다. 황후가 막았기 때문이다.

아이타는 황후가 일의 수습을 막은 건 고의라는 데 자신의 전 재산을 걸 수 있었다.

결국 로열 가드들이 개입할 수 있게 된 시점은 샬롯이 그 자리에 쓰러져 혼절한 뒤, 아벨라가 그녀들의 머리채를 성에 찰 때까지 흔들고 나서였다.

아벨라는 방긋 웃으며 그녀들에게서 빼앗은 목걸이를 한꺼번에 목에 걸었다. 그마저도 제대로 건 게 아니었다. 뒤로 고리를 매야 하는 목걸이인데 고리를 걸 줄 모르니 목도리처럼 휘감았다.

—히히.

입술을 한껏 옆으로 째며, 아벨라가 웃었다. 그녀의 발치에서 렌티아와 셰이라가 산발이 된 머리를 움켜잡고 흐느끼고 있었다.

무…… 무서워.

아벨라가 로열 가드들에게 팔 한쪽씩 들려 두 발이 공중에 띄워진 채 사라지는 모습이, 아이타가 기억하는 아벨라의 마지막이었다.

아이타는 한숨을 쉬며 말을 이었다. 참, 이것도 말해 줘야지.

"나중에 시녀들에게 들었는데, 아벨라가 렌티아와 셰이라에게서 빼앗은 목걸이 말이야, 원래 아벨라 거였나 봐."

펠리체가 낮게 침음을 흘렸다.

[……그들에게 가 있는 건 알고 있었어. 나도 찾고 있었으니까.]

"그랬어?"

[거기로 흘러갔단 건 알았는데, 그걸 차고 갔을 줄은 몰랐어. 아벨라는 그럼 어디에 있는 거야?]

"본궁의 푸른 방. 너도 알지?"

아이타는 대수롭잖게 이야기하고 한숨을 내쉬었다. 하지만 사실은 대단히 대수로운 일임을 그녀도, 펠리체도 알고 있었다.

푸른 방.

귀족이나 황족은 함부로 감옥 같은 곳에 갇히지 않았다. 최대한 취향이 보장된 식사를 하고, 모든 것이 구비되어 있는 방에서 운신의 자유만을 구속하는 게 귀족의 구금 방식이었다.

그리고 본궁의 푸른 방은, 그야말로 귀족 중 죄를 지은 자가 일시적으로 구금되는 방이었다. 귀족이 죄를 지어 구금되면 갇히는 곳이 달랐다.

푸른 방, 붉은 방, 녹색 방. 개중 가장 심한 죄를 지은 귀족이 갇히는 곳이 푸른 방이다. 역성혁명을 일으키려 들었던 황족, 형제를 시해한 죄가 고스란히 드러난 귀족 가문의 자제, 혹은 간통을 저지른 후궁…….

그리고 푸른 방에서 지냈던 귀족들의 말로는 대부분 극형이었다. 아벨라는 황족에게 상해를 입혔기 때문에, 중죄인으로 몰리게 된 것이다.

물론 그녀도 황족이기 때문에 잠깐 구금되었다 풀려나는 게 보통이겠지만, 이 경우엔 상해뿐만이 아니었다. '생명의 위협'을 느꼈다고 주장한 자들로 인해 그녀는 살인미수죄가 적용될 예정이다.

잠시 이야기를 듣던 펠리체가 길게 한숨을 내쉬었다.

[재판은?]

"열리겠지."

귀족이라면 원로원에서 재판 인원을 꾸려 법원에서 심판하겠지만, 황족은 좀 달랐다. 제국의 법령에 의하면, 죄인이 황족일 경우 모든 황족이 모여 거수로 형의 여부를 결정지었다. 황족들은 이를 '즉결 심판'이라고 불렀다. 즉결 심판은 황제가 주관하는 가운데, 황족들만 모인 자리에서 비밀리에 다수결로 진행된다. 방식은 거수. 주관하는 자는 발언권이 있으나 의사권이 없다.

후궁과 비들이 죄인일 경우, 황후가 황제를 대신해 심판을 주관한다. 남자 황족들도 참여 가능하며, 황제 또한 주관자가 아니니 의결권을 행사할 수 있다. 아벨라가 죄인이 된다면 주관하는 자는 황후가 되며 자연히 황후는 의결권을 사용하지 못한다.

현재 카셀란 제국의 황족으로 등록된 자들은 총 열한 명. 황자는 여덟 명, 황녀는 세 명이다. 원래는 10황자까지, 황녀는 4황녀까지 있었으나 수가 맞지 않는 건 죽은 자들이 있기 때문이다.

1황녀는 시집을 가 황궁에 없지만 분명히 심판할 때 입궁할 거다.

까딱하면 아벨라가 위험에 처할 수도 있다.

[언제 열린대?]

"모르겠어. 황족이 모두 모여야 열리니까. 모이지 못한다면 위임장을 받는 시점에 열리고. 그런데 샬롯은 최대한 빨리 처리하고 싶어 해."

[……막아야겠군. 어떻게든 해 볼게.]

잠시 침묵을 지키던 펠리체가 한숨을 내쉰 채 대답했다. 동시에 거울이 어두워지더니, 곧 평상시처럼 아이타의 얼굴만이 보였다. 펠리체가 연락을 끊었다.

아이타는 길게 숨을 내쉬곤 앉았던 침대에 그대로 드러누웠다.

이 일에 대해 황제 폐하는 어떻게 생각하고 계실까?

황제 폐하, 아이타의 아버지는 매우 잔인하고 잔혹한 사람이었다. 물밑에서 벌어지는 형제간의 골육상쟁에도 눈 하나 깜짝하지 않고, 자신이 총애하던 후궁이 하루아침에 죽어서 궁을 나가도 슬퍼하지 않았다.

아무리 그래도 아벨라가 샬롯 황비에게 당하는 것만큼은 막아 주시지 않을까? 펠리체가 날고 기면 어떻게든 되겠지. 이런저런 일들을 되짚던 아이타가 얼굴을 찡그렸다.

"망했다……."

아이타는 한숨을 쉬며 중얼거렸다.

그건 그렇고. 이제 시녀들이 다시 목욕을 했냐고 물어볼 시간이니, 얼른 욕조에 들어가야 했다.

아이타는 욕조를 살폈다. 벌써 김이 많이 죽었다. 목욕을 한 뒤 아벨라의 일이 어떻게 되어 가는지 사람이라도 보내 알아봐야겠다.

걱정이 되기는 했다. 아벨라의 입장에서는 혈혈단신 제국에 와서 갑자기 감옥에 갇히게 된 셈일 테니까.

아이타가 일어나 어깨의 소매를 내리려는 때였다.

불현듯 아까 다례회에서의 또 다른 기억이 떠올랐다. 아벨라가 난장을 벌이던 그 순간의 기억.

—좀 이상해요.

4황자비가 중얼거렸다. 코티아 드 사므텐. 그녀의 나라는 공병으로 유명한 사므텐이었다. 철혈이라 불리는 사므텐의 사람이다 보니, 그녀의 성격 또한 실리적이고 이성적이었다.

그런 그녀의 중얼거림에, 아이타가 그녀를 흘긋 바라보았다. 다른 황족들이 저쪽으로 간 사이, 어느새 둘만 뒤로 물러나 서 있었다. 사므텐인 답게, 그녀는 놀라 비명을 지르는 다른 황족들과 다르게 차분하게 눈만 빛내고 있었다. 아이타가 짧게 되물었다.

—뭐가요?

—8황자비를 본 적이 있거든요, 옛날에.

사므텐이 유일하게 무역 거래를 하는 국가가 바로 딜루어 공국이었다. 화친을 위해 교류하다 몇 번 보기도 했겠지. 아이타가 생각할 때였다. 코티아가 이어 말했다.

—그녀는 백치예요. 정말 심각한 학습장애가 있었지만, 저렇게 광증을 보였다는 말은 들은 적이 없어요. 숨겼다기엔, 제가 봤던 그녀는 무척이나 조용하고 말이 없고 잘 웃기만 하는 아이였어요. 백치와 광인은 좀 다르잖아요?

대화를 떠올리던 아이타의 미간이 잠시 좁혀졌다.

아이타는 옷을 벗다 만 채, 홀로 길게 생각에 잠기기 시작했다.

욕조의 물은 이미 차게 식어 가고 있었다.

한편, 아벨라는 혼나고 있었다.

"아씨, 대체 무슨 생각이셨어요?!"

눈물범벅이 된 베티가 작게 외쳤다. '작게'와 '외치다'가 양립이 가능하단 걸 아벨라는 오늘 처음 알았다.

"아씨는 광녀가 아니라 백치였다고요! 백치요! 네 단어밖엔 말 못해도 얼마나 착하셨는지, 배시시 웃는 모습은 그야말로 천사였다고요. 그렇게 머리채를 잡으면서 광포하게 웃으신 적 없어요!"

"……내 머리칼 잡아 뜯거나 자르기도 했다며."

아벨라는 침대에 드러누운 채로 조그맣게 반박했다. 분명히 기억하고 있었다. 처음에 베티가 방에 등장하면서 '머리를 뜯은 적이 있다'고 했다고.

"그건 아씨 스스로 머리카락을 뜯은 거였다고요! 자기 머리카락! 그냥 머리카락이 신기해서 하신 조금 위험하고 염려되는 장난이었다고요! 귀여웠어요!"

그러나 어림도 없었다. 오히려 베티를 자극해, 그녀의 전투력만 높일 뿐이었다. 근데 화내는 방향이 좀 틀려 보이는데.

어쨌든 아벨라는 목을 움츠리면서 괜히 딴청을 부렸다. 베티는 통곡하며 화를 냈지만 목소리 자체는 매우 작았다. 베티의 성대에 문제가 있어서는 아니었다. 방 밖으로 소리가 새어나갈 것을 염려해서지.

렌티아와 세이라의 머리채를 잡고 탈탈 뜯은 뒤, 아벨라는 황족을 지킨다던 로열 가드들에게 단번에 제압당했다.

황족에게 딸려 있다는 로열 가드가 왜 저한테는 없는지 억울했지만 없으니 무슨 수가 있겠는가. 아벨라는 그대로 본궁으로 와 이곳에 갇히게 되었다.

어처구니없었다. 머리채를 잡았을 뿐인데 범죄라나 뭐라나. 이전의 삶에선 경범죄 한 번 걸려 본 일 없었는데.

어쨌든 아벨라는 편하게 침대 위에 누워 있었다. 이러니저러니 해도, 꽤 큰일이란 것을 안다.

그래, 이 나라에도 법률이란 게 있단 걸 잠시 망각한 아벨라의 잘못이었다. 아마 황족시해죄나 상해죄 같은 게 있겠지. 그리고 아마 형도 꽤 클 터였다.

아벨라는 심드렁히 고개를 돌려 주변을 둘러보았다.

그나저나 온통 푸른 방이었다.

카펫도 파랗고, 침대의 이불도 파랗고, 캐노피도 파랗고, 창가의 커튼도 파랬다.

귀족은 갇히는 곳도 남다르구나.

한국으로 따지면 나랏돈 해 먹은 높으신 분들이 불구속 수사로 태연하게 운전사 딸린 자차로 나다니는 경우가 아닌가.

아벨라는 공국의 공녀였지만, 공국은 제국의 눈치를 보는 입장인 건 확실하니 이쪽도 별 도움이 안 될 것이다. 한마디 말도 못하고 제국이 제안한 화친안대로 공국의 하나뿐인 자손을 보낸 것만 봐도 안다.

솔직히 아벨라 스스로도 인정한다. 방금은 좀 대책이 없었다. 이대로라면 진짜 참형일지도 모른다.

그런데 이상하게 걱정이 안 됐다. 누운 채 천장을 보던 아벨라는 피식 웃었다. 어처구니가 없었다. 이게 뭐야. 미친 척하다가 정말 미친 거 아닌가 싶다. 아, 백치든 미친 x이든 연기하기 더럽게 힘들다.

"왜 웃으시는 거예요, 아씨. 흑흑, 이게 뭐예요."

"아니 그냥, 웃기잖아."

아벨라는 이제 아예 조그맣게 키들거리기 시작했다. 아까 그 여자들 머리채를 잡으면서 분출됐던 아드레날린이 아직 가라앉지 않은 게 분명했다. 스스로가 생각해도 상황이 심각한데도 위기감이 안 든다.

"그런데 이 방, 온갖 게 다 파래. 이 방 이름은 푸른 방 아냐?"

그때, 베티가 신경질적으로 고개를 들어 대답했다.

"모르셨어요? 정말 푸른 방이에요."

"……푸흡!"

아, 진짜였구나. 순간 튀어나오는 웃음을 참지 못하고 아벨라가 킥킥거리기 시작했다.

"아, 아씨. 정말 왜 웃으시는 거예요. 지금 사태가 얼마나 심각한데요!"

"아니, 킥, 킥킥 웃기잖…… 푸른 방…… 진짜 이름이 정직……."

"안 웃겨요!"

아벨라는 베티가 화를 내거나 말거나 침대 위를 굴러다니며 키득대기 시작했다. 목에는 자랑스러운 전리품이 그대로 걸려 있었다.

"……그래도 원하는 만큼 머리를 잡아 뜯어서 여한이 없어."

"그건…… 그래요."

아벨라가 웃거나 말거나, 옆에서 내내 침통해하던 베티가 고개를 끄덕였다.
“전 아씨가 어디서 싸움이라도 배워 오셨나 생각했어요.”
“전혀. 언제 뭘 배울 수 있었겠어? 그냥 느낌대로 가는 거지. 막상 머리채를 잡고 보니 신났을 뿐이야.”
맹세컨대, 아벨라는 이전의 삶에서도 결코 폭력적인 사람이 아니었다. 하지만 그녀들의 머리채를 휘어잡는 순간 정말로 즐거웠다.
“내가 언제 황녀랑 황자비 머리채를 동시에 잡아 보겠어? 이번 일은 후회 안 해, 정말로.”
아벨라는 웃음기 남은 얼굴로 꽃받침을 한 채 베티에게 물었다.
“그런데 나 어떻게 되는 거야?”
“재판이 있대요.”
베티가 침통하게 대답했다.
“재판이 언젠데?”
“그건 몰라요. 황족이 다 모여서 다수결로 결정한대요.”
“그럼 그때까지 나 여기 있어야 돼?”
아벨라가 눈을 동그랗게 뜨고 되물었다. 베티는 침통하게 고개를 끄덕거렸다.
“당연하죠. 아씨는 구금 상태시라고요.”
“근데 너도 있잖아. 그럼 베티 너도 갇힌 거야?”
“아뇨. 품위 유지에 필요한 물품들이나 인력은 허가한대요. 제가 아씨 시중을 들 수 있는 사용인이니 제가 오가면서 아씨를 모실 거예요.”
속삭이던 베티는 다시 울음이 올라오는지 입가가 마구 일그러졌다.

"아, 아씨. 아씨가 마부한테 가서 대기 시간 일러 놓으라고 하셨을 때 가지 말걸 그랬어요……. 전 정말 아씨가 그냥 가시려는 줄 알고……! 빨리 가시고 싶은가 보다 하고 마부 찾아 헤매다가 간신히 만나서 이야기하는데! 아씨가 저쪽에서 웬 건장한 기사들한테 달랑달랑 들려 오시잖아요……."

"달랑달랑 들려 온 건 아니었어! 그렇게까지 처신머리 없게 끌려온 건 아니었다고!"

"비슷했어요! 그리고 지금 그게 중요한가요?!"

'와아앙' 베티가 울음을 터뜨리기 직전이었다.

순간 문고리가 울리는 소리와 함께 방의 문이 양쪽으로 열렸다. 아벨라의 눈이 동그래졌다. 그리고 순식간에 벌떡 일어나 초점을 다른 곳에 둔 채 멍한 표정을 지었다. 베티야 뭐, 울고 있는 게 이상한 일은 아니니 연신 눈가를 훔치고 있었다.

잠시 뒤, 멋드러진 궁정복을 차려입은 시녀와 시종이 발을 맞춰 들어왔다. 잠깐잠깐 초점을 맞춰 구경하던 아벨라가 속으로 혀를 내둘렀다. 진짜 왼발 오른발 딱딱 각 맞춰 들어오잖아?

"황자비께 식사를 대령코자 합니다."

정중하게 이야기한 시종 뒤에 서 있던 시녀가 트레이에서 음식을 꺼내 방 저편의 식탁에 차리기 시작했다. 시녀가 음식의 뚜껑을 열었다. 동시에 다른 시녀가 잔에 음료를 따랐다.

"식전주는 제국 29년산 크톤의 와인에 제국 남부 불리 지역의 위스키를 더한 셰리주입니다. 전채는 향긋한 파와 새싹들에 레몬과 파프리카 파우더를 넣어 버무린 샐러드입니다. 부드럽게 훈연한 햄과 같이 드십시오."

또한 그다음 그릇을 차리고 뚜껑을 열자 시종이 설명을 이었다.

"오늘의 메인은 버터 향을 입혀 구운 오리 로스로, 화이트 와인으로 졸인 소스를 끼얹었습니다. 오리의 피부는 바삭하게 튀겨 내어 따로 드실 수 있게 놓았습니다."

그다음 그릇.

"식사는 요새 유행하는 샌드 형식으로, 18시간 훈연해 구운 돼지 앞 어깨살을 최대한 잘게 찢어 만들었습니다. 토마토를 바른 얇은 빵 사이에 끼워 드시면 됩니다. 사이드는 비네거와 설탕으로 절인 래디쉬와 감자를 삶아 으깬 샐러드입니다."

그다음 그릇…….

아벨라와 베티의 눈이 계속 차려지는 음식들과 음료들을 향했다. 끝도 없을 듯한 음식의 행렬이었다.

한참을 걸려 음식과 음료를 차려 낸 시종과 시녀가 깊이 고개를 숙였다.

"혹시 시중을 원하신다면 저희가 식사를 돕겠습니다."

얼빠진 베티가 눈을 깜박이다가, 불현듯 정신을 차리곤 고개를 저었다.

"아, 아닙니다. 황자비 저하 시중은 제가 혼자 들겠습니다. 그편을 선호하세요."

허둥대는 베티의 대답에도 아랑곳 않고, 시종이 다시 정중하게 물어 왔다.

"그럼 두 시간 뒤에 목욕물을 들이겠습니다. 특별히 선호하는 향이 있으신지요."

"그…… 사프란 오일과 장미 오일로 준비해 주십시오."

"알겠습니다. 혹시 부르실 일이 있다면, 저 뒤의 설렁줄을 당겨 주십시오."

시종이 깊게 허리를 숙인 채 시녀와 함께 물러났다. 서너 걸음 뒷걸음질하다 허리를 들고 방을 나서는데, 뒷걸음질 치는 걸음과 각도마저 같았다. 곧, 문이 닫혔다.

"……."

"……."

아벨라와 베티가 눈을 마주 봤다.

지금 이게 뭐야.

"설마…… 이게 식사야?"

눈을 휘둥그레 뜬 아벨라가 순간 침을 삼키다 사레가 들려 콜록댔다. 이 상다리가 휘어지는 진수성찬이 다 뭐란 말인가?

"마, 말도 안 돼."

"아, 아씨 잠깐만요."

베티가 허둥대면서 음식들에 달려들었다. 그러더니 주머니에서 파우치에 든 은스푼을 꺼냈다. 상당히 감격스러운 표정이었다.

"드디어 이걸 써 보게 되었어요."

어쩐지 묘하게 감격 어린 얼굴을 한 베티가 스푼을 음식에다 대고 문지르거나 저었다. 사이사이 무명천으로 닦아 가면서 차분히 검사한다. 그리고 몇 분 지나지 않아, 베티가 스푼을 다시 잘 닦아 파우치 안에 넣었다.

"아씨, 드셔도 돼요. 이 스푼은 생체독도 감지하게끔 만든 아티팩트거든요. 아씨 전용으로 대공가에서부터 쓰던 거예요."

"진짜? 먹어? 나 먹는다?"

아벨라는 음식을 빤히 바라보다 베티가 물러나자 후다닥 의자에 앉았다. 그러고는 천천히, 떨리는 손으로 스푼과 포크를 잡았다. 입에서 침이 배어났다. 짐승도 아니고, 군침을 줄줄 흘리다니 좀 창피하다. 하지만 알 게 뭐람.

입맛이 없어 아침을 물린 아벨라가 오늘 먹은 거라곤 점심 나절에 눈치 보면서 야금댄 마카롱 두 개뿐이었다. 그리고 그렇게 쌓은 열량도 이미 오후의 깽판으로 다 소진되었을 게 분명하다. 아벨라는 정말 진심으로 배가 고팠다.

아벨라는 떨리는 손으로 빵부터 집었다. 전채부터 먹으라 했지만 보는 눈도 없는데 뭘 그런 걸 신경 쓰겠어. 생 토마토를 문질러 주홍물이 든 구운 바게트 위에, 잘게 찢었다는 훈연 돼지고기를 얹는다.

입을 벌리기 전, 저도 모르게 아랫입술이 떨렸다. 덥석, 아벨라가 크게 빵을 베어 물었다.

이런 말 하긴 뭐하지만, 아벨라는 이곳에 와서 처음으로 눈물이 날 것 같았다.

"마히허……."

입에서 살살 녹는다. 기름 없는 살코기라고 생각했는데, 훈연으로 인해 녹은 지방들이 살코기 곳곳에 기름처럼 스며들어 있었다. 육즙이 그야말로 상큼한 토마토 향과 함께 팡팡 터졌다.

음식을 씹던 아벨라가 뒤의 베티를 홱 돌아보았다.

"베티."

"네? 네? 부르셨어요? 음료를 따라드릴까요?"

베티가 허리를 곧게 세운 채로 정중하게 대답했다. 당장에라도 시중들 준비가 된 성실한 메이드처럼 보였다. 하지만 아벨라는 그녀를 부릴 생각이 없었다.
"무슨 소리야? 앉아."
아벨라가 눈썹 한쪽을 들어 자신의 맞은편 의자를 가리켰다. 베티의 눈이 휘둥그레졌다.
"네에? 아씨야말로 무슨 소리세요!"
"너도 오늘 하루 종일 굶었잖아. 어디 요기나 제대로 했니?"
"저, 저는 괜찮아요. 처소에 가서 먹으면 돼요……."
"거짓말하지 마."
아벨라는 엉덩이를 일으켜 베티의 팔을 끌었다. 동시에 다리를 뻗어 맞은편 의자를 아벨라의 맞은편으로 끌어왔다.
"너도 오늘 정신이 하나도 없었잖아. 맞지? 얼마나 배고플 거야. 여기서 먹고 가."
아벨라는 베티를 향해 배시시 웃었다.
"오늘 나 대신에 황후 전하 앞에 나서 줘서 고마워. 위험할 수도 있었는데 정말 미안해."
짧은 말이었지만 목소리에서 배어 나오는 진심. 베티의 얼굴이 또 일그러지기 시작했다. 아까 그렇게 불같이 화낼 땐 언제고. 아벨라는 빙그레 웃었다. 아이고, 또 울려고.
"아씨이이…… 저는 아씨만 따를 거예요. 아씨가 원래대로 돌아오셔서 저랑 이렇게 대화를 해 주시는 것만으로도 너무 좋은데……."
"베티, 울지 마. 응? 얼른 먹자. 너 오늘 엄청 놀랐잖아. 술도 한 모금 해. 어?"
베티가 울먹이는 사이, 아벨라가 재빨리 그녀를 끌어 의자에 앉혔다. 얼결에 아벨라의 앞에 앉은 베티가 울먹거리는 표정으로 그녀를 빤히 바라보았다. 아벨라는 그런 그녀에게 여전히 배시시 웃는 채로 빵 그릇을 내밀었다.

베티는 어색한 표정으로 괜히 앉아 있기만 했다. 당연히 그렇겠지. 베티는 시녀와 황족의 겸상을 상상해 본 적도 없었을 테니까. 하지만 아벨라는 아니었다.

"아씨, 그치만…… 예법이……."

"예법은 무슨. 베디, 니 여기 잘 몰라. 스물네 해 동안 바보로 살았다며."

베티의 조심스러운 말에, 아벨라가 코웃음을 치며 대답하곤 빵을 들어 건넸다. 그리고 포크로 그 빵 위에 고기를 넉넉하게 올려 주었다. 기름진 고기의 육즙이 빵 위에 스미는 광경을, 베티는 홀린 듯이 바라보고 있었다.

아벨라가 다시 예쁘게 웃으며 베티에게 말했다.

"먹자고. 오늘 수고했으니까."

그 순간, 누가 먼저라고 할 것도 없이 둘 모두 빵을 베어 물었다. 정신없이 스푼과 포크로 음식을 퍼먹고, 심지어는 손으로 고기를 집기까지 했다.

정말 웃긴 일도 있었다. 디저트 스푼이 땅바닥에 떨어졌을 때였다. 베티가 시종을 부르는 대신, 다시 파우치를 꺼내 아까 음식을 검사했던 스푼을 꺼냈다. 아, 아벨라는 그 순간 터져 나오는 웃음을 차마 막을 수가 없었다.

심각해야 하는 걸 안다. 하지만 그래도 이 순간만큼은 즐거웠다. 이곳에서 가장 인상 깊었던 식사를 꼽으라고 한다면, 아벨라는 분명히 이 순간을 대리라.

아벨라가 다시 침대에 누웠을 때엔, 그로부터 세 시간이 지난 뒤였다. 실내복으로 갈아입고는 한껏 발그레해진 볼을 쥔 채 이불 속으로 기어 들어갔다. 아벨라는 자신의 촉촉한 볼을 손끝으로 살살 매만지곤 조그맣게 한숨 쉬었다.

"맙소사…… 완전 죽여줬어."

오해의 여지가 있으니 재빨리 정정하자면, 목욕 이야기였다.

물론 바뀐 8황자궁의 목욕 시설도 나쁘진 않았다.

하지만 아벨라는 오늘 한 목욕이 가장 인상에 남을 것 같다고 생각했다. 아무래도 이런 상황에서 이런 목욕을 할 것이라고 스스로도 예상하지 못했기 때문이 아닐까? 아벨라는 아까의 목욕을 다시 떠올리며 황홀경에 잠겼다.

식사가 다 끝나 갈 때쯤, 아벨라는 설렁줄을 당겨 넉넉한 목욕물과 오일을 부탁했다. 베티는 밥을 먹은 뒤, 배가 부르다며 아벨라의 목욕 시중을 하나부터 열까지 도왔다. 시종들은 목욕물과 부탁한 오일뿐만이 아니라, 다양한 목욕용품까지도 준비해 주었다.

베티는 무척 기뻐하며 살구씨 가루로 발뒤꿈치와 팔꿈치를 마사지해 주고, 아보카도 씨앗으로 귀밑 부분과 목을 마사지해 주기까지 했다.

"딜루어에서 썼던 목욕용품들이 고스란히 있네요. 아씨께 써 드릴 수 있어서 좋았어요."

"아, 상냥한 베티."

베티의 말에, 아벨라가 침대 베개에 머리를 댄 채로 손을 흔들었다.

베티는 이제 적색궁으로 돌아가기 위해 채비하고 있었다.

이곳에서 머물러도 되었지만 베티는 아벨라의 옷과 물건들을 챙겨 오기로 했다. 또, 아벨라가 빼앗은 보석들도 소중히 챙겨 가야 했다. 오늘의 전리품 말이다.

머리채가 뜯기는 난리 통에 그녀들이 빼앗긴 목걸이를 찾을 정신머리가 있을 리 없다. 로열 가드들도 아벨라가 쥐고 있는 목걸이까진 빼앗지 않았고.

그래서 기왕 이렇게 된 거, 아벨라는 이 목걸이들을 챙기기로 했다. 뭐, 원래 아벨라 것이기도 했다잖아. 자기 것을 챙긴다는데 막는 사람이 이상한 거다.

아벨라는 짐 챙기는 베티를 구경하다가 다시 천장을 올려다보며 중얼거렸다.

"여기서 이대로 사는 것도 나쁘지 않을 거 같아."

진심이었다.

구금된 황족에 대한 예우가 이렇게 좋을 줄 몰랐다. 음식은 맛있었고 목욕은 개운했다. 침대는 푹신하고, 방엔 지루함을 견딜 수 있게끔 주사위 놀이나 체스판들이 있었다.

"본궁의 황족들은 맨날 이렇게 사나 봐."

"이보다 훨씬 좋을 거예요. 지금 이 방에서 아씨에게 제공되는 음식들은 황족으로서 최소한의 체면치레를 할 수 있는 수준이었어요."

"말도 안 돼. 최소한이 이런 거라고?"

그럼 한 끼에 대체 얼마나 차려 놓고 먹는 거야? 아벨라는 놀라 베티를 바라보았다. 아니, 죄를 지어서 갇힌 귀족이 받는 대접이 이 정도면.

그때, 베티가 계속해서 말을 이었다.

"하지만 그나저나 사프란 오일을 정말 줄 줄은 몰랐어요. 사프란 오일이 엄청 비싸거든요. 전 거절할 줄 알았는데."

아벨라가 키득대면서 대답했다.

"일부러 제일 비싼 걸 부른 거였어?"

"그럼요. 줄 수 없다고 하면 코웃음이라도 치면서 '제국의 품위 유지 수준은 낮은가 보네요' 하려고 했죠."

베티가 빙그레 웃은 뒤, 다시 크게 무릎을 굽혀 절했다.

"그럼 아씨, 주무세요."

아벨라는 그녀를 향해 빙그레 웃었다.

"잘 자."

"아씨도요. 저도 최대한 할 수 있는 일을 해 볼 테니까요."

"최대한 할 수 있는 일?"

아벨라의 눈이 반짝였다.

"설마 베티, 공국이랑 연락하고 있었어?"

"아뇨. 그게 연락할 수 있는 모든 체계를 제국에서 엄격히 제한한다고 해서요. 아예 탐지마법으로 아티팩트까지 검사하더라고요. 그래서 저도 아까 보셨던 숟가락 외에, 일상적으로 뭔가를 보고하거나 연락할 수 있는 수단이 있진 않아요. 게다가 대공님은 항상 바쁜 분이시고, 마지막으로 뵌 건 아씨와 함께 출발할 때뿐이었거든요. 하지만."

베티의 입술이 꾸욱 다물렸다가 다시 말을 이었다.

"하지만 저는…… 공국을 믿어요."

"응?"

아벨라는 눈을 동그랗게 떴다. 베티가 다시 그녀에게 다가왔다. 무릎을 굽히곤 아벨라의 눈동자를 한참 바라보았다. 베티가 아까보다 훨씬 더 작은 목소리로 속삭였다.

"아씨, 아씨가 남의 머리채를 잡아서 구금되었다는 소식을 공국이 모르고 있을까요?"

베티의 물음에 아벨라가 눈을 깜박였다.

모…… 모르지 않을까? 난 그렇게 생각했는데. 아벨라의 눈을 바라보던 베티가 다시 빙그레 웃었다.

"전 알고 계실 거라고 생각해요. 굳이 저 같은 일개 시녀에게 보고 차원의 연락을 받지 않으셔도 아실걸요. 아씨, 저는 힘도 없고 가진 것도 없지만 이것만큼은 알아요. 우리는 단둘이 아니에요."

웃고 있지만, 베티의 눈동자는 단호하기 그지없었다. 눈동자에서 전해지는 감정은 강한 확신. 그녀는 지극히 자신의 조국을 믿고 있었다. 아벨라의 얼굴이 점점 진지해졌다.

아벨라는 처음 이곳에 왔을 때 그녀와 단둘이 불행하게 늙어 죽을지도 모른다 걱정했었다. 이 끔찍한 곳에서, 그녀와 함께 외롭게 죽거나 황실의 분란에 휘말려 사라져 갈지도 모른다고 걱정했었다.

왜냐면 공국은 힘이 없다고 생각하고 있었으니까.

그런데 베티의 저 단단한 눈빛을 보는 순간, 아벨라는 어쩌면 자신이 뭔가를 잘못 생각하고 있었을지도 모른다는 것을 깨달았다.

그러고 보니 베티는 그녀와 함께 단둘이 황궁에 떨어졌었음에도, 그녀가 바보였던 그 아침에도 좌절하거나 화를 낸 적이 없었다.

처음엔 긍정적이고 순하기 때문이라고 생각했는데, 생각해 보니 그녀가 화를 낸 건 다른 시녀가 없다는 걸 알았을 때가 유일했다.

아벨라는 베티의 여유에 대한 이유를 이제야 알게 되었다.

공국의 존재.

하지만 왜? 공국이 대체 무슨 힘이 있어서?

아벨라가 생각에 골몰한 사이였다. 베티는 베개 위에 흩어져 있는 아벨라의 머리카락을 정돈해 주었다.

"저는 분명히 공국이 무슨 수단을 써서라도 연락을 해 올 거라고 생각해요. 그러니까 아씨, 만일 제게 일이 주어진다면 최대한 할 수 있는 일을 해내겠어요."

베티가 눈을 반짝이며 웃었다.

베티가 간 이후, 아벨라는 협탁 옆의 등불을 끄곤 자리에 누웠다. 하지만 잠은 쉽게 오지 않았다. 아까까지만 해도 목욕 뒤에 노곤하게 자겠구나 했는데, 베티의 그 결연하기까지 한 말 때문에 생각이 많아진 탓이었다.

정말 공국이 뭔가 힘이 있는 걸까?

아벨라의 안에서 공국은 아주 약한 나라였다. 제국에게 차례차례 영합당한 자치령들의 마지막 차례이자 일방적으로 화친을 강요당하고 있는 불행한 소국.

그렇지만 이제 와 반대로 생각하면 제국의 영합 시도에도 국가를 유지하고 있는 나라들 중 하나라는 소리였다.

그러고 보니 정말로 공국에 대해 아는 게 하나도 없었다. 아벨라는 자신이 아는 점을 정리해 보기로 했다.

딜루어 공국.

자치령이었다 공국으로 독립한 섬나라로, 무역이 주 수입원인 자그마한 소국. 대공가는 무남독녀 아벨라 하나. 그리고 며칠 전 제국의 병합 시도를 어떻게든 막아 보고자 제국과 정략결혼을 맺었음.

그리고 딜루어 은행이라는 이름으로 신용금융업을 벌이고 있음.

그럼 공국이 힘이 좀 있는 건가? 뭘 좀 자세히 알아야 써먹지. 베티 말고는 물어볼 곳도 없고.

지레 답답해졌다. 아벨라는 눈을 감은 채 한숨 쉬었다. 일단 자자. 자려고 노력해 보자고.

……가 아니지. 잠깐만.

순간 아벨라가 눈을 번쩍 떴다. 지금 일이 이렇게 돌아가기까지 까맣게 잊고 있던 사람이 있었다.

펠리체.

그래, 펠리체. 제 남편 말이야. 아벨라는 이를 악문 채, 입술을 꾹 다물었다. 온갖 미더운 소리는 혼자 다 하더니, 아벨라가 이렇게 갇힌 순간까지도 코빼기 하나 보이질 않는다.

아니, 웃기네. 혈혈단신 타국에서 온 아내가 혼자 여기 갇혀 있는데 와 보지도 않아? 빼내려는 시도도 안 하고 있단 말이야?

애초에 아내가 뭘 갖고 왔는지 남편 되는 작자가 차곡차곡 챙겼어야 되는 거 아냐? 가진 건 쥐뿔도 없고 다 낡아 빠진 집에 사는 주제에 아내 재산마저 못 지켜? 독자적인 방식? 독자적인 방식은 그 계집애들에게 빼앗기는 방식이냐?

아니, 잠깐만. 생각을 해 보니까 이거…… 열 받네?

애초에 멀쩡하고 잘난 얼굴과 몸을 숨기는 것부터가 수상하기 짝이 없다. 처음 만난 밤엔 그렇게 지키겠다고 하고 낮엔 필요한 걸 다 해 준다고 온갖 달콤한 말로 구슬리더니, 장난쳐?

얼굴만 잘생기지 않았어도. 아니, 목소리가 그렇게 좋지만 않았어도. 아벨라는 머릿속으로 펠리체의 음성을 떠올렸다.

"아벨라."

그래, 딱 이런 느낌으로 아주 절절하고 꿀이 질척질척 배어날 듯 부르는데, 그게 또 느끼하진 않아서 내가 잘 듣긴 들었다. 그런데 목소리가 좀 가까이 들리는 것 같다…….

"아벨라, 내가 왔어. 늦어서 미안해. 황제와 단둘이 독대했어. 내일이면 이곳에서 나갈 수 있을 거야."

마치 옆에 있는 수준인데?

아벨라는 이상한 느낌에 눈꺼풀을 살그머니 들어 올렸다.

헉, 펠리체잖아?

펠리체였다. 제 남편. 이 나라 8번째 황자. 방금까지 엄청나게 욕먹고 있었던 주인공.

"고생하게 해서 정말 미안해. 이런 고초를 겪을 거라곤 생각조차 못했어."

붕대를 감은 손이 조심스럽게 아벨라의 손을 잡았다. 아벨라는 이 상황이 얼떨떨하기만 했다.

"어디 다친 곳은 없어?"

펠리체는 한숨을 쉬며 아벨라의 몸을 살폈다. 직접 맞대 보니 꽤 크고 투박한 손이었다. 하긴, 덩치가 좀 큰 편이니. 손이 따뜻해 좋은 것 같기도 하고.

그나저나, 그냥 이렇게 잠든 척하고 있어도 되는 걸까? 이대로 펠리체가 자신에게 뭐라고 말하든, 아무 말도 아무 반응도 하지 않은 채 있으면 아벨라가 편해질 수 있을까?

아니.

아벨라는 절대 아니라고 생각했다. 의외의 변수가 너무 많았다. 오늘을 보라. 펠리체가 나간 사이, 다례회 같은 중요한 행사를 저 스스로 결정하게 되었다. 그리고 그 결과 이 방에 갇혀 있지 않은가.

앞으로도 이렇게 살 순 없었다.

아벨라의 머리가 기민하게 회전했다. 그녀는 베티가 떠난 뒤, 다시 한번 깨달았다. 지금 현재 자신에게 가장 필요한 건 정보가 아니라, 정보를 줄 '아군'이었다.

물론 베티가 알 수 있는 최대로 알려 주고 있지만 그녀만으로는 부족하다. 왜냐하면 그녀는 딜루어인이고, 이곳은 제국이었으니까.

공국을 완전히 알기 전까진, 베티의 말처럼 공국을 믿을 수도 없었다. 알고 있는 게 아무것도 없으니까.

아벨라는 제국에 대해 더 잘 아는 사람이 필요했다. 자신에게 최대한 우호적인 사람, 그리고 자신을 속이지 않을 것 같은 사람, 자신에게 무슨 일이 생기면 누구보다도 자신의 편을 들어줄 사람.

그리고 지금 코앞에 펠리체가 있었다.

이 밤, 아벨라가 그를 필요로 하고 그가 아벨라를 향해 감정을 드러낸 바로 지금. 바로 이 시간이야말로 서로 가면을 벗고

벌거벗은 얼굴을 드러낼 때였다.

그러니 결정해야 한다. 바로 지금, 이 남자를 믿고 제 패를 뒤집어 보일 수 있을까? 이 남자는 제 아군이 되어 줄까? 그동안 아벨라에게 우호적이었던 건, 단순히 그녀가 백치라서 배려하는 차원일 수도 있었다.

아, 가능성은 반반이 아닌가. 나머지는 운에 맡기는 수밖에.

"……정당방위였어."

아벨라는 눈을 감은 채 나직하게 말했다.

"왜 나만 여기 갇혔는지 진짜 억울해. 아니, 내가 황족을 때린 게 죄라면 걔네가 목걸이를 훔친 것도 죄잖아. 아니야?"

앞에서 일순 호흡을 멈추는 소리가 났다. 그래, 너도 놀랐지?

나도 놀랐단다. 네가 그 붕대를 푸는 순간, 공이 떨어지는 순간, 네가 기지개를 켜고 나를 부르는 순간 말이야.

"게다가 나 오늘 샬롯 봤어. 정말 못되게 생겼더라. 그 딸이랑 며느리라는 사람들도 아주 심술보가 덕지덕지 붙어 있었어."

아벨라는 평이하게 말을 이으며 눈을 떴다. 아주 어두워 아무것도 보이지 않을 줄 알았는데, 아니었다. 달빛이 커튼을 치지 않은 창문 안으로 쏟아져 들어오고 있었다.

덕분에 놀라 눈을 부릅뜬 채 굳어 있는 붕대 더미의 남자가 보였다.

아벨라는 어둠속에서도 선명하게 빛나는 눈과 시선을 마주쳤다.

"이건 솔직히 네 책임 아냐? 이런 중요한 행사가 열린다면 너도 알고 있었어야지. 베티에게 미리 언질을 줬어야 하는 거 아니냐고. 내명부의 행사라서 몰랐단 소리 하지 마."

약간 강짜 같기도 하지만, 그런 양심은 개나 줘 버리도록 하자. 일단 살아야 할 거 아냐. 아벨라가 눈을 똑바로 뜬 채 힘주어 말했다.

"네가 날 지킬 거라면 제대로 책임져, 펠리체."

아벨라는 상체만 일으킨 채 헤드에 기대 펠리체를 바라보았다. 심장이 쿵쾅거렸다.

방 안엔 달빛이 은은했지만 아벨라는 손을 뻗어 협탁 위의 등불을 다시 켜고 그를 똑바로 바라보았다. 밝은 곳에서 보고 싶었기 때문이다.

매우 놀란 탓일까? 남자는 그대로, 숨소리 하나 내지 않은 채 그녀를 뚫어지게 보고 있었다. 아무 말도 하지 않은 채, 그대로 굳어 움직이지 않는다.

그렇게 얼마쯤 지났을까, 아벨라는 슬슬 그를 걱정하기 시작했다. 아니, 아까부터 숨을 안 쉬는 거 같은데. 베티처럼 너무 놀라서 기절한 거면 어쩌지?

그때, 남자가 크게 소리를 내어 숨을 몰아쉬었다. 숨은 쉬는구나. 아벨라는 온갖 감정들이 섞인 남자의 눈을 구경했다. 불신, 혼란, 의심…….

아벨라는 일단 차분히 기다리기로 했다. 그래, 놀랐겠지. 이해한다. 그 때였다.

"아벨라……?"

드디어 남자가 천천히 그녀의 이름을 불렀다.

그러고는 제 손으로 붕대 감은 얼굴을 거칠게 쓸어내렸다. 아예 넋이 나간 듯한 목소리였다. 아벨라가 눈알을 아래로 굴릴 때, 남자가 천천히 손을 들어 그녀의 얼굴로 뻗어 왔다. 아

D&C
BOOKS

백치 아벨라

박승아 장편소설

백치 아벨라 전3권 세트 초판 한정 부록 | 비매품

박승아 글 | AKGI 그림

벨라는 그 팔을 피하지 않은 채 그를 지켜보았다.

그가 그녀를 바라보듯, 그녀도 그를 바라볼 셈이었다.

그때는 화롯불의 불빛에 의지해 남자의 얼굴만 간신히 알았는데, 밝은 등불 아래서 자세히 살펴보니 눈동자의 색이 눈에 들어왔다. 어두운 겨자색의 눈동자였다. 가만, 초록색도 섞여 있는 것 같고. 그 색의 조화가 꽤 신기했다. 그리고 그 눈동자가 담고 있는 건 오로지 아벨라의 얼굴뿐. 왜인지는 설명할 수 없지만 마음에 든다.

"아벨라, 지금 말한 게, 맙소사, 말할 수 있…… 아니, 정말로 아벨라라고? 하지만…… 어떻게……."

펠리체는 혼자 영 말이 되지 않는 문장들을 중얼거렸다. 그가 뻗은 손이 아벨라의 볼을 쓰다듬으려는 듯이 움찔거렸지만, 막상 그녀의 볼을 만지진 못했다. 아니, 차마 닿지 못했다고 말하는 게 옳을지도 모른다.

"허억."

펠리체가 급하게 숨을 크게 들이마시는 소리를 냈다. 그러곤 갑자기 두 손을 들어 로브를 벗었다. 펠리체는 제가 하고 있던 분장을 모두 벗기 시작했다. 꽤 다급한 손놀림이었다. 붕대를 푸는데, 제대로 풀리지 않자 마구잡이로 붕대를 끌어 내릴 정도였다.

곧 목 쪽의 붕대를 풀어헤치자 남자의 영준한 얼굴이 완전히 드러났다.

남자의 표정은 황망 그 자체였다. 넋이 나간 사람처럼 홀린 듯이 아벨라의 얼굴만을 바라본다.

"정말 아벨라…… 너라고?"

아벨라는 그를 살피며 천천히 말을 이었다. 어디까지 말하는 게 좋을까? 펠리체에게 자신의 정체를 밝힌 게 옳은 생각일까? 이제 와서 후회하긴 너무 늦었겠지? 아벨라는 한숨을 삼키며 말을 이었다.

"알아. 백치였지. 믿기진 않겠지만 펠리체, 난 제정신으로 돌아온 지 일주일도 지나지 않았어."

생각 같아선 '충격을 받았으니 좀 쉰 다음 진정하고 이야기할까?' 같이 친절하게 말하고 싶었으나 지금은 그럴 여유도, 시간도 없었다.

"많이 놀란 거 알아. 나도 전신 화상이라는 네가 그렇게 고운 피부를 가졌단 걸 알았을 때 그랬으니까."

아벨라는 그를 향해 턱을 당긴 채 미소 지었다.

"그러니 빨리 되도록 평정을 찾아, 펠리체. 네게 묻고 싶은 게 많아."

체감상 한 시간은 넘었을 법한 오랜 시간이 지나고 난 뒤, 펠리체가 정신을 차렸다.

"……정말 아벨라 너야?"

펠리체가 아벨라를 향해 다시 한번 물었다. 아벨라는 잠자코 고개를 끄덕였다.

"나야."

"하지만, 하지만 어떻게……."

아벨라는 마음속으로 잠시 할 말을 정리했다. 정체를 밝혔으니, 자신이 어떻게 이렇게 되었는지에 대한 대략적인 설명은 해야 할 것 같았다.

"그게…… 갑자기 정신이 들었어. 결혼식…… 아니, 혼인 서

약서에 사인할 때."

물론 설득력 있는 설명이 아님을 안다. 그렇다고 너무 자세하게 말할 필요도 없지 않은가. 게다가 꾸며 말하면 더 의심 살 수도 있고.

"깨어나긴 했지만, 나는 아무것도 몰라. 내가 어떤 사람인지도 몰랐어. 내가 백치였다는 것도 베티에게 들었을 뿐. 심지어 어린 시절도 기억이 안 나."

"……어린 시절은 기억이 안 나?"

펠리체의 얼굴에 잠시 실망이 스쳤다. 아벨라가 잠시 말을 멈췄다. 아, 이 반응을 보니 알겠다. 펠리체는 아벨라를 아주 어린 시절부터 알아 왔던 게 확실한 모양이다.

"응, 기억이 안 나. 그래서 네가 첫날 나에게…… 그 고백을 한 것도."

"읏."

순간 펠리체가 이상한 소리를 내면서 고개를 숙였다. 아벨라의 눈이 동그래졌다.

"펠리체? 괜찮아?"

혹시 어디라도 다친 걸까? 아벨라가 등불을 펠리체가 있는 곳을 향해 비출 때였다. 아벨라의 눈이 커졌다. 펠리체의 얼굴이 잔뜩 붉어져 있었다.

"……그건 아닌데."

붕대를 채 풀지 못한 손으로 제 얼굴을 가리며, 펠리체가 중얼거렸다.

"……그냥, 좀 부끄러워서."

"……."

그래, 부끄러운 기분이 들 만도 하지. 떠올리는 아벨라 자신도 부끄러운데. 자신이 너무 배려가 없었다. 아벨라가 멈칫하고 있을 때, 펠리체가 고개를 숙인 채로 아벨라를 향해 손을 내저었다.

"미안. 그 등불 좀 치워 줄래? ……잠시만."

"……어, 응!"

아벨라는 황급히 등불을 다시 제 협탁에 두고 베개로 가렸다. 금세 방 안이 다시 어두워졌다.

"크흠……. 말할 준비가 되면 여기로 와서 이야기해 주면 좋겠어."

아벨라는 어두운 가운데 짐짓 태연하게 말했다. 사실은 말끝이 살짝 떨렸다. 이건 펠리체가 알아채지 못하게 해 주세요. 아벨라가 두 손으로 제 볼을 감쌌다. 두 볼이 화끈거렸다.

왜 자신의 볼까지 뜨거운지 아벨라는 알 길이 없었다.

"변명부터 해도 될까?"

펠리체가 한숨을 쉬며 말했다.

"보석이 그녀들에게 있단 건 이미 알고 있었어. 샬롯이 조공품에 멋대로 포함시켰다는 걸 알고, 정식으로 황제에게 착오라는 서한을 받을 예정이었어. 그런데 셰이라와 렌티아가 보란 듯이 그 목걸이를 하고 갔을 거라곤 생각을 못했던 거지. ……애초에 네가 다례회에 갈 거라는 생각도 못했고."

"뭐, 괜찮아."

아벨라가 한숨을 삼키며 말했다.

"누가 그걸 예상했겠어?"

펠리체가 아벨라에게 다가온 것은 그로부터 얼마 지나지 않아서였다. 그는 아벨라가 안내하는 대로 아벨라의 침대 끄트머리에 걸터앉았다. 둘 모두 여전히 볼이 붉었지만 굳이 지적하지 않았다. 암묵적인 합의였다.

"그래도, 내 잘못이야."

펠리체는 순순히 긍정하곤 그녀를 똑바로 바라보았다. 긴 황금빛의 속눈썹이 파르르 떨렸다.

"미안해."

순순히 사과를 해 오니 또 할 말이 없기도 하다. 아벨라는 괜히 어색해선 시선을 다른 곳에 두었다.

"……괘, 괜찮아."

그리고 잠시 정적.

아벨라는 입술을 깨물었다. 어색하기 짝이 없었다. 이런 남자를 만나 봤어야 면역이 있든 말든 할 거 아냐.

"어, 그…… 아! 그러고 보니, 황제와는 대체 무슨 사이야?"

이내 아벨라가 다시 말문을 열었다. 어색함을 피하기 위한 필사적인 몸부림이었다.

하지만 돌발적으로 뱉은 질문치곤 괜찮…… 지 않나? 아벨라는 눈을 두어 번 깜박였다. 펠리체는 본궁에서 완전히 버림받은 황자라며? 그런데 황제에게 요구한다고 들어줘? 어떻게?

상식적으로 생각해도 말이 되지 않는다. 화상 환자 흉내 내며 황실 몰래 독자적으로 살림 파서 산다는데, 황제에게 뭘 요구한다고? 서한을 받아서 목걸이를 돌려받고 또 날 풀어 달라고?

"황제는 알고 있어."

"뭘? 네가 화상 환자가 아니라는 걸?"

"응. 열일곱 살 때쯤."

펠리체는 시선을 이불 끝에 두며 말을 이었다.

"샬롯이 9년 전인가, 내 어머니였던 로칠라 황귀비에 이어 7황자와 9황자의 모친을 죽였을 때, 황제께 찾아가서 거래를 했어. ……힘을 달라고."

"힘?"

되묻던 아벨라는 펠리체의 눈빛을 보고 입을 다물었다. 단단히 벼려져 있는 눈빛. 분노일까.

아벨라는 본능적으로 느꼈다. 펠리체는 이 이상 이야기하는 걸 원치 않는 것 같았다. 그래, 굳이 싫다는 걸 물어볼 이유는 없지. 황제랑 무슨 거래를 했든, 원할 때 황제를 만날 수 있다는 것만 알아 두자. 게다가 중요한 이야기도 이미 나오지 않았는가.

"샬롯이라면…… 오늘 내가 다례회에서 만났던 그 샬롯인 거지? 샬롯 황비 말이야."

"맞아."

펠리체는 놀랍도록 쉽게 긍정했다.

"그녀가 내 어머니의 원수야. 그리고 이 황궁 안 황자들 태반의 원수기도 하지. 내 모든 역사의 시작이기도 하고."

펠리체는 입술을 비틀어 웃음 같지도 않은 웃음을 지었다. '모든 역사의 시작'이라고, 끝 음을 길게 끌어 발음하는 목소리는 무거웠다. 아벨라는 문득 숨을 삼켰다.

수줍어하던 얼굴은 어디로 갔는지 펠리체의 눈이 매섭게 빛나고 있었다.

"그녀는 제국의 명문가인 카모프 공작가의 외동딸이야. 품계는 황비지만 갖고 있는 권력은 황후보다 더하지."

"어떻게 그럴 수 있는데?"

"황제 때문이야. 황제가 그녀에게 지나친 권력을 쥐여 주었어. 샬롯의 친정인 카모프가는 귀족 내에서도 발언권이나 영향력이 엄청나거든. 카모프가의 충성을 얻어야 황제 '폐하'가 자신의 입지를 공고히 할 수 있으니까."

펠리체는 입술을 비뚜름히 올려 웃었다. 아, 다시 저 웃음이다. 펠리체는 미워하고 증오하는 상대에게 저런 얼굴을 하는가.

"악순환이지. 귀족들을 억제하기 위해 카모프를 활용할수록 카모프의 권력은 세지고 샬롯 역시 무소불위의 권력을 가지게 되었어. 그게 그녀가 이 황궁에서 마음대로 뛰놀 수 있게 된 배경이야."

"그런데 그게 어떻게 가능해? 황제는 그걸 두고만 보고 있었어?"

"그때는 황제가 힘이 없었어."

펠리체는 '하' 하고 냉소한 뒤 말을 이었다.

"제국은 돈이 없었어, 아벨라. 선대 황제가 정복 전쟁을 하다가 국가 재정을 다 말아먹었거든. 얼마나 전쟁을 벌였는지 100여 년 전, 심지어 나라의 수호룡인 카셀란의 분노를 사기까지 했어. 그러니 현 황제로서는 카모프의 말을 계속 들을 수밖에."

아벨라는 문득 깨달았다. 펠리체는 제 아버지인 황제를 부를 때 한번도 '아버지'라고 부르지 않았다. 차가운 어조로 비소를 머금은 채 황제라고만 불렀다. 폐하라는 존칭을 부르는 것도 아니었다.

"아벨라, 더 우스운 건 말이야."

펠리체는 한숨을 쉬고 다시 말을 이었다.

"황제의 태도야. 샬롯을 가장 아끼는 듯이 굴면서도 그녀의 아들은 무시했지. 그게 그녀를 돌아 버리게 만들었어. 샬롯은 황제와 닮은 아들이 있으면 무조건 견제하고 의심하고 질투했어. ……샬롯의 아들인 4황자는 황제를 별로 닮지 않았거든. 그래서."

"아."

아벨라는 외마디를 뱉고야 말았다. 이제야 모든 상황이 이해가 되었다. 국정 운영 때문에 제대로 분란의 싹을 자르지 못한 황제, 그리고 덩굴지어 황궁을 휘감은 채 제 권력을 지키려는 샬롯, 그리고…… 피해받은 황자들.

아벨라는 순간 아까 다례회에서 들었던 이야기를 떠올렸다.

"그럼 황태자는 정말 샬롯이……."

순간 펠리체가 성큼 그녀의 앞으로 다가왔다. 침대 끄트머리에서 바로 그녀의 코앞까지. 비호같은 움직임이었다.

"계속 말해 줘."

아벨라는 갑자기 제게 들이닥친 펠리체를 놀란 얼굴로 바라보았다.

제게 말을 놓으며 편하게, 설레게 대하던 친구 같은 펠리체는 온데간데없었다. 아니, 사실은 이야기를 시작한 순간부터 자신이 안다고 생각했던 펠리체는 사라졌다.

지금 이 순간, 아벨라를 바라보는 펠리체의 눈동자는 유리알처럼 매끄러이 빛나고 있었다. 어떤 따뜻한 빛을 품은 것도 아니었다.

사내다운 각진 턱과 그 아래로 뻗은 놀라울 만큼 매끄럽고 아름다운 목선, 그리고 셔츠 아래로 보이는 단단한 가슴팍.

아벨라는 눈을 파르르 깜박이며 조심스럽게 말을 이었다.

"응, 렌티아와 셰이라에게 엿들었어. ……황태자비 측은 황태자를 죽인 게 샬롯이라고 생각한다고."

자신을 바라보고 있는 펠리체는 놀라울 만큼 숨죽여 제 목소리를 듣고 있었다. 아벨라도 절로 같이 숨을 죽였을 정도였다.

"아벨라."

일순, 펠리체가 입술을 열었다.

"응."

"16년 전, 내 어머니는 샬롯이 궁에 불을 놓아 산 채로 불에 타 돌아가셨어. 내 나이 열 살 때의 일이야."

펠리체의 입에서 쏟아지는 경악스러운 말에, 아벨라는 자신도 모르게 크게 숨을 들이켰다.

"뭐……?"

"내가 살고 있는 곳이 적색궁으로 불린다는 걸 알고 있어? 불타는 궁을 보던 샬롯이 비웃으며 '붉은색이 어울리는구나'라고 했던 이야기가 퍼지며 적색궁이 된 거야. 나는 그래서 그 이름을 좋아하지 않아."

빠르게 말을 쏟아 내면서도 펠리체는 단 한 번도 눈을 깜박이지 않았다.

"아직 한 살도 되지 않았던 내 동생과 나는 급히 도망쳐야 했는데, 동생을 안겨 주며 어머니는 내게 반드시 살아남으라 말했어."

펠리체의 어조는 말할수록 더욱더 차분해졌다. 하지만 그의 눈빛은 풍랑에 이는 해일처럼 일렁이고 있었다.

"내 동생은 다른 황비에게 맡기고, 나는 급히 먼 나라로 떠났어. 내 어머니의 친우가 사시던 나라로. 오로지 샬롯의 마수에서 피하기 위해."

그가 풍기는 위압감은 마치 깊은 물속처럼 아벨라를 답답하게 만들었다.

"네 말이 맞아, 아벨라."

펠리체가 낮은 목소리로 말했다.

"황태자는, 가모프 형님은 그들이 죽인 거야."

하지만 아벨라는 어쩐지 그런 그가 무섭지 않았다. 왜냐면 아벨라에겐 펠리체의 벌어진 상처가 보였다. 큰 범이 깊게 베인 채로 아파하고 있는 환상이 그에게 겹쳐졌다.

"그리고 가모프 형님의 죽음을 비웃는 것처럼…… 내 어머니와 나도 비웃었겠지."

펠리체가 이를 악물었다. 악문 턱이 덜덜 떨렸다. 그의 눈에 눈물이 고이는 걸 아벨라는 망연히 바라보았다. 심장 한구석이 욱신거렸다.

자신도 모르게 아벨라는 손을 뻗어 그의 뺨에 대었다. 그러자 펠리체가 얼굴을 일그러뜨리며 아벨라의 그 손 위로 제 손을 겹쳐 쥐었다. 아벨라는 그때서야 저도 그와 같이 울고 있음을 알았다.

단단하게 굳은살이 박인 그 손은 무척 따뜻했다.

"……그래서 그 뒤로 붕대를 두르고 아픈 척하는 거야?"

처음엔 침대 끝과 끝에서 어색하게 이야기하던 그들이었다. 하지만 지금 펠리체는 아벨라의 곁에 나란히 앉아, 침대 헤드에 등을 기대고 그녀와 이야기를 나누고 있었다. 둘 모두 눈가가 발개진 채였다.

"경계를 좀 피할 수 있을까 해서. 본궁의 지원도 전혀 못 받는 상황에서 감시까지 받으면 큰일이잖아. 할 수 있는 거라곤 황궁이 아닌 곳에서 터전을 잡는 것밖에 없었어."

"아하, 거기서 독자적인 생존 방식이 나오나."

"황궁의 기사단과 거래할 정도로 큰 용병 집단이 있어. 그곳이 내 또 다른 고향이나 다름없지. 나는 그곳에서 무술을 배웠고, 세상을 배웠고, 돈을 버는 방법도 알았어."

"용병 집단에서 돈을 버는 방법을 배웠다고?"

"믿기 힘들겠지만 그 안에는 별별 사람들이 다 있어. 우리가 살고 있는 8황자궁의 개조도 그들 중 하나가 도맡아 해 준 거야. 황제의 윤허를 받아 밤에 몰래 마차를 들여와, 네가 자는 사이 고쳐 놓았지."

듣는 내내, 아벨라는 황당해 눈만 깜박였다. 지금 자신이 뭘 듣고 있는 거람.

"……그게 가능해? 밤에 몰래 궁을 고친다고?"

"낮엔 불가능하니까. 샬롯 황비의 수족이나 다름없는 빈델 궁내부장은 생긴 것 이상으로 아주아주 교활하거든."

아벨라는 궁내부장인 빈델을 떠올리며 미간을 찌푸렸다. 무척 교활해 보이는 인상인데 그보다 더하다고?

"……그 생김보다?"

생김새부터가 '나는 교활하다'라고 써 붙이고 있는데 그보다 훨씬 교활하면 대체 어느 정도라는 거야? 아벨라의 표정을 본 펠리체가 나지막이 웃음을 터뜨렸다.

"난 그들을 좀 피하고 싶었어. ……그리고 어쨌든 성공했잖아."

펠리체가 이어 속삭였다. '뒤뜰 봤지? 정원으로 만든 거 말이야.' 묘하게 뽐내는 듯한 말투다. 속삭이는 숨결이 간지러워, 아벨라는 키득이며 고개를 끄덕였다.

"맞아. 아름답더라."

어느 순간 아까보다 분위기가 훨씬 더 부드러워졌다는 생각이 들었다. 웃음기가 가시지 않은 얼굴로, 아벨라가 말했다.

"……그나저나, 네 동생이 있는지도 몰랐어."

"맞아. 동생이 있어. 10황자고, 황자들 중 가장 어려. 어렸기에 내가 외국으로 도망친 동안 황궁에 남을 수 있었지. 공식적으로 길라 황귀비 아래에서 키워졌거든."

"아하. 길라 황귀비가 대신 키워 주신 거구나."

"응. 그녀는 음전한 사람이라, 속을 알 순 없지만 체하트와는 잘 지내는 것 같아. 아, 참. 황후의 딸인 아이타 3황녀도 나를 도와주고 있고."

펠리체는 희미하게 미소 지었다.

"지금은 아카데미에서 수학 중이야. ……귀여워."

'귀엽다'고 말할 때, 아벨라는 펠리체의 표정을 보았다. 그는 무척 부끄러워하는 것 같기도 했고, 수줍어하는 것 같기도 했다.

그때였다. 펠리체가 황급히 몸을 일으켰다.

"이제 슬슬 가야겠다. 동이 틀 시간이야."

"아직 어두운데?"

아벨라의 말에, 펠리체가 붕대를 풀었던 곳으로 다가가 다시 붕대의 끝자락을 잡으며 웃었다.

"불침번을 섰던 근위병들이 교대할 시간에 맞춰 나가야 해. 알고 있을지 모르겠지만, 난 여기 몰래 들어왔거든."

곧 평소의 여유 있는 목소리로 돌아온 그가, 붕대를 들어 천천히 감았다. 다시 펠리체가 숨기 시작했다.

아벨라는 문득 입을 열었다.

"펠리체."

"응."

"널 돕고 싶어."

이 밤, 도망에 대한 생각은 이미 희미해졌다. 가슴이 아팠고, 어떻게든 그를 돕고 싶다. 그저 충동일지도 모른다. 그냥 감정에 눈이 멀었을 수도 있지. 하지만 진심이다.

"고마워, 아벨라."

로브를 뒤집어쓴 채 펠리체가 속삭였다. 그의 표정을 볼 수 없지만 아벨라는 그가 웃고 있다고 확신했다.

"나는 그녀를 반드시 벌할 거야. 그렇게 하기 위해 힘을 모으고 있는 거고. 하지만 네가 도와주지 않아도 돼."

펠리체는 잠시 말을 멈췄다 다시 이었다.

"그리고…… 말했던 대로, 난 네게 도움을 받는 것보다 널 지키고 싶어."

시간이 얼마나 지났을까.

아벨라는 방 밖에서 나는 소란스러운 소리에 눈을 떴다. 으응, 되게 어수선한데……. 헉, 그런데 언제 잠들었담?

분명히 어제 펠리체와 자신이 같은 편이 된 게 맞는가 아닌가로 고민하던 건 기억이 나는데…….

아벨라는 다시 감기려는 눈을 비볐다. 아, 지금이 몇 시지. 아침나절인 건 분명하다. 푸른 암막 커튼 사이로 흰 햇살이 비추고 있었다. 아벨라는 크게 하품하곤 그 자리에서 온몸으로 기지개를 켰다.

"……음."

일마 안 되는 시간이지만 그래도 푹 잤다. 아벨라는 냠냠 입맛을 다시며 문가를 흘끗거렸다. 그런데 아침부터 더럽게 시끄럽다.

아벨라는 침대 헤드에 몸을 기댄 채 설렁줄을 당기려다 멈췄다. 아, 여긴 본궁이지. 그냥 베티를 기다리자. 치장은 베티에게 맡겨야지. 그런데 베티는 언제 오려…….

"아씨이이이이이이이이이이잇!"

……나?

그 순간 문을 '쿠당탕' 연 채로 베티가 구르듯이 들어왔다. 아벨라는 화들짝 놀라 갑자기 구르며 등장한 베티를 바라봤다.

"아니, 이렇게까지 갑작스럽게 나타나길 바란 건 아니었는데……."

아벨라가 황당하게 중얼거릴 때였다. 베티가 몸을 세워 돌진하듯 아벨라에게로 달려왔다. 품에 뭘 잔뜩 껴안고 있었다. 아벨라가 눈을 동그랗게 뜬 채 그녀를 살폈다. 뭔가 했더니 포장한 옷가지 상자들이다…….

"아씨이이이잇!"

버럭 소리치는 베티에 놀라 다시 정신을 차렸다.

"으, 응?"

"주, 준비하셔야 해요. 얼른요!"

"왜?"

"밖에, 밖에 사람들이……!"

베티가 숨을 식식대며 소리쳤다.

"황제가 보낸 교지가! 고, 공국에서도! 얼른 채비하셔야!"

"뭐라고?!"

그리고 그 직후, 아벨라는 베티와 함께 순식간에 준비를 시작했다. 세수도 물을 묻힌 수건으로 대강 문지르고 코르셋도 생략했다. 파니에만 간신히 걸친 채 실내용 와토 로브 드레스를 입었다.

대체 뭐가 어떻게 되는 거야. 아벨라는 꾸미는 내내 계속 그녀에게 물어보았지만, 베티는 그녀를 치장해 주느라 아벨라의 물음엔 대답하지도 못했다. 혼이 나간 표정이었다.

눈치로 보아하니 황제가 교지를 내린 모양이다. 펠리체가 말했던 대로다.

그런데 베티가 공국이라고도 했던 것 같은데. 뭐가 더 있나? 아벨라가 이리저리 궁리할 때였다. 아벨라의 머리를 흘러내리게 옆으로 모아 흰 리본으로 묶은 베티가 안도의 한숨을 내쉬었다.

"아, 끝났어요, 아씨. 이 정도면 괜찮을 거예요. 저기, 저기 접견 테이블에 앉으셔요."

"으, 응."

아벨라는 창가에 놓여 있는 접견용 테이블 앞에 엉거주춤 앉았다. 마치 회장님 책상 같았다. 널찍하니 여기서 누워 자도 되겠다. 게다가 의자가 창가를 등지고 문을 정면으로 바라보게끔 놓였다. 제 표정을 역광으로 숨길 수 있었다. 제법 사려

깊은 배치였다.

"아, 아씨. 문을 열게요."

그때 베티가 크게 말하고 긴장 가득한 표정으로 양쪽의 문을 열었다.

열린 문 사이로 삭막하고 딱딱한 표정으로 붉은 비로드 웨이스트 코트를 입은 남자가 서 있었다. 단정하게 머리를 묶은 남자가 문가에서 다짜고짜 쩌렁쩌렁 외쳤다.

"황제 폐하의 교지를 전합니다!"

아코, 시끄러워.

아벨라는 생각보다 더 큰 성량에 몸을 움찔했다. 그러나 앞에 서 있는 남자는 아랑곳 않은 채 들고 있던 가죽 두루마리를 펼쳐, 크게 읽기 시작했다.

"아벨라 블리스 오 데 딜루어 제8황자비는 제국력 250년 3월의 초이레, 두 명의 황족에게 상해를 입혔다. 상대 황족의 의지로, 황실제례일람에 따라 제8황자비는 황족에게 상해죄의 여부를 심판받는다."

응? 상해죄로 가벼워졌다길래 기대했는데, 심판? 심판이 뭔데? 아벨라의 표정이 순간 미묘해졌다.

하지만 테이블의 배치 덕에 아벨라의 표정은 역광으로 가려졌고, 덕분에 사람들의 시선을 피할 수 있었다. 문가에 선 남자는 다시 쩌렁쩌렁 교지를 이어 읽었다.

"그러나 처음 살인미수죄로 죄인을 구금하는 안은, 피해의 범위가 크지 않다는 궁의의 증언에 의거해 불허한다. 아벨라 블리스 오 데 딜루어의 구금을 해제하고 원래의 처소에서 심판을 기다림을 허가한다."

아벨라는 자신도 모르게 미소를 머금었다. 펠리체의 말 그대로였다. 뭐, 그럼 끝난 건가?

아벨라가 앞의 남자를 살폈다. 교지를 다 읽은 듯 다시 말아 옆의 시종에게 건넨다. 이제 인사하고 가려나? 남자의 퇴장을 내심 기다리는데, 남자가 또 다른 교지를 펼친다.

교지가 또 있다고? 아벨라의 눈이 동그래졌다.

"황제 폐하의 교지를 전합니다!"

남자가 다시 버럭 소리치고는 바로 이었다.

"제국 250년, 제후국 딜루어로부터 표문表文과 주문奏文이 동시에 도착하였다. 성혼을 축하하는 일람과 제8황비의 사유 재산이 도난당했음을 알리는 내용으로, 재산의 목록과 재산의 인증서가 별첨되어 있었다. 제국은 공국에게 즉시 해결을 약속하여, 종주국으로서 제후국에 대한 화친의 굳건함을 증명코자 한다. 이에 8황자비에게 심심한 위로의 뜻으로 보좌 시종과 치장 시녀, 주방장을 비롯한 시종 15명을 하사한다."

뭐라고?

아벨라는 눈이 휘둥그레지려는 것을 간신히 억눌렀다. 제후국 딜루어라고 함은 딜루어 공국을 말하는 건가? 지금 자신이 이해한 게 맞나 혼란스러웠다. 공국 측에서 아벨라의 사유재산에 대한 침탈을 공식적으로 항의했고 제국이 해결해 준다고 공언하면서 사과의 의미로 하인을 준다고…….

어?

그 순간, 아벨라는 어제 자신에게 속삭이던 베티의 말을 떠올렸다.

―전 알고 계실 거라고 생각해요. 굳이 저 같은 일개 시녀에

게 보고 차원의 연락을 받지 않으셔도 아실걸요. 아씨, 저는 힘도 없고 가진 것도 없지만 이것만큼은 알아요. 우리는 단둘이 아니에요.

아벨라는 바보 연기 중이라는 것도 잊고 황급히 베티가 있는 쪽을 바라보았다. 베티는 침대 옆에 서서 교지를 들으며 감격한 표정으로 눈가를 훔치고 있었다. 이럴 수가. 그녀의 말이 사실이었다.

……공국이 아벨라와 베티를 지켜보고 있었다.

좋다. 좋긴 한데, 정말 지켜보고 있다면, 그러니까 아벨라가 감시당하고 있는 거면 좀 티를 내 줬어야 하는 거 아냐?

교지를 다 읽자마자, 남자는 고개를 든 채 신발 뒤꿈치를 맞닿게 퉁기곤 빠르게 돌아 나갔다.

아벨라는 혼란한 표정으로 그 자리에 엎드렸다. 테이블의 냉기가 이마로 스몄다.

이게 뭐람. 뭔가 꼬인 매듭이 점점 더 엉키는 기분이 든다. 아, 지금 벌어지는 사건들을 다항식으로 접근하면 답이 나올지도 모른다. 인물들을 미지수로 지정해 인물들이 공통 등장했을 때 일어나는 일련의 이벤트들을 팩토리로 등치되게끔 다항을 만들어서 공식을 만들어 보면…… 될 리가 있겠냐.

"이런 건 어디서부터 풀어야 풀리는 거야……."

아벨라가 작게 중얼거렸다.

Chapter 4

Chapter 4

"……."

아벨라는 찜찜한 표정으로 침대에 앉아 캐노피 기둥에 머리를 기댔다. 며칠 전, 아벨라는 푸른 방에 갇힌 지 하루 만에 적색궁으로 돌아왔다.

원래 오르내리는 게 인생이라지만, 아벨라의 인생은 그 고저 등락이 지나치게 심했다. 강서경에서 아벨라로, 공국에서 제국으로, 감옥에서 궁으로. 이게 뭐냐고.

그래도 살인미수는 피하게 되었다. 구금도 풀렸다. 게다가 짐도 돌려받고 베티가 그렇게 타령하던 시녀와 시종들도 하사받았지.

그리고 자연스럽게 베티는 시녀장이 되었다. 어쩔 수 없었다. 공국인이지만 8황자 궁에서는 제일 고참이고, 아벨라를 가장 가까이서 시중들고 있는 베티가 8황자궁의 시녀장엔 적임이었다.

처음엔 잘할까 꽤 걱정했는데, 의외로 베티는 훌륭하게 시녀들을 다루고 있었다. 베티는 시녀들을 철저하게 밖으로 내돌렸다. 치장 시녀는 베티가 확인해야지만 들어올 수 있었고, 음식도 베티가 시중들었다. 주로 청소나 빨래, 그리고 부엌에 시녀들을 배치했다.

문제가 있다면 원래 있던 시종인 세스와 찬모 주디인데, 세스는 시종장이 되었다지만 주디의 역할은 매우 애매해졌다. 주디는 선선히 바느질을 할 수 있으니 침모가 되겠다고 말해, 자연히 찬모는 침모가 되었다.

짐과 함께 예산과 배급도 원래대로 돌아왔다. 예산을 건드리던 자들이 자연히 황제를 의식해 움츠러든 탓인 듯했다. 덕분에 이 적색궁을 대놓고 치장할 수 있게 되었다.

물론 상해죄로 심판을 받아야 하는 문제가 남았다지만 이 또한 아직은 괜찮았다. 황족들이 모두 모이기란 쉬운 일이 아니어서, 두어 달 이상 걸릴 예정이라 고지받았기 때문이다.

그러니까, 아벨라의 현재 주변 상황은 나쁘지 않아 보였다. 물론 어디까지나 겉모습만 그랬다.

아벨라는 기둥에 머리를 '쿵' 박으면서 생각했다. 그녀는 '아벨라'가 매우 복잡한 상황에 놓여 있다는 것을 실감했다.

처음엔 이 결혼은 그저 보여 주는 용이고 아벨라와 8황자는 각국으로부터 버림받았다고 생각했다. 실제로도 그렇게 보였고.

그러니 아벨라는 머리만 잘 쓰면 도망칠 수 있을 거라고 생각했다. 이 몸으로 뭐든지 할 수 있을 거라고, 그렇게 씩씩하게 생각했는데…….

그게 아닌 것 같다. 사실 이 둘은 버림받은 게 아니라 오히려 각국에서 주시하고 있던 것이다.

공국은 대체 어떻게 아벨라가 '도둑맞은 보석들 때문에' 소란을 일으켰다는 걸 알았지? 베티는 공국과 특별히 연락할 방법이 없다고 말했는데.

베티는 공국이 먼저 알고 외교적으로 손을 써 주었다는 데 매우 감사해하고 있었다. 베티에게 공국은 조국이라지만, 아벨라에겐 미지의 세계였다. 갈피조차 잡질 못하겠다. 아는 게 있어야지.

그러니 아벨라는 특히 공국을 주의해야 한다고 생각했다. 손자병법에서 말하길, 가장 무서운 적은 자신이 모르는 적이라고 했다.

공국은 아벨라가 베티의 말만 믿고 생각했던 소국이 아니었다. 오히려 이 결혼에 대해 자기주장 하는 공문서를 보낼 정도로 제국과 대등했다.

아벨라는 공국이 이 결혼에 대해 어디까지 파악하고 있는지 몹시 궁금했다. 그리고 공국이 자신에게 얼마나 '선의'를 갖고 있는지도.

아벨라는 단순히 외교에 쓰이는 장기 말에 불과한가, 아니면 정말로 베티가 말하는, 대공과 공국이 사랑하는 대공녀인가.

게다가 펠리체. 펠리체의 복수극까지 생각하니 이젠 머리 한쪽이 빠근하게 아파 온다.

"아무리 생각해도 엄청 꼬였어."

그래도 확실해진 게 있다.

당분간 도망은 보류다. 펠리체의 건도 있고 공국의 입장이 확실해지기 전까진 섣부르게 움직일 수가 없다. 그리고 그 새벽.

—말했던 대로, 난 네게 도움을 받는 것보다 널 지키고 싶어.

아벨라의 볼이 순간 확 달아올랐다. 저, 절대로 사감이 있어서가 아니라, 이건 좀 그러니까, 사람 된 도리로…… 그를 좀 돕는 게 좋지 않을까 싶었다.

그러니까 어쨌든 결론은 이거다. 도망은 보류라고!

앞서 말했듯, 심판인지 재판인지가 열리려면 약 두 달이 남았다고 들었다. 두 달. 아벨라는 자신이 이 기간 동안 뭘 해야 하는지 알았다.

공부.

정보를 줄 아군도 얻었고, 상황 파악도 대강 되었으니 이제 남은 건 아벨라의 지식 확장뿐이다.

이 세계와 나라부터 충실하게 알아 둬야 했다. 어떻게 사회가 돌아가는지, 어떻게 구성되어 있는지 배워야 했다. 이대로, 대한민국의 상식과 대한민국에서의 지식으로 어림짐작 눈치로 때려 맞추는 것만으로는 턱없이 부족했다.

다행히 아벨라는 이전의 삶에서 공부를 잘하는 축이었다. 아니, 꽤 하는 축이었다. 아니, 이것도 좀 겸손한 표현이다. 아주 잘하는 축이었다.

강서경은 12년 동안 학교를 다니는 내내 학원 한 번 다니지 않고 서울대 수학과에 합격했다. 물론 대학 생활 중 부모님이 돌아가셨고, 덕분에 꽤 방황해 학점을 괜찮게 쌓을 여력은 없었지만. 어영부영 졸업해서 사회에 나가려고 하니, 의외로 학점이 제 발목을 잡았다.

대한민국에서 학벌은 괜찮지만 학점은 안 괜찮은 '여성'이 할 일은 딱 하나밖에 없었다.

학원 강사.

다행인지 서경은 누군가를 가르치는 일에 능했다. 발성도 좋았고, 강의 실력도 탁월했다. 단번에 대치동의 수학경시대회 전문 학원으로 유명한 곳에 입사해, 내내 KMO라 불리는 수학 올림피아드 강의를 하고 살았다.

자신이 생각해도 이건 진짜 대단한 거였다. 날고 기는 경력을 가진 수학 강사들도 몇 달은 공부해야지 강의할 수 있는 곳에서, 2년 경력의 여자 강사가 가장 높은 반의 강사 자리를 꿰차는 일은 거의 없었으니까.

물론, 그렇게 되기 위해 밤 열 시에 퇴근해 새벽 세 시까지 교재를 공부하고, 강의 자료를 정리하고, 집에서 네 시간만 자고 출근하며 살았지만.

엄청 하드한 스케줄이었지만 괜찮았다. 벌이도 좋고 배우고 가르치는 일도 좋아했으니까. ……죽어서 그렇지.

요는 이거다. 아벨라의 몸에 들어 있는 강서경은 머리가 아주 좋았고, 엉덩이 싸움엔 도가 텄고, 그리고 사실은 그걸 꽤 좋아하는 편이었단 거다.

서경은 팔을 뻗어 침대 헤드 옆 설렁줄을 힘차게 당겼다.

"도서관이요?"

도서관에 가고 싶다는 아벨라의 말에, 베티는 곤란한 표정으로 대답했다.

"도서관에 가서 책을 좀 읽고 싶어."

"아씨가 도서관에 가신다고요?"

아. 베티가 곤란해하는 이유를 안 아벨라는 한쪽 눈살을 찌푸렸다.

"……이대로는 안 되겠지?"

"그럼요. 도서관은 본궁에 있는 데다가 아씨가 제일 가면 안 되는 곳이 도서관인걸요. 게다가 아씨는 재판을 앞두고 있으니까 외출을 함부로 하실 수가 없어요."

"구금은 풀렸잖아?"

"그래도 본궁에 드나드는 건 좀 힘들 거예요."

베티의 말에 아벨라가 설레설레 고개를 저으며 외쳤다.

"하지만 베티이이, 정말 가고 싶어. 방법이 없을까?"

"제가 가서 빌려 오면 되잖아요. 장서 목록을 주시면 8황자궁의 이름으로 빌려 올 수 있다고요."

"하지만 뭘 빌렸는지 대외적으로 알려지잖아. 게다가 8황자 모르게 공부하고 싶단 말이야."

"그럼 제가 훔쳐 올까요?"

아벨라는 그 자리에서 펄쩍 뛰었다.

"내가 갈게. 그냥 가서 보고 오고 싶어서 그래. 베티 너도 거기에 뭐가 있는지 모르잖아!"

"그…… 그건 그렇죠."

아벨라의 대답에, 베티가 곤란한 듯이 입을 다물었다.

곤란한 부탁이라는 건 알고 있었다. 베티도 그렇게 생각하는 게 뻔했다. 미안하지만, 그리고 민폐라는 것도 알지만 아벨라는 자신이 꼭 가고 싶었다. 그곳에 어떤 책이 있는지 베티라고 알 리 없잖아.

그때였다. 궁리하던 베티가 입매를 한쪽으로 당기면서 이어 말했다.

"꼭 가셔야겠다면……. 하지만 아씨, 이대로 가실 거예요?"

순간 아벨라의 눈이 반짝 빛났다.

"변장할까?"

"아니, 꼭 그렇게까지는……."

베티가 아차 하는 표정을 지었지만, 이미 변장에 꽂힌 아벨라에게는 소용이 없었다.

"그래, 시녀로 변장하는 거야!"

"하지만 아씨는 너무 예쁘셔서 시녀 복장을 해도 눈에 띄실 거예요!"

"이 와중에 칭찬해 줘서 고마워. 하지만 방법이 있을 거야. 화장이라든가 가발이라든가. 베티, 우리 가발 있잖아. 그렇지?"

"그렇죠. 혹시 모를 연회에 대비해서, 네…… 있어요, 있는데……."

"화장은 내가 할 수 있어."

아벨라가 자신 있게 말했다. 매번 학원으로 출퇴근하는 동안, 볼 게 없어서 뷰튜버들의 영상을 엄청나게 봐 왔다. 그들은 화장을 이용해서 외모는 물론 인종과 성별까지 뒤바꿔 놨다. 하지만 아벨라는 한 번도 시도해 본 적이 없…….

"아씨가요?"

……으니 안 되겠다.

"……생각해 보니까 화장은 역시 네가 해 줘야 할 것 같아."

아벨라는 베티의 손을 덥석 잡고 결연하게 말했다.

"내가 설명해 줄 테니까, 내가 해 달라는 대로 네가 날 화장시키는 거야. 알았어?"

베티는 잠자코 고개를 끄덕였다. 어쩐지 초탈한 듯한 표정이었다.

"아, 정말 이걸로 될까요?"

"괜찮지 않아?"

수십 분 뒤, 아벨라는 거울 앞에서 의기양양한 웃음을 보였다. 베티가 남몰래 구해 온 시녀복을 입고 짙은 밤색의 가발을 쓴 채였다.

멀리서 보면 얼굴이 좀 더 크게 보일 수 있게 턱의 음영을 목의 중간부터 넣고, 광대도 살짝 나오게끔 음영을 넣었다. 눈가의 먹은 반만 발라 눈의 크기를 줄이고, 볼엔 기미로 보이게끔 연한 적갈색의 먹을 붓으로 콕콕 찍어 발랐다.

게다가 눈썹도 검댕으로 조금 더 진하고 굵게 그려, 멀리서 보면 완전히 다른 사람이었다. 물론 자세히 보면 지나치게 진한 음영 화장으로 의심을 살 순 있겠지만, 그래도 일단 아벨라라는 걸 쉽게 알아보지 못한다는 데 만족하기로 했다.

옷까지 차려입은 뒤, 아벨라는 매우 만족해하며 물었다.

"본관은 어떻게 가지?"

"시녀들이 쓰는 마차를 타야죠."

베티가 말하는 마차는 황실에서 운행하는 업무 수행용 마차를 의미했다. 대정원을 돌보는 원예 시녀들이나 마구간을 돌보는 시종들이 타는 것으로, 시녀들과 시종들이 드나드는 길목으로 다니며 크기가 매우 작았다.

물론 적색궁도 황실의 본궁에서 멀리 떨어져 있으므로 이 마차를 따로 갖고 있었다. 배급을 받거나 요청한 물품들을 나르거나 할 때도 이 마차를 이용했다.

베티의 말에 따라, 아벨라는 마차를 타러 현관으로 이동하기 시작했다. 시녀처럼 보이게끔 베티의 세 걸음 뒤에서 고개를 숙인 채 걸어갔다.

그렇게 총총 걸어가는데, 문득 베티가 걱정이 풀풀 넘치는 표정으로 아벨라를 돌아보았다.

"아씨, 일단 세 시간 뒤에 마차를 보낼 테니까요, 그때까지 도서관에 잘 계셨다가 내리는 데에서 다시 타셔야 해요, 네?"

"걱정 마."

아벨라의 말에도, 베티는 여전히 못 미더운 모양이었다. 결국 걱정을 이기지 못한 베티가 다시 한번 그녀에게 물었다

"그런데 거기 가서 뭐라고 하고 책을 빌리시려고요? 8황자궁이라고 대시게요?"

아벨라가 미간을 찌푸리며 고개를 갸웃거렸다.

"응?"

"아니…… 책 빌리러 가시는 거 아니에요?"

"아닌데?"

아벨라는 어깨를 으쓱하곤 층계참 골방에 놓인 청소 도구들을 꺼내 왔다. 은빛의 양동이, 곱게 접힌 걸레, 그리고 먼지를 덜 마시기 위해 입가를 가리는 면 수건까지.

아까 아침, 식당에서 방으로 돌아가는 길에 청소하던 시녀가 이곳에 청소 도구들을 가져다 놓는 걸 봐 뒀다.

미안…… 좀 빌릴게.

마음속으로 사과한 그녀가 단단히 양동이를 움켜쥔 채 베티의 앞에 서자, 베티의 표정이 이상하게 변했다.

"뭐…… 뭐 하시려고요?"

"베티, 새로 온 시녀들이 가지고 온 인사이동 서류들 어디 있어? 지금 가는 길에 방에 가서 그 서류 아무거나 한 장만 빼 와."

아벨라는 층계참을 내려가면서 지시했다.

저번에 황제의 명으로 새로운 시녀들이 8황자궁으로 옮겨 올 때 한 명씩 공문을 갖고 왔었다. 황궁 궁내청에서 발행하는 문서로, 궁내부장의 직인과 함께 시녀의 이름, 직책, 업무 계열을 적어 놓은 일종의 인사 발령 문서 같았다. 베티가 먼저 받아 드는 통에 아벨라는 볼 수 없었지만 그래도 기억은 해 두고 있었다.

"아씨, 대체 뭘 하시려고……."

"아 빨리. 얼른!"

아벨라가 속닥대며 베티를 재촉했다. 베티는 영문을 알 수 없는 표정으로 층계참을 후다닥 걷기 시작했다.

카셀란 황궁 도서관.

한때는 제국이 처음 건국될 시절부터의 장서들을 모두 모아 둔 곳으로, 제국의 역사가 온전히 담겨 있는 지식의 보고로 불렸다.

제국의 수호룡인 백금룡 카셀란이 친히 도서관 전체에 보존 마법을 걸어, 일정한 습도와 온도가 유지되고 있다는 속설이 있었다. 보존 마법은 있지만 그 보존 마법을 카셀란이 친히 걸었느냐의 진위 여부는 알 수 없다.

원래는 그 크기가 아주 커 지하 3층, 지상 2층까지 이루어져 있었으나, 지금은 여러 사정으로 카셀란 중앙 아카데미에 새 장서관을 만들기로 결정했다고 한다.

그리하여 한때 장서들이 100만 권 이상에 열람실이 여덟 개나 되었던 거대한 도서관은, 지금은 특수 열람실과 일반 열람실 단둘로 나뉘어 있는 황궁 1층 구석의 조그마한 도서관으로 탈바꿈했다.

그리고 이곳이 오늘 아벨라의 목표였다. 이곳에 남은 장서들은 아카데미의 장서관에도 이미 존재하고 있는 중복된 도서들이거나 매우 오래된 장서, 혹은 그 훼손도가 심해 보존 마법이 남아 있는 이곳에만 보관할 수 있는 귀중한 도서들뿐이었다.

그 외에는 내탕금이 적은 후궁들이 신청하여 들어오는 낭만소설들이거나 황자들의 교육에 필요한 아카데미 선정 양서들, 그리고 신문들과 잡지 몇 종뿐으로, 새로 도서가 들어오는 날을 제외하면 매우 한가로웠다.

아벨라는 이런 사정은 몰랐지만 그녀에게는 행운과도 같은 기회였다. 아벨라는 도서관 앞에서 비장한 표정으로 양동이와 베티가 빼돌린 서류 한 장을 들고 서 있었다.

아까 베티한테는 온갖 큰소리를 떵떵 쳤지만, 막상 이 앞에 서니까 떨리기 그지없었다. 그래도 들어가야지. 아벨라는 문을 열고 척척 안으로 걸어 들어갔다.

도서관은 생각보다는 좁았다. 하지만 앉아서 책을 볼 수 있는 소파나 책상으로는 햇살이 쏟아지고 있었고, 장서들이 놓인 책장 간의 거리도 여유로웠다.

아벨라는 주위를 휘휘 둘러보다가, 안내 데스크로 보이는 곳으로 다가갔다. 잔뜩 구겨진 웨이스트 코트를 입은 남자가 신경질적으로 서류를 써 갈기고 있었다. 귀족인가? 궁정복이 아닌 것으로 보아 시종은 아닌데.

"저기."

"독촉장 쓰는 중이야. 좀 이따가 찾으러 오라고."

"아니, 그게 아니고. 궁내부장님이 보내셔서 왔는데요."

아벨라는 천연덕스레 대답하면서 들고 온 서류를 내밀었다.

신경질적으로 종이를 써 갈기던 시종이 고개를 흘끗 들었다.

"뭐라고?"

"청소를 도우러 왔어요. 궁내부장님이 앞으로 종종 이곳에서 청소를 하라고 말씀하셨습니다."

남자가 미간을 찌푸리다가 앞에 놓인 서류를 집어 훑어보았다.

"이름이 리타 픽사스. 아예 배속된 건 아니고 임시라고."

"네에."

아벨라는 냉큼 대답했다. 그러자 아벨라의 얼굴을 흘끔 본 남자가 인상을 찌푸렸다. 헉, 뭔가 이상한가? 아벨라가 순간 마른침을 꿀꺽 삼켰을 때였다.

"퍽도 일찍 왔네. 두 달 전에 먼지 좀 털어 달라고 세 명을 요청했을 때는 도서관 옮긴 지 오래라고 보내 주지도 않더니. 게다가 하나? 빈델이 서관 황비한테 몰빵했다더니 정말인가 보군."

아벨라는 마음속으로 주먹을 불끈 쥐었다. 앗싸. 이 남자, 안 그래도 이미 청소 시녀를 요청했었나 보다. 운이 좋았다. 게다가 일이 바쁜지 제 얼굴을 쳐다보지도 않는다. 아벨라는 가타부타 토 달지 않은 채 얌전하게 대답했다.

"……열심히 하겠습니다."

"가 봐. 오늘은 저기 0분류부터 2분류까지만 청소해. 아침에 대강 이 구역 애들이 청소하고 갔지만 책장은 제대로 걸레질하지 않았어."

"예에."

아벨라는 양동이를 든 채로 남자가 턱짓한 쪽으로 후다닥 걸어갔다. 혹시나 부를까 봐 서둘러 책장 사이로 들어갔다.

아벨라는 한쪽 눈썹을 치켜들면서 책장을 재빨리 훑기 시작했다.

어디 보자, 필요한 책이 뭐가 있을까. 여기 도서 분류 체계가 어떻게 돌아가는지는 모르겠지만 한국의 도서 분류와 같다면 0분류는 총서로 사전이나 전집들이 있어야 했다.

오늘 목표는 0분류였다. 아벨라가 생각하기에 세상에서 제일 아는 척하기 쉬운 방법은 백과사전이었다.

분류를 찾아서 걸음을 옮기던 아벨라의 걸음이 멎었다. 눈에 뭔가가 걸렸기 때문이다.

'쉽게 배우는 마법 121선'

'용의 저주로 없어진 고대 마법'

'사라진 마법에 대한 복원 연구'

"……마법?"

흥미로운 책 제목에 아벨라의 눈이 반짝였다. 용의 저주로 고대 마법이 없어져?

아벨라가 눈을 빛냈다.

그러고 보니 그날 밤, 펠리체가 분명히 말했다.

'선황의 지나친 정복 전쟁으로 수호룡 카셀란의 분노를 샀다'고.

그렇다면 용이 분노해서 저주를 했고, 때문에 마법이 사라졌다고 이해해도 되나? 아벨라는 생각에 잠겼다.

베티가 이전에 꺼내 들었던 은수저 아티팩트를 보아하니, 마법이 있는 건 확실하다.

마법의 작동 원리가 항상 궁금했다.

아직도 실감이 안 난다. 용과 마법이 실존하는 세계라니. 그럼…… 잠깐 볼까?

아벨라는 주변을 두리번거리다 그 자리에 양동이를 내려놓은 채 주저앉았다.

먼저 서문부터 보는 게 좋겠지.

[마법이란 일상적으로 일어날 수 없는 초자연적인 현상을 말한다. 성룡 카셀란이 부여한 은혜 중 하나로, 최초의 마법사는 제국의 초대 황제였던 인그레트 1세였다.

카셀란은 인그레트 1세의 후예라면 모두 대륙의 마나를 느낄 수 있는 능력을 주었다. 이는 제국민들 중 귀족의 일부만이 마법사가 될 수 있다는 뜻이며, 실제로 귀족들 중 수많은 마법사들이 나와 제각기 마법을 발전시키고 개발하여 제국을 융성케 하였다. 이 시기를 제국의 황금기이자 마법학의 황금기, 카플란체라고 부른다.

마법은 제국이 한때 대륙을 완전히 정복할 수 있었던 주요한 원인으로 꼽혔다.

하지만 과도한 정복 전쟁으로 인해 분노한 카셀란은 마법학을 융성케 했던 핵심 학문인 도미나를 없앤다. 마법의 실전 이후, 제국의 대기근과 겹쳐 마법사들 대다수가 사망함과 동시

에 카플란체는 끝이 났다.]

[간단한 마법 외엔 모두가 실전되었으므로, 마법의 상용화 또한 현재는 마정석에 저장된 마나를 동력으로 사용하거나 마정석으로 아티팩트에 마법을 거는 방법밖엔 남아 있지 않다.

제국력 240년, 대기근이 끝남과 동시에 실전된 마법 복원 사업이 카셀란 제국 아카데미를 주축으로 전개되고 있다.]

"……헐."

아벨라는 심각한 표정으로 책을 들여다보았다. 이 책의 말대로라면 마법은 그냥 현재 없는 것과 같았다.

그러고 보니 이곳 사람들은 마법이라 말하기엔 지나치게 실용적인 물건들을 쓰고 있었다.

게다가 아벨라가 그동안 본 마법이라곤 베티가 갖고 있던 은수저 아티팩트 하나였다.

"에라이."

모두 이해한 아벨라가 책장을 신경질적으로 넘겼다. 대체 이게 무슨 의미가 있냐. 뭔가 대단한 마법이나 낭만적인 걸 기대한 제가 바보 천치였다.

"……는 잠깐만."

잠시 실망스러운 표정을 짓던 아벨라의 표정이 바뀌었다.

어차피 마법사가 될 생각은 없었다. 그러니 실망할 필요도 없다. 대신 이번엔 돈을 불릴 궁리를 시작했다. 아, 그렇다면 돈이 생기면 마정석에 투자를 해 봐야 하나? 이 마정석은 광맥에서 캔다는 것 같으니, 마정석 광산을 사거나 아벨라 자신이 채굴권을 따내면 제법 쏠쏠하지 않을까 싶었다.

아니, 생각해 보면 이미 다들 여기에 투자하고 있을 것이다.

일단 광맥의 채굴량부터 좀 따져 보고…… 는 무슨. 정신 차리자, 돈이 어디 있다고.

혼자 이런저런 생각에 빠졌던 아벨라는 책장을 넘겼다. 다음 장에 쓰인 글자에, 아벨라의 시선이 멎었다.

마법진.

마법진이라고? 아벨라는 미간을 찌푸리면서 읽어 나갔다.

[……마법의 강도와 세기는 마법진을 이루는 중앙 도형의 모양으로 결정된다. 그러나 그 마법진의 모양은 대부분이 유실되었으며, 학자들이 이를 복원코자 노력하고 있다.

주변에 쓰여 있는 말은 분명히 제국어지만 알 수 없는 수수께끼로 해독이 되지 않는다. 많은 학자들은 이걸 암호라고 해석하고 있다.

그 뒤로 꾸준히 이어진 학자들의 연구로 마정석에 대응하는 마법진들 중 일부분이 복원되었으나, 전투 마법은 사실상 사장되었다고 보고 있다…….]

그리고 그 옆에는 사전의 반 정도를 차지하는 크기로 세밀한 그림이 하나 그려져 있었다.

밑에는 대표적인 불의 마법진이라는 간략한 설명이 쓰여 있었다.

아벨라는 미간을 찌푸리며 마법진의 모양을 한참 동안 바라보았다.

마법진 안에는 그저 사다리꼴 모양의 사각형이 하나 그려져 있었다. 사각형이라니, 되게 단순하네.

아벨라는 턱을 괸 채, 수수께끼라던 문장을 살피기 시작했다. 대체 무슨 암호기에 이 사각형 하나를 못 그린다는 거야?

……아벨라는 눈을 찌푸리며 조그마한 마법진의 둘레에 쓰인 말을 읽어 보기 시작했다.

"밖의 지점에서부터 뻗어 나오는 팔 둘이 나를 감싸고, 벌어진 입이 마주 보고 조화를 이룰 때 불은 타오른다……."

이게 뭔 말이야. 밖의 지점으로부터 뻗어 나오는 팔이라니. 암호 맞네.

"……응? 잠깐만."

이거 묘하게 익숙한데.

한참 동안 원과 원 안의 사각형을 바라보던 아벨라가, 자신도 모르게 원의 옆, 좀 떨어진 부분에 손톱으로 점을 찍었다.

밖의 지점이라고 하면 아벨라에게 떠오르는 건 단 하나였다. 임의의 지점 P.

원 밖 아무 데나 하나 찍어 놓고, 이 점에서 나온 수많은 선들 중, 원에 접하는 선 두 개를 긋는다.

아벨라는 익숙하게 원 안의 사각형과 접선이 마주 닿는 꼭짓점 부분을 손톱으로 눌러 표시했다. 그런 뒤 P와 나머지 두 꼭짓점 부분을 잇는 임의의 할선을 손톱으로 그었다.

"……음?"

두 꼭짓점 부분을 잇는 할선 두 개가 겹쳐 일직선이 되었다. 아벨라는 눈을 동그랗게 떴다. 어라, 이렇게 되면……. 아벨라는 망설임 없이 사각형의 점들을 대각선으로 그어 교점을 표시했다.

헉, 교점도 두 꼭짓점을 잇는 할선위에 위치한다.

잠깐만. 들어맞잖아?

아벨라는 이 사각형을 알고 있다. 아니, 알다 못해 자다가 누군가 툭 건드리면 우다다 말할 수 있을 정도로 꿰뚫고 있는 지식이었다.

아벨라는 자리에서 벌떡 일어나 두 손으로 뺨을 가렸다.

"조, 조, 조화."

한마디를 간신히 뗀 아벨라가 두 손으로 제 양 볼을 감싸 쥐고 숨을 잔뜩 들이쉬었다.

불의 미법은 조화 사각형이었다. 할신상에 위치한 두 개의 꼭짓점과 하나의 교점이 역수로 등차수열을 이루는, 그러니까 조화수열을 이루는 사각형.

이게 무슨 조화야.

이 사각형이 불의 마법진이라고? 원 안에서 조화사각형 하나 만든 게?

한참을 그렇게 경악하던 아벨라는 다시 책을 들었다. 이게, 이게 아니지. 지금 자신이 한 발견에 손까지 떨렸지만 침착해야 한다.

아벨라는 다시 한번 마법진의 설명을 읽었다. 최대한 꼼꼼히, 마지막은 입으로 되새겨 읽었다. 특히 아벨라가 주목한 부분은 이 부분이었다.

[이 안엔 원래 불의 강도와 범위에 따라 수많은 도형이 있었으나, 지금은 모두 실전되었다.]

여기에 가설 두 가지를 세워 보자. 만일 원 밖에 있는 저 수수께끼, 아니, 주문이 불의 마법진엔 공통으로 쓰여 있고, 이 안에 있는 수많은 도형이 모두 '사각형'이라면, 만일 이 가설이 모두 참이라면 아벨라는 이 불의 마법진을 모두 알아낼 수 있었다. 이 원 안에 들어차는 사각형이 조화사각형이라는 조건만 달고 있다면, 그깟 사각형쯤 한 시간에 수십 개도 만들어 낼 수 있다. 아벨라의 눈이 활활 타올랐다. 대체 이게 뭐란 말인가? 기하였다.

카셀란이 없앴던 도미나인지 뭔지 하는 학문은 바로 기하였다.

아벨라가 거칠어지려는 숨을 억누르며 생각했다.

만일 실전되었다는 모든 마법진들이 이런 식으로 이루어져 있다면, 그러니까 간단한 수학 공식을 기하로 증명하는 과정들이라면.

아벨라는 이 모든 마법진들을 되살릴 수 있다.

전부.

아벨라는 골라낸 책을 모두 양동이에 집어넣었다. 커버의 재질이 매우 얇고 부들부들한 가죽이라 세 권도 무리 없이 양동이 안에 말려 들어갔다.

사실 훔칠 생각은 없었는데.

아벨라는 깨금발로 몰래 책장 사이를 나와 도서관을 둘러봤다. 역시 사람은 하나도 없었다.

있는 사람이라곤 사서 한 명뿐인데 얼굴도 들지 못할 정도로 여유 없이 펜만 놀리고 있었다.

아벨라는 책을 꺼낸 공간을 메우기 위해 책들을 한쪽으로 당겨 배열했다. 총채를 든 채로 책이 담긴 양동이를 한쪽 구석에 내려놓은 뒤, 뿌듯하게 웃었다.

이제 남은 건 베티가 미리 알려 준 시간까지 청소하는 척 구경만 하는 일 뿐이었다.

몇 시간 뒤.

아벨라는 양동이에 담긴 책들 위를 걸레로 잘 덮고는, 총채를 사이에 꽂았다.

정확히 몇 시인지 모르겠지만, 꽤 시간이 흐른 것은 확실해 보였다. 밖의 해가 어느새 많이 기울어져 있었다. 이럴 줄 알았으면 베티에게 액세서리 중에 회중시계가 있냐고 물어볼걸.

어쨌든 아벨라는 이쯤에서 슬슬 도서관을 떠나기로 했다.

과정은 간단하다. 양동이를 들고, 태연하게 저 남자에게 인사한 뒤 문을 나가기만 하면 된다.

하지만 양동이가 정말로 무거웠다. 아, 아벨라. 내가 들어오기 전에 운동 좀 하지 그랬어. 하드커버도 아닌 책 세 권 무게를 못 견디는 게 말이 되냐고.

지금은 없는 아벨라를 원망하며 입술을 앙다문 채 걸음을 옮겼다.

팔 안쪽이 덜덜 떨렸지만, 저 남자에게 들키면 안 된다. 양동이가 지나치게 무거워 보이면 의심을 산다.

“저, 안녕히 계세요.”

양동이를 어떻게든 태연하게 드는 척하며, 데스크의 남자를 향해 허리를 깊숙이 숙였다.

아까 아벨라가 들어갈 때와 한 치도 달라지지 않은 자세로 펜을 놀리던 남자가 고개를 흘끗 들어 그녀를 살피곤 고개를 끄덕였다.

"수고했네. 가 봐."

"네에."

아벨라는 양동이를 쥔 채 성큼 문가로 향했다. 이제 저 문만 통과해서 시녀들이 오가는 출입구로 가기만 하면……. 아벨라의 손이 막 문의 손잡이를 잡았을 때였다.

"아, 잠깐만."

헙.

아벨라는 순간 호흡을 멈췄다. 뭐, 뭐지. 들켰나? 어깨가 지나치게 처졌나? 어떡하지? 양동이를 뒤지면 뭐라고 해야 하지? 차례가 엉망진창이라 정리한다고 몇 권 양동이에 담아 둔 걸 깜박했네요?

퍽도 믿어 주겠다! 온갖 상상을 하며 천천히 몸을 남자 쪽으로 돌렸다.

얼마나 천천히 몸을 틀었던지, 누가 보면 '삐이이이걱' 같은 효과음을 떠올릴 정도로 어색한 몸짓이었다.

"……예에?"

서류에만 집중하고 있던 남자가 아벨라를 바라보고 있었다. 비쩍 말라 볼가가 움푹 파인 얼굴이었다. 턱은 매우 뾰족한 데다, 눈썹이나 머리엔 새치가 많이 섞여 있었다. 매우 깡마르고 신경질적으로 생긴 전형적인 서생의 얼굴이었다. 하지만 남자의 눈은 뭔가 달랐다.

아벨라는 남자의 눈을 보는 순간 저도 모르게 긴장한 표정을 잔뜩 지었다.

처음으로 마주 보는 남자의 눈은 연한 회색빛이었는데, 주목해야 하는 건 그 눈빛이었다. 마치 토끼의 목덜미를 낚아채는 맹금류의 그것과 똑같았다. 매우 맹렬하고, 날카로워 베일 것 같은 예기가 철철 흘렀다. 단순히 펜만 놀리는 서생이라기엔 지나친 기백이었다.

그 순간 아벨라는 생각했다.

아이고, 들켰구나.

남자는 그 상태로 아벨라를 뚫어져라 보고 있었다. 아벨라는 긴장한 표정을 숨기지 못해 고개를 푹 숙였다. 뭐라고 변명해야 되지? 그냥 도망가?

아벨라가 자신도 모르게 목을 크게 울려 침을 삼켰을 때였다.

"아, 아니. 겁낼 필요 없다."

아벨라의 표정을 본 남자가 아차 하는 표정을 지으며 얼굴을 쓸어내렸다. 마치 자신의 얼굴에 지나치게 힘이 실린 것을 깨달았다는 듯한 표정이었다.

……어라? 아벨라가 눈을 껌벅였다.

"아, 언제쯤 또 오냐고 물어보려던 게."

"어, 어. 아……."

아벨라는 필사적으로 말을 이으려 애썼다.

"그, 그, 아마…… 아, 한 사, 사흘 뒤! 사흘 뒤일 것입니다."

"……잘 알았다. 되도록 빨리 와 나머지 정리도 부탁한다. 먼지가 심각해. 빈델이 다른 데로 돌리거든 진볼드 남작이 오라 했다 전해."

"……예!"

아벨라는 얼결에 고개를 크게 끄덕였다. 남자는 그런 그녀를 보곤 볼일은 그뿐이라는 듯이 고개를 숙여 서류에 다시 집중하기 시작했다.

십년감수했네…….

아벨라는 풀리려는 다리를 부여잡은 채로 문을 당겨 후다닥 걸어 나왔다.

도서관 입구엔 아무런 장치도 없었다. 경보도 울리지 않았다. 기뻐해야 마땅한 일이지만 아벨라는 그저 도서관에서 최대한 빨리 멀어지는 데 집중했다. 금방이라도 저 문을 열고, 진볼드 남작이라던 남자가 눈을 빛내며 쫓아올 것 같아서였다.

Chapter 5

Chapter 5

며칠 뒤, 아벨라는 비장한 표정으로 책상 앞 의자에 앉았다.

눈앞에는 그동안 숨겨 뒀던 책 세 권이 놓여 있었다. 필기구와 백지도 나란히 있었다.

아벨라는 드디어 오늘 공부를 시작할 예정이다.

오랜만에 하는 공부다. 이전의 삶에선 아주 지긋지긋하게 했던 공부다. 퇴근하고 나서도 해야 했다. 다른 선생님들에게 뒤처지기 싫어 24시간 카페에서 죽어라 공부하고, 학원에서도 따로 남아 공부했었지. 그땐 정말로 기하가 싫었는데.

"그래도 지금은 친숙한 게 너뿐이야."

아벨라는 한숨을 쉬며 펜과 막대를 들었다. 그래, 오랜 친구야. 어디 한번 신나게 풀어 보자.

아벨라는 책장을 넘기기 시작했다.

……그 뒤로 몇 시간 뒤.

아벨라는 계속해서 펜을 사각거리고 있었다.

책상엔 베티가 가져다준 주스나 차, 쿠키와 샌드위치들이 널려 있지만 아벨라는 그 음식들은 쳐다도 보지 않았다.

오랜만에 선을 그으니 마음이 편해지는 것 같다.

지나치게 쉬웠다. 물의 마법은 높이가 주어지지 않는 삼각형의 너비 구하기였나. 헤론의 방성식을 쓰면 됐다. 땅을 움직이는 마법은 정오각형 작도인데, 안에 황금비율을 갖는 삼각형을 작도해야 했다.

바람의 마법은 지나치게 쉬웠다. 등각켤레의 증명.

정말이었다. 정말로…… 아벨라는 이 모든 마법진을 그릴 수 있었다. 왜냐면 도미나, 아니, 기하를 아니까.

그렇지만 아벨라가 정말로 마법을 부릴 수 있는지는 모른다.

"아마 되지 않을까?

아벨라는 혼자 대답하곤 다시 한숨을 내쉬었다. 이론적으로는 그랬다. 아벨라는 딜루어 대공의 자손이었다.

베티에게 이미 물어 두었다.

딜루어 대공작가는 딜루어 공국으로 독립 전, 그야말로 카셀란 제국의 순혈 귀족 중 하나였다. 딜루어 대공작에겐 형식상이지만 황위 계승권까지 있었다.

선황의 누이였던 황녀가 딜루어 공작가로 시집을 가 낳은 맏아들이 딜루어 공국의 시조다. 이 정도면 카셀란 제국의 그 누구보다도 순혈을 자랑하는 핏줄이 아니던가.

그러니까 대공의 외동딸인 아벨라도 이론적으로는 인그레트 1세의 후손이 맞았다. 원론적으로는 아벨라도 마법을 부릴 수 있다는 소리였다.

"물론 어떻게 부리는 건지 모르겠다는 게 문제지만."

아벨라는 크게 기지개를 켰다. 그래, 일단 해 보자.

아벨라는 의자에서 내려와 바닥에 주저앉았다. 책에 힌트가 있다면 좋았겠지만 이 책들에선 마법을 어떻게 쓰는지, 정말 복원된 주문이 무엇인지에 대해선 나와 있지 않았다.

중요한 책들은 아카데미로 옮겼다더니, 남은 건 그저 교양 서적 수준인가 보다.

괜히 입맛만 다시며 손을 펼쳐 종이에 손을 올려놓았다.

"수리수리 마수리."

……물론 어림도 없었다.

아벨라는 다시 종이를 얌전히 집어 들었다.

그래, 이런 걸로 될 거라고 생각해 본 적은 없었다. 아, 정말 어쩌지.

아벨라는 잠시 바닥에 늘어놓은 종이를 보다가 머리를 벅벅 긁었다. 머리가 점점 산발이 되어 갔다.

간이 컴퍼스를 만드느라 한쪽 리본을 풀어 놓았기 때문에, 지금 머리 모양은 정말 딱 정신머리 없는 여자 모양새였다. 하지만 이를 자각하지 못한 아벨라는 자리에서 벌떡 일어났다.

여기서 고민하면 뭐 해.

"나가자."

최근 공사를 마친 뒤뜰로 갈까 하던 아벨라는 고개를 저었다. 그간 펠리체가 바꿔 둔 시설들이 지나치게 좋아서 궁 안에만 머물렀지만 오늘은 궁 밖의 뜰로 나가 볼 생각이었다. 그곳에서 혼자 궁리해 보지 뭐.

설렁줄을 당길까 하던 아벨라는 곧 그만두었다. 베티는 부르지 않는 게 좋을지도 모른다.

잔뜩 어질러 놓은 방을 베티가 보면 한바탕 크게 혼날 것 같았다. 게다가 치장 시간도 길어지겠지?

아벨라는 그릇들 옆에 놓여 있던 천 냅킨을 두 장 펼쳐 그 위에 샌드위치와 쿠키를 와르르 쏟아 넣었다. 그러곤 보따리처럼 한 손에 단단히 들었다.

“혼자 다녀오겠어. 날도 이렇게 좋은걸.”

아벨라는 다짐하듯 말하며 한 손으로 나머지 리본도 풀어 산발인 머리를 대충 다듬었다.

내내 푼 정답…… 아니, 마법진 종이들은 둘둘 말아 보따리 사이에 끼웠다. 주스 한 컵을 단단히 손에 든 아벨라는 이내 빙그레 웃으며 방을 나섰다.

1층 현관으로 다가간 그녀는 탄성을 터뜨렸다. 하늘은 쾌청하고 녹음은 푸르렀다.

아벨라는 눈을 가늘게 떴다. 갑자기 기분이 좋아졌다. 마치 혼자 피크닉을 떠나는 기분이다. 기분 전환은 충분히 될 듯싶었다.

아, 그러고 보니 돗자리가 없다.

……어떻게든 되겠지. 냅킨을 깔아도 되고 말이야. 아벨라는 콧노래를 부르며 걸음을 옮기기 시작했다.

하지만 그때의 아벨라는 몰랐다.

이곳은 황궁이니, 8황자궁을 벗어나면 당연히 누군가를 만날 수도 있다는 것을.

아벨라는 기분 나쁜 표정으로 입술을 꾹 눌렀다.

눈앞에 저번 다례회에서 제가 마음껏 난장을 쳐 놓은 여자들이 보란 듯이 차양대 아래 앉아 있었다.

셰이라 제3황자비와 렌티아 제4황녀였다.

각각 머리에 꽤 흉측한 머리 장식들을 탑처럼 쌓고 있었다. 아벨라는 저것이 영화에나 나오던 퐁탕주라는 머리 장식임을 알았다. 머리 사이에 온갖 장신구들을 쌓아 올리고 그를 고정시키는 헤어스타일이었다.

간이 테이블의 크기는 매우 작았고, 그 위로 다과상이 한가득 차려져 있었다. 자기들끼리 방긋방긋 웃으면서 뭐가 그렇게 좋은지 연신 웃음소리를 크게 내고 있었다.

뭐, 무슨 내용인지는 보지 않아도 뻔했다. 온갖 사람들에 대한 욕이겠지. 그 다례회에서 아주 귀에서 피가 나올 만큼 들었다. 물론 다례회 이후로는 레퍼토리에 아벨라에 대한 욕도 추가되었겠지.

그나저나, 재네가 저기 있으니까 돌아가야 되는 건가? 그건 좀 자존심이 상하는데……. 아벨라가 그 정원에 들어서서, 저만치에 우두커니 서 있을 때였다.

까르르 웃던 그녀들 중 하나가 아벨라를 발견하곤 깜짝 놀라 얼굴을 굳혔다. 곧이어 자기들끼리 수군대더니, 냉큼 놓았던 부채를 다시 들어 자신들의 얼굴을 가렸다.

그런 그녀들을 보던 아벨라는 한쪽 눈살을 가만히 찌푸렸다.

어쩐지, 자신도 자리를 피하기 싫어졌다.

물론 여기서 자리를 피하는 게 상책임을 안다. 게다가 아벨라는 재네들 머리채를 잡았다고 상해죄니 뭐니 하며 재판에

회부된 상황이다. 이곳에 가중처벌 같은 게 있는지는 몰라도, 섣부르게 어울렸다간 아벨라만 또 공연히 혼날 수도 있었다.

게다가 펠리체에게 들은 소리도 있지 않은가. 자신이 공연히 저들과 또 부딪힌다면, 펠리체가 샬롯에게 복수하기 위해 행하고 있는 모든 일들을 방해할 여지가 있었다.

그러나, 그럼에도 불구하고.

……아벨라는 원래 성질이 있는 사람이었다. 공연한 싸움은 싫지만 걸어오는 시비를 피하는 인물은 아니었단 소리다. 물론 지금 시비를 건 쪽이 누구냐고 한다면 그건 약간 애매하겠지만…….

아벨라는 다시 만면에 환한 미소를 지었다. 이 미소가 뭐냐면 다례회 날, 탁자를 엎어 버리기 전에 그녀가 지었던 그 미소였다.

그러곤 그녀들이 앉아 있는 탁자 쪽으로 슬금슬금 다가갔다. 아주 가깝진 않지만 걔네가 하는 말이 얼핏 들릴 정도는 되었다.

"하! 저 미친 계집이 여기가 어디라고!"

개중 하나가 소리 높여 그녀에게 말하는 소리가 들렸다.

아벨라는 완전히 그를 무시하며 그 자리에 보란 듯이 털썩 앉았다. 마침 또 조그마한 토끼풀밭이 아벨라의 발밑에 있었다. 푹신하니 좋구만.

그녀들은 짜증 난다는 듯이 연신 새된 소리를 지르며 아벨라를 향해 속닥거리고 있었지만 아벨라는 아랑곳하지 않고 그 자리에서 갖고 온 보따리를 풀었다.

냅킨 하나엔 샌드위치와 쿠키를 쌓아 두고, 나머지 한 장의 냅킨은 자신이 깔고 앉고. 그리고 들고 온 주스는 쪽쪽 빨아먹은 뒤, 조심스럽게 다른 냅킨 위에 내려놓았다.

그 태평한 몸짓에, 세이라가 분노에 찬 신음을 뱉으며 시립해 있던 시종과 저만치 서 있는 갑옷 입은 기사들에게 턱짓했다.

아, 그래. 그땐 겨를이 없어서 못 봤는데 쟤들이 로열 가드구나. 아벨라는 그 광경을 흥미롭게 지켜보았다. 시종과 로열 가드들이 아벨라가 있는 쪽을 바라보았다. 그렇지만 그들이라고 쉽사리 나서진 못했다.

이유는 아벨라도 알고 있었다. 아벨라 또한 황족이었다. 게다가 저번처럼 아벨라가 나서서 그녀들에게 달려드는 것도 아니다.

그러니 아벨라가 이 자리에 앉아 있기만 하는 동안은 그들도 그녀를 저지할 수 없을 터.

아벨라는 어떻게 하면 저들이 저를 말릴 수 없는지 알고 있었다. 당연했다. 이미 한 번 겪어 본 상황인걸.

그럼 골려 줘 볼까.

아벨라는 그녀들에게 가까이 다가가는 대신, 고개를 돌려 그녀들을 빤히 바라보았다.

그러곤 손을 들어 제 어깨 위로 흐르는 자신의 금발 머리칼을 살살 들어 매만졌다. 아직도 한가득 환한 미소를 지은 채였지만 눈은 똑바로, 그녀들 둘에게 고정되어 있었다.

아벨라는 지금 자신의 머리 꼴이 어떤지 정말 잘 알고 있었다. 완전히 산발이다. 문제가 잘 풀리지 않을 때마다 자신의 머리를 꽉 쥐었다 놓아 꼴이 엉망이었다. 아벨라는 손가락으로 제 머리칼을 살살 꼬기까지 했다. 완전히 돌아 버린 동네

광년이 꼴이었다. 실실거리며 언제든 달려들 수 있는 얼굴.

그리고 그것으로 끝이었다.

셰이라와 렌티아는 마치 맞춘 듯이 얌전히 입을 닫았다. 당연하지. 저번의 상처(?)가 채 아물지 않았을 테니까.

그래, 건드리지 말라고. 아벨라는 토끼풀을 뜯으면서 화관을 만들어 보란 듯이 머리에 또 썼다. 마치 '그때'처럼.

쌉싸래한 풀 향이 아벨라의 코끝을 스치고 손끝이 연한 녹색으로 물들었지만 보람이 있었다. 둘의 얼굴색이 마치 타이밍을 맞춘 것처럼 창백해졌다.

아, 이제 좀 시원해졌다.

아벨라는 이내 만족스러운 웃음으로 토끼풀밭 사이에 마법진을 그린 종이들을 숨겨 놓곤 다시 주스를 쪽쪽 빨아먹으며 마법진을 바라보기 시작했다. 이왕 여기에 알 박았으니 여기에서 끝장을 볼 셈이었다.

그로부터 얼마나 지났을까. 아벨라를 흘겨보며 경계하던 여자들은 자신이 언제 그랬냐는 양 다시 까르르 웃으며 화기애애하게 남의 욕을 하기 시작했다.

처음엔 아벨라의 욕이었는데, 다른 인물들로 옮겨 가며 수위 또한 꽤 치솟았다. 황후 태생의 무던한 아이타 3황녀는 목석같다고 흉을 보고, 아카데미에서 교수직을 한다던 9황자는 용감하지 못하다는 평을 내렸다.

"그 9황자가 스케줄을 조정하지 못해서 지금 이렇게 재판이 늦어지는 거 아니에요?"

순간 종이를 바라보면서 약 89번째 '아브라 카다브라'를 외고 있던 아벨라의 손이 멈췄다.

"맞아요, 9황자만 아니었으면 벌써 재판이 열리고도 남았을 텐데. 심지어 10황자는 아예 기권을 선언했대요. 아카데미에 다니고 있으니 9황자와 같이 황궁에 잠시 귀궁할 법도 한데요."

"저런. 친형인데도 편을 안 들겠다는 거예요?"

"편을 들만 해야 들죠. 그런 추한 괴물 편을 누가 드나요? 어쨌든 재판은 문제없어요. 8황자를 뺀 모두가 황비 저하의 편을 들어주실 거예요."

"호호호호, 그럼 저 계집은 분명히 벌을 받겠네요?"

"그럼요! 3황자님께서, 그 추한 8황자를 때려눕혀 주시겠다고 제게 약속하셨답니다. 어찌나 제 마음이 든든하던지."

"다보프 오라버니가요?"

말을 끝마친 여자들이 통쾌하다는 듯 그 자리에서 깔깔 웃어 댔다.

아벨라의 눈에 날이 섰다. 저것들이 지금 뭐라고 말하는 거야? 누가 누굴 때려? 보아하니 3황자의 이름이 다보프라는 것 같은데, 딱 보니 다보프도 멀쩡한 위인은 아닌 것 같다.

하기야 어미부터 부인까지 모두 저런 혐오스러운 인성인데, 그 하나만 멀쩡할 리가 없다. 마법진을 짚고 있던 손가락에 문득 힘이 실렸다.

화가 났다. 화가 났는데, 대놓고 저것들을 때려 부술 수도 없다는 게 더 화가 났다.

아벨라는 입을 꾹 다물었다.

저것들이 아팠으면 좋겠다고 생각했다. 아니, 구체적으로는 그냥 골탕 먹었으면 좋겠다.

저 말도 안 되게 기괴하고 허접한 머리스타일에 불이 붙으면 좋겠다. 저게 뭐야, 머리야? 아벨라가 미간을 찌푸리며 렌티아의 머리를 노려보았다.

머리를 기둥처럼 세워 놓고 사이사이에 붉은 사과와 치렁치렁한 리본을 박아 놓았는데, 저런 허접한 머리를 하고선 저런 못된 말을 떠드는 게 마음에 들지 않았다.

성냥불 같은 불이, 저 머리에서 활활 타올랐으면 좋겠어. 아벨라는 속으로 저 머리 꼭대기의 사과가 활활 타오르는 광경을 생각했다. 너무 놀라 질겁하면, 누군가 불을 끄기 위해 저 여자에게 차를 끼얹겠지. 그러면 엄청 웃기겠다.

그리고 그때였다.

갑자기 불이 '후룩' 하고 렌티아의 머리 맨 꼭대기, 유리를 입힌 사과 위에 붙었다. 그대로 불타다, 점점 아래 기둥으로 옮겨 붙기 시작했다.

아벨라의 눈이 휘둥그레 떠졌다.

그리고 동시에 그녀와 한담하던 셰이라의 눈도 휘둥그레졌다.

"아, 아, 황녀, 황녀님, 머리, 머리에."

"네? 네?"

"부, 불! 불이!"

그리고 셰이라가 벌떡 일어나더니, 손을 씻기 위해 마련해 놓았던 레몬 띄운 핑거볼을 렌티아의 머리 위로 황급히 덮었다.

"끼야야아아아아악! 미쳤어요?! 이게 무슨, 무슨 짓이에요?!"

"부, 불이 붙었다고요! 연기가 나고 있는데! 대체 머리에 뭘 붙였던 거예요?!"

"거짓말! 거짓말이죠! 불이…… 끼야아아악!"

셰이라에게 거세게 따지던 렌티아의 코앞으로 새카맣게 탄 사과가 굴러떨어졌다. 타 버린 윗머리가 가라앉은 탓이다. 그 순간 렌티아가 지나치게 높은 톤으로 소리를 치며, 셰이라의 어깨를 떠밀어 버렸다. 렌티아는 순간 균형을 잡지 못하고 허우적거리며 의자째로 넘어졌다.

그리고 아벨라는 어처구니없는 표정으로 자신이 짚고 있는 종이를 내려다보았다. 설마, 이거 아벨라, 그러니까 자신이 해낸 건가? 하지만 이에 대답해 주는 사람이 있을 리 없다.

"……설마."

아벨라가 작게 중얼거리며 아직 종이 위에 닿아 있는 자신의 손가락을 내려다보았다.

설마…….

그로부터 며칠 뒤.

[발화 주의보

햇빛이 강해 황궁 곳곳에 설치된 유리 장식이나 사람들의 장신구로부터 자연스럽게 불이 나는 일이 궁내에 발생하고 있습니다.

머리에 과도한 유리 퐁탕주 장식을 금하며 커팅이 과도하게 된 화려한 목걸이, 귀걸이를 하지 않기를 권장합니다. 태양이 뜨거우니 반드시 차양과 양산을 하고 행차하십시오.

궁내부장 직인]

"자연발화라니, 무서워요."

베티가 화장대에 앉아 아벨라의 머리를 꼼꼼히 묶어 주며 수다 떨었다.

아벨라는 공문을 보며 기묘한 표정으로 한동안 말이 없었다. 물론 당연히 이 자연발화라는 현상은 아벨라가 한 짓이다. 자연발화라니, 이렇게 해석될 수도 있구나. 되려 감탄스러웠다.

"제4황녀의 머리 장식에 불이 붙어서, 당분간 황실에선 과도한 머리 장식 유행은 따르지 않을 건가 봐요. 높은 층 가발을 주문했던 귀부인들도 렌티아 황녀의 사고를 보고 다 취소했대요. 이제 막 유행하고 있었는데, 가발 장수들만 안됐죠, 뭐."

"뭐? 그게 유행이 된다고? 어떻게 그런 게 유행이 돼?"

흉물스럽기까지 했던 머리의 탑을 떠올린 아벨라가 베티를 돌아보았다.

그런 머리를 얹고 다니면 목에 분명히 무리가 심하게 갈 게 분명했다. 디스크가 생길지도 모른다. 그렇다고 예쁜 것도 아니고 말이야.

"하지만 유행은 황실의 부인들이 선도하는걸요. 그래서 보석상들이나 가발상들은 언제나 황실에 줄을 대어 새로운 아이템을 제공하고 있어요."

"……연예인 협찬 같은 거야?"

"네?"

"……아니, 아냐. 그런데 그런 정보는 어떻게 아는 거야?"

아벨라는 재빨리 고개를 저으며 주제를 다른 곳으로 돌렸다. 베티가 "그건요." 하며 다시 세공된 레이스를 묶은 머리에 둘러 아름다운 나비매듭을 지었다.

"제국 황실에서 공식적으로 발행하는 주보가 있어서 그걸 매번 읽는답니다. 이렇게 되었더라, 저렇게 되었다더라 하는 이야기들이 궁인들 사이에서 전해지는데, 이걸 그림책같이 그려 시중에 파는 화가들도 있다고 하더라고요. 특히 무도회나 다례회 같은 행사가 있다면 그날 부인들이나 영애가 무슨 차림을 하였는지 세세하게 그린 것을, 파티에 참석 못한 수도나 다른 도시의 부인들이 사 보는 식인 거죠."

"흠, 그래?"

이곳에서도 파파라치 컷이나 카더라 통신 그대로 옮기는 황색 언론이 아주 판치는 모양이다. 그래도 내용이 몹시 궁금하긴 하다.

나중에 한번 사 볼 수 있으면 좋겠는데. 언제 궁 밖에 나가게 된다면 꼭 한번 사고 싶다.

"아씨, 오늘도 샌드위치 싸 드릴까요?"

"음, 아니. 아니야. 오늘은 안 나갈래. 대신 또 도서관에 가 보려고."

지난 두어 달 동안, 아벨라는 그 정원이나 다른 궁내의 정원을 돌아다니며 마음껏 피크닉을 즐겼다. 손에는 자신이 만들어 둔 마법진과 베티에게 부탁한 샌드위치와 주스를 챙겨 들고서.

그렇게까지 자주 불을 지를 생각은 아니었다. 처음 렌티아에게 붙인 불을 제외하면 모두 사고였다. 연습하려고 풀밭 한 곳에 집중했는데, 마침 불이 붙은 그곳에 유리구슬들이 매달려 있었다던가 하는 식이었다.

고의는 아니었지만…… 이제는 좀 자제해야겠다. 불을 만들어 내는 마법이다 보니 위험도도 꽤 높았다. 사람에게 해를 끼쳤던 것은 렌티아의 폭탕주 머리 딱 하나였지만…….

당분간은 나가지 않는 게 좋겠다. 불의 마법도 충분히 연습했고 성과도 충분히 얻었다.

조화사각형의 종류에 따라 불의 강도와 세기가 달라진다는 아벨라의 추측은 사실이었다.

아벨라는 그 강도를 숫자로 환산해 공식화하여 얼마든지 같은 사각형을 그릴 수 있게끔 만들었고, 만일 다른 곳에 그릴 때를 대비해 축적 비까지 계산했다. 다른 계열의 마법들도 마찬가지였다.

마법을 부리는 방법도 완전히 익숙해졌다. 마법진에 손을 얹고 대상에 마법의 효과가 나타나는 장면을 상상하면 되었다. 그러면 끝. 생각보다 너무 쉬워서 당황스러울 정도였다. 아니, 이렇게 쉬울 수가 있나?

마치 '국영수 위주로 학원 다니지 않고 공부했어요. 학원 다니는 애들 이해가 안 가요.'라고 말하는 전국 1등 인터뷰같이 생각하면서, 아벨라가 물었다.

"그나저나 베티, 나 대체 언제 재판받아?"

"글쎄요, 황족들이 다 모이셔야 한다는데, 이렇게 오래 걸릴 줄 몰랐네요. 다 모이면 또 백영궁 측에서 사람이 오겠죠 뭐."

문득 아벨라는 렌티아의 머리에 불을 붙이던 날을 떠올렸다. 그때 그 둘이 분명 9황자에 대해 이야기했는데. 아카데미에서 교수직을 하고 있다니, 아무래도 이렇게까지 늦게 재판이 열리는 이유는 그 때문임이 분명했다. 그리고…….

—편을 들만 해야 들죠. 그런 추한 괴물 편을 누가 드나요? 어쨌든 재판은 문제없어요. 8황자를 뺀 모두가 황비 저하의 편을 들어 주실 거예요.

저번에 엿들은 대화를 떠올린 아벨라는 쿠키를 씹으며 깊게 생각에 잠겼다.

재판은 아마도 다수결로 정해지는 모양이다. 그럼 여기서 완전히 파벌이 드러날 것이다. 어느 쪽이 우세한지도 드러나겠지. 샬롯 황비에게 지지 않으려면 뭘 해야 하지?

"……그런데 거기서 벌받으면 대체 무슨 벌을 받아?"

"목숨이나 신체에 관련된 일은 아니고, 스스로의 명예를 실추시키는 벌들을 받을 거예요. 시종들이 보는 앞에서 종아리를 맞는다거나 대관저에서 반성문을 낭독하거나."

"우와, 심하다."

아벨라는 코끝을 찡그렸다. 황족이나 귀족들은 제 잘난 맛에 사는 위인들 아니냔 말이야. 그런 위인들에게 그런 행동을 시키다니 정말 '벌'로서는 더할 나위 없는 선택이었다. 악랄한 놈들. 베티가 고개를 끄덕이면서 그녀에게 맞장구쳤다.

"그런 벌을 받느니 죽음을 택하겠다는 분들도 계신다고 들었어요."

엥? 그 정도까진 아니지. 그건 좀 오버였다. 아니 뭐 그런 걸로 죽음까지 택해? 사는 게 제일 중요하지. 아벨라는 인상을 찌푸리면서 고개를 설레설레 흔들었다.

"사는 게 제일 좋지. 왜, 똥밭에서 굴러도 이승이 좋다고 그랬어."

"누가요?"

"……있어. 하여튼."

한국의 속담이라고 어떻게 말해. 아벨라는 대답을 뉴치곤 다시 쿠키를 아작 씹었다.

당분간은 밖에 나가서 연습하지 말자. 다시 한번 도서관에

가 봐도 좋겠다. 그 남작에게 얼굴도장도 찍어 놓았으니 청소하러 왔다고 또 둘러대고……. 이번엔 아예 마법진에 대한 연구 서적을 훔쳐 오면 되겠다 싶었다. 그나저나 너무 도둑질에 맛 들린 거 아닌가 몰라? 원래 이런 사람 아닌데 말이야.

"아, 그리고 아씨, 그 황실 주보나 복식 일람서가 궁금하시면 구해 보라고 이를까요? 사실 황실에서 나온 유행이라지만 황족들도 공공연히 다 보신다고 하더라고요. 그 책이 오고 또 책에서 제안한 복식을 따라 입기도 해서, 밑의 치장 시녀들이나 디자이너들이 많이 본다나 봐요."

"음, 좋아. 나도 보고 싶어. 유행이라니까 궁금해."

"그런 건 아씨가 걱정하지 않으셔도 돼요. 제가 아씨를 유행에 뒤처지게끔 입히는 일은 절대로 없을 거라고요."

"알았어."

그런 뜻은 아니었지만 아벨라는 순순하게 대답했다. 마지막 한 입 남은 쿠키를 입에 털어 넣고 말을 이었다.

"베티는 정말 최고야. 언제나 예쁘게 꾸며 주잖아? 이렇게 정성 들인 관리를 받는 황족은 나 말곤 없을 거야. 나, 베티를 만나서 정말 행복해."

"아씨……!"

좀 지나치게 칭찬 일색인 것 같지만 필요했다. 왜냐하면.

"그러니까 나 오후에 다시 시녀복 구해 줘. 도서관 갈 거야."

"……."

"가…… 가도 되지?"

뒤이어 베티가 아주 싫어하는 제안을 해야 했으니까.

한편, 백영궁의 서관.

"어머니이이이잇! 아, 세상에! 이걸 보셔요!"

렌티아는 새로 나온 '주간 카셀란'지를 찢어발기며 분통을 터뜨렸다. 샬롯이 한숨을 삼키며 그녀의 앞에 놓인 차를 홀짝였다. 장미 잎을 따 말려, 홍차와 함께 블렌드한 장인의 특제 차였다. 장미 잎은 신경 안정에 꽤 도움이 된다 해, 특별히 차를 조금 더 사서 렌티아의 처소로 직접 들고 온 찰나였다.

갖고 오길 잘했군. 샬롯은 차를 마시면서 그녀가 찢어발긴 '주간 카셀란'을 흘끔 살폈다. 렌티아를 이렇게 광분하게 만든 이번 호의 특집 기사가 곳곳에 널려 있었다.

[자연으로 돌아가자]

[머리에 아름다운 화관을 두르면 당신도 딜루어의 대공녀?!]

[그 누구보다도 소박하여, 그리하여 아름답다.]

[당당하게 일갈하라, 당신은 자연인!]

"온통 화관뿐이어요! 대체 그 미친 계집의 패션이 뭐가 그렇게 좋았다고! 대체 그 계집의 차림이 누구의 입을 타고 이렇게 알려진 거예요?!"

렌티아는 머리를 타월로 싸맨 채 이젠 숫제 흐느끼고 있었다. 며칠 전 렌티아는 큰 사고를 당했다. 특별히 유행하는 퐁탕주에 유리사과 장식을 올렸다가, 요새 황궁 곳곳에서 난리가 난 자연발화 현상 때문에 머리가 크게 불탄 것이다.

다행히 퐁탕주 안 층층이 만들어 둔 구조물과 세이라의 빠른 대처로 머리칼 윗부분만 그슬리고 말았다. 그러니 잘라 내면 된다지만 그 부분이 또 정수리 부위라 렌티아는 말 그대로 머리의 딱 가운데를 밀어야 했다.

"제 모습을 보셔요!"

렌티아가 울부짖으며 타월을 벗어 던졌다. 렌티아의 정수리 부근이 짧게 밀려 있었다. 안의 두피가 고스란히 보일 정도다. 다른 부분은 길고 낭창한데, 딱 그 부분만 없다.

샬롯은 찻잔으로 입매를 가리며 혀를 입천장에 붙여 웃음을 참았다. 아무리 어미라 할지언정 이건 웃음을 참기가 어려웠다.

"어머니, 지금 웃으시는 거예요?!"

그때였다. 렌티아가 날카롭게 그녀를 바라보며 소리쳤다. 그녀가 웃음을 참고 있음을 알아챘기 때문이다. 이런 점만큼은 샬롯을 꼭 닮았다고 그녀는 생각했다.

렌티아는 눈치가 빨랐다. 단, 눈치만 빨라서 문제지. 그녀의 짜증 어린 항의를 듣는 순간, 샬롯은 얼굴에서 완전히 표정을 감췄다. 그러고는 웃음기는 한 톨도 어리지 않은 단단한 눈으로 그녀를 물끄러미 바라보았다. 감정 없는 검은 눈동자가 사갈같이 빛났다.

"내가 웃으면 안 되니?"

순간 샬롯이 천천히 되물었다. 그녀의 눈동자를 본 렌티아가 지레 움츠러들며 그녀의 눈을 피했다. 자신이 실수했음을 그제야 알아챈 렌티아의 얼굴색이 희게 질렸다.

"……아니오. 죄송합니다."

렌티아는 대답하며 입술을 사리물었다. 친딸인 그녀에게도 샬롯은 무척이나 어렵고 무서운 존재였다.

물론 샬롯은 렌티아나 3황자인 다보프에게 무척이나 너그러운 편이다. 그녀가 주변 인물을 못살게 굴거나 황궁의 내탕금을 탕진해도 모른 척해 주었다.

또한 이번 아벨라의 지참금에 딸려온 패물들을 빼돌릴 때처럼, 다른 황비나 황녀의 재산을 빼돌리는 것을 알면서도 그를 숨겨 주거나 방관했다.

하지만 그 너그러운 태도는 어디까지나 자식의 오물을 치워 주는 수준까지였다. 만일 자신에게 대들거나 그녀의 그림자라도 밟을 성치면 샬롯은 돌변했다. 바로 지금처럼.

"네 꼴이 보기 힘든 걸 어떡하겠니, 렌티아."

샬롯은 부드럽게 대답하며 그녀에게 그제야 웃어 보였다. 렌티아는 샬롯에게 대답하는 대신, 다시 한번 침대 위에 걸쳐진 타월을 주워 들었다.

샬롯은 비참하기까지 한 그 광경을 보면서도 '괜찮다'느니 '금방 나을 거야'라는 말은 절대로 하지 않았다. 거기까지가 그녀와 딸의 거리였다.

샬롯 자신이 직접 배 아파 낳은 자식이라 할지언정, 샬롯은 자신이 쌓아 올린 권위를 침해받고 싶지는 않았다. 그녀는 그녀의 자식들을 사랑했지만 어디까지나 '재산'과 '충직한 부하'의 영역으로만 사랑하고 있었다.

샬롯은 찻잔을 들어 다시 차를 한 모금 마시면서 제국제까지 렌티아의 머리가 얼마큼 자랄지를 가늠했다.

렌티아는 반드시 올해 내로 시집을 가야 했다. 제국제가 렌티아를 내놓을 가장 좋은 기회였으니까. 봐 두고 있는 집안도 있었다. 렌티아를 가장 좋은 값으로 쳐줄 가문이었다.

렌티아의 몸값이 가장 비싸야 할 때 이런 사고를 당한 것은 유감스럽지만 괜찮다. 최대한 머리를 기르게 한 뒤, 부분 가발을 맞춰 주고 가발에 맞춰 전체 머리색도 조정하게 하면 별문제는 없을 터.

그래, 렌티아는 문제가 아니었다. 문제가 있다면 그 백치지.

샬롯은 다례회에서의 아벨라를 기억했다. 처음엔 백치라고 하여 그저 동물과도 같겠구나 별 관심을 갖지도 않았다.

제 며느리와 딸이 그녀의 초대장을 의도적으로 누락해도 언제나 그렇듯 그러려니 넘겼을 뿐이었다. 하지만 아벨라의 실물을 보는 순간, 샬롯은 직감했다. 저 백치에게는 뭔가 있다고.

아벨라의 외모가, 저 거죽이 지나치게 아름다운 게 문제였다.

아벨라는 아름다웠다. 화가들이 그리는 아주 아름다운 여신의 상상화라 해도 믿을 만큼의 아름다움이었다. 하지만 그 아름다움이 오로지 타고난 아름다움이었다면 샬롯은 이렇게까지 경계하지 않았으리라. 샬롯이 그녀를 경계하는 이유는, 아벨라가 가진 아름다움이 다름 아닌 오랜 시간 관리받은 아름다움이기 때문이다.

귀족 여식을 '관리한다'는 행위에는 철마다 드레스를 맞추고, 피부 관리를 받게 하고, 화장품을 철마다 사 나르고, 각 나라의 특산물과 사연 있는 장신구를 구하는 모든 과정이 포함된다. 그리고 그 과정들엔 천문학적으로 많은 돈이 들어간다.

샬롯은 귀족 여식에게 1년 동안 들어가는 돈의 액수를 누구보다도 정확하게 알고 있는 사람 중 하나였다.

귀족에게 그녀의 영애를 '꾸민다'는 행위 자체는 본인들의 부를 자랑하는 사치였다. 즉, 귀족가의 가장 귀한 보물이라고 한다면 그들의 영애나 다름없다. 물론 그렇게 '꾸며' 어디에 써먹을 것이냐 하는 것은 부차적인 문제지만.

그런데 그 쓰임새 많은 영애들과 다르게 아벨라는 백치였다. 아무리 아름답게 나고 자랐다 한들 쓸 곳이 없으므로 가치가 없었다. 그러니 그 돈을 들여 꾸밀 필요가 없는 아이가 아닌가. 결혼으로 팔아 치울 수도, 집의 살림을 맡길 수도, 공국의 데릴사위를 데려올 수도 없다.

샬롯이 딜루어 대공작이었다면 아벨라에겐 끼니조차 챙겨주지 않았으리라. 옷도 공국의 위신을 실추시키지 않을 정도로 최소한의 비용만을 들여 맞출 거다.

뒷방에 가둬 놓고 짐승처럼 풀어 키우다 독약이라도 먹여 죽여 버렸을 터.

그런데 그 자리에 나온 아벨라는 지나치게 아름다웠다. 피부는 향료와 부드러운 허브 오일로 정성껏 문지르고 마사지한 듯이 희고 고왔다. 입술은 부드럽게 빛이 났고, 눈동자는 선명했다. 잡티 하나 없는 고운 얼굴과 빛이 날 정도로 흰 섬섬옥수, 부드럽게 물결치는 윤기 흐르는 금발까지.

꽤 돈이 든 얼굴이었다.

게다가 입고 있는 드레스를 보라지. 옷감은 하나하나 수놓아 무늬를 만든 체르보 천이었다. 체르보 출신의 장인들만이 놓을 수 있는 무늬이기에 한 단에 40골드는 호가하는 아주 비싼 옷감이었다. 목과 팔은 휑했지만, 그는 샬롯의 딸이 심술을 부렸기 때문이다.

딸과 며느리가 빼앗은 패물들도 심상치 않았다. 렌티아와 셰이라는 그저 아름답다고 여겨 빼앗았지만, 샬롯은 단번에 알아보았다.

이 목걸이들은 무척 귀한 목걸이였다. 목걸이들의 가치는 줄을 장식하는 진주만 봐도 알 수 있었다. 한 알 한 알 같은 크기를 골랐지만, 모두 모양이 달랐다. 귀하디귀한 담수 진주였다.

가운데 걸려 있는 보석들의 세공도 엄청났다. 게다가 그 크기와 굵기. 필시 커다란 원석을 돌려가며 천천히 깎는 방법으로 세공했을 것이다.

보석의 단면마다 육각으로 세공해, 어느 부분을 비춰도 눈부신 빛이 났다. 분명히 유명한 장인의 솜씨일 게 분명한 보석이었다. 가격대도 천문학적일 터. 어쩌면 소국의 일 년 치 예산을 훌쩍 넘는 가격일지도 모른다.

샬롯은 생각했다. 딜루어 공국이 이런 정략결혼을 16년 전부터 예견하지 않은 이상, 아벨라는 결코 이런 얼굴을 하고 있어서는 안 됐다. 제대로 보살핌조차 받지 못하고 궁에서 버려진 듯이 짐승처럼 산 8황자를 보라. 황자의 이름을 달고 있는 작자도 그렇게 비참하게 사는데 하물며 공녀야. 본인이 괴롭게 살고 있음을 인지조차 하지 못할 텐데.

그런데 백치에 불과한 아벨라가 이렇게 사랑받은 듯한 외양을 하고 있다는 것은, 딜루어 공국이 미래를 읽어 아벨라가 황자비가 될 거라고 생각했거나 아니면 진심으로 사랑받고 있는 자녀라는 뜻이다.

티파티가 진행되는 그 모든 순간에도 샬롯은 그녀를 경계했다. 심지어 그녀의 딸과 며느리가 그녀를 우습게 여기다 크게 경을 치는 순간에도, 그녀의 머리는 이성적으로 돌아가고 있었다.

그러나 그녀는 딜루어 대공가에 대한 정보가 전혀 없었다. 샬롯은 제국 내의 정세와 본인의 황궁 내 입지에만 관심을 둔 채 일생을 살았고, 그렇기 때문에 딱 그곳까지만 생각했다.

또한 자신이 20년 가까이 '굴리며' 비웃었던 8황자의 처라는 아벨라의 지위 또한 그녀가 움츠러들 이유가 될 수 없었다. 사랑 좀 받았나 보군, 특이하게도 운이 좋았지만 결국은 저 괴물과 짝이 되었구나. 그저 그렇게 생각했을 뿐이었지.

그래서 아벨라가 그 '푸른 방'을 나섰을 때, 샬롯은 매우 놀랐다.

상상조차 하지 못한 일이었다.

샬롯의 영향력이 단번에 뒤집혔다. 황제까지 나서 대놓고 아벨라의 죄명을 바꿔 놓았다. 황제는 아벨라에게 머리끄덩이를 잡힌 본인의 친딸과 며느리를 '한심하다'고 일갈하며, 그녀들이 빼앗은 재산 또한 아벨라에게 당장 돌려주라 직접 명하기까지 했다. 황제가 내명부의 일에 직접 관여한 전례가 없는 바는 아니었으나 샬롯이 알고 있던 황제와는 지나치게 다른 모습이었다.

샬롯은 황제가 명령을 내리던 순간을 다시 한번 똑똑히 떠올렸다.

아벨라가 다례회를 뒤엎은 다음 날, 황제는 샬롯과 황후 휘하의 자제들만을 모아 놓고 조찬을 열었다. 샬롯의 딸과 며느리는 아벨라에게 당한 부상을 핑계로 조찬을 결석했다.

황제는 언제나 그렇듯이 아침을 먹는 중에도 긴히 처리해야 하는 사안에 대한 서류들을 검토하고 있었다. 샬롯이 할 일은, 황제가 만일 어제의 진상을 묻는다면 적절한 연기를 보태 황제의 동정심을 사는 일이었다.

그러나.

—……머리채를 잡고 할퀴었다고 살인 미수라?

그는 검토하고 있던 서류를 툭 던지며 샬롯을 바라보았다. 항상 그녀에겐 너그러웠던 안황색의 눈동자가 서늘하게 빛났다. 황제의 입꼬리가 비뚜름히 올라가더니 일갈했다.

—한심하군.

—하지만 폐하, 그 아이가 저지른 결례는 충분히 제국이 공국에 항의할 만한 사안으로 사료되와요. 그러면 제국에 유리한 패가 생기는 게 아닐까요?

샬롯은 빠르게 웃는 낯으로 대답했다. 그녀는 정말 그렇게 생각했다. 샬롯뿐만이 아닌, 내명부의 여성들 중 제국 출신의 황족 대부분이 그녀처럼 생각하고 있을 것이다.

그녀에겐 제국민으로서의 자부심이 있었다. 제국의 아침은 영원히 밝고, 제국은 그 어떤 나라보다도 강하니까. 제국이 애를 먹는 상대라고 할지언정, 제국은 결국 이를 다 물리치고도 남을 능력이 있으리라 그렇게 믿었다.

샬롯이 저렇게 말하면, 그녀의 말이 틀리더라도 황제는 항상 "황비가 총명하구려."라고 넘어가곤 했다. 그러나 그날만은 달랐다. 황제는 코웃음마저 치며 그녀에게 이렇게 대꾸했다.

—정말로 그렇게 생각하는가, 황비?

황제의 바로 옆옆에서 수란을 올린 플랫브레드를 자르던 아이타 제3황녀가 눈을 동그랗게 떴다. 항상 평정을 유지하고 속내를 드러내지 않는 그녀가 놀랄 정도라는 것은, 확실히 황제가 샬롯에게 유례없는 대응을 했다는 소리였다.

—아…… 송구하옵니다.

황망한 기색을 애써 감추며 샬롯이 대답하자, 황제는 다시 입술을 일자로 되돌리고는 짧게 답했다.

—……마저 들게.

조찬에서의 대화는 그것으로 끝이었다. 그리고 조찬을 든 뒤 서관으로 돌아가던 중, 샬롯은 아벨라가 푸른 방에서 풀려나 하사받은 하녀들과 함께 적색궁으로 돌아갔음을 알았다.

그녀의 직감이 맞아떨어진 것이다. 아벨라에겐 뭔가 있었다.

그러나 샬롯은 아벨라를 더 이상 건드리지 않는다는 선택지를 선택할 생각은 없었다. 아벨라는 반드시 처리해야 했다.

만일 그녀에게 딜루어 대공가에 대한 정보가 좀 더 있었다면 이야기가 달랐을 터. 하지만 샬롯은 공국에 대해 파악할 생각조차 하지 않았다.

그녀는 대륙 최강국인 카셀란 제국에서도 손꼽히는 명문가인 카모프 공작가의 영애였다. 그녀는 이제껏 황제를 제외하고는 그 누구에게도 머리를 조아리지 않아도 되는 존재였다.

그래서 그녀는 감히 일개 공국을 경계한다는 생각은 하지도 못했다.

그러므로 샬롯은 이날 아침의 일을 그저 단순한 사고처럼 받아들였다. 황제가 아벨라를 싸고도는 이유는 그저, 아직 8황자에 대한 관심과 미련이 남아서라고 생각했다. 새로 생긴 며느리니 챙겨 주고 싶기라도 한가 보군, 하며 대충 생각한 채 넘겨 버렸다. 형편없는 분석력이었다.

그녀의 눈치와 감각은 나쁘지 않지만 자신이 관심 없는 분야에 대한 정보량이 턱없이 적은 데에서 나온 비극이었다.

생각을 마친 샬롯은 찻잔을 내려놓고 렌티아에게 달콤한 목소리를 내었다.

"하지만 렌티아, 걱정하지 말렴. 네가 싫어하는 것들은 이 어미가 직접 치워 주마."

샬롯이 무시무시한 소리를 내뱉었다. 샬롯은 한쪽 입꼬리를 올리며 생각했다. 단, 8황자를 없앨 수는 없다. 그만큼은 건드려서는 안 된다. 생존권 때문이다.

8황자는 로칠라가 불타 죽고 그 혼자 그렇게 곱사등이가 된 이후로, 모두에게 공인된 생존권을 얻었다.

생존권이란, 황제가 그의 생존을 공언했다는 뜻이다. 샬롯은 그때 황제의 표정을 생생히 기억하고 있었다. 처음으로 보는 황제의 날 선 분노.

분노한 황제의 두 눈은 암황색이 아니라, 선연한 금색이 된다는 것을 그때 알았다.

―8황자를 해치는 자가 있다면, 죄인을 아는 사람들의 모든 뿌리마저 뽑아 놓으리.

엄청난 겁박이었다. 모골이 송연해졌다. 황제가 자신의 자손에 그렇게 집착하는 성격이었던가?

샬롯이 알기로는 아니었다. 황손이 죽은 일은 펠리체가 다치기 전에도 있었다. 자신의 딸이었던 2황녀가 길라 황귀비의 아들인 2황자가 걸린 전염병에 걸려 둘 모두 죽었으니까.

그렇다고 8황자가 다친 뒤로 황손이 죽지 않은 것도 아니었다. 심지어 황태자도 죽었지 않던가.

그런데 그들이 죽었을 때 황제의 반응은 이런 게 아니었다. 그저 가볍게 혀를 차거나, 아니면 매섭게 화를 냈을 뿐이다.

죽다 살아남았기 때문인가. 오로지 8황자만 아무도 건드릴 수 없는 불가침의 존재가 되었다.

……샬롯조차 수 쓸 수가 없을 정도로 그 생존권은 공고했다.

샬롯이 그 뒤로 얼마나 후회했던가. 펠리체를 죽였어야 했다. 설마 두 번째 시도조차 못하게 될 줄이야.

주인 없는 분노는 곧 8황자가 아닌, 8황자의 주변으로 쏟아졌다. 8황자 궁에 사람이 없는 이유는 그 때문이었다.

샬롯은 지난 16년간 8황자에게 접근하는 사람과, 그 사람의 주변에 해를 가했다. 자신이 황후로부터 빼앗은 내명부의 권한으로 8황자 궁을 폐허로 만들었다.

왜 그런 방식을 썼는가. 이유는 간단했다. 그를 노린다면 노린 사람과 그 주변의 모두를 없앤다고 황제가 말했잖은가. 이는 그 겁박에 대한 샬롯 나름의 저항과 비웃음이었다.

그런데, 그 바퀴벌레 같은 8황자는 샬롯이 어떤 수단을 쓰든 꿋꿋하게 살아남았다.

심지어, 국혼을 허락받아 결혼까지 했다.

황제는 황위 계승권이 난잡해질 것을 우려해 국혼을 꺼렸다. '국혼을 한다면 황제 후보가 된다'는 낭설마저 있을 정도였다.

그런데 그 국혼을 펠리체가 한 것이다. 상대는 백치라지만, 국혼은 국혼이 아닌가. 제 아들 3황자도 갖은 수를 다 써 가며 어렵게 한 결혼이었다.

샬롯은 더더욱 8황자를 용서할 수 없었다. 끝없는 악의 굴레였다.

8황자를 죽여 버리고 싶지만, 당장에라도 그를 찢어 죽이고 싶을 정도로 미워하지만, 8황자에겐 그 빌어먹을 생존권이 있었다.

그러니 그 부인인 아벨라를 노려야 했다. 한번 생각이 치닫자, 아벨라를 죽여야 할 정당성이 속속들이 떠올랐다.

아벨라가 죽는다면, 8황자가 슬퍼하는 꼴을 볼 수 있을 게 아닌가. 비참한 곱사등이 주제에 장가를 들어 황위를 노리려 한 뻔뻔한 8황자. 샬롯은 8황자가 고통스러워하는 모습이 보고 싶었다.

더불어 공국에 제국의 위신도 세울 수 있다. 그깟 백치로 제국과 협상이란 걸 해 보겠다니 어림도 없지.

게다가 자신의 소중한 재산인 렌티아에게 흠집을 내지 않았던가.

그리고 마지막으로 제 아들이 황위를 차지하는 데 도움이 되면 되었지 안 되진 않을 터.

그녀가 떠올리는 이유 모두 형편없었다. 시야가 저렇게나 좁을까. 만일 황제가 이 사실을 알았다면, 당장에 탄식하며 노호를 터뜨렸을지도 모른다.

이게 샬롯의 방식이었다. 이렇게 살아왔다. 더없이 직선적이고 더없이 교활하게 실행했다. 하지만 그게 뭐 어때서. 이 방식은 언제나 통했다.

이 방식을 썼기에 여우같은 길라 황귀비를 이길 수 있었다. 이 방식을 썼기에 황태자만 바라보고 있던 황후를 절로 수그리게 만들었다. 이 방식을 썼기에 품계조차 승급이 안 되는 일개 황비가 귀족원의 중심이 되었다!

샬롯은 우회하는 법이 없었다. 앞으로도 그렇게 할 것이다. 8황자는 죽지 않는다 해도, 그의 주변 모두는 죽는다.

샬롯은 다시 찻잔을 들었다. 표정은 잠잠했으나, 그 눈에선 숨 막힐 듯한 독기가 흘렀다.

렌티아는 자연히 목을 움츠렸다. 이럴 때의 샬롯은 건드리면 안 된다. 딸이라도 마구잡이로 경을 치니까. 그녀는 숨소리마저 죽였다.

그리고 그로부터 얼마나 지났을까.

샬롯이 다시 말을 이었다.

"……다음 주가 재판이던가? 그리고 내탕금 심사가 있지."

"네에."

"이 어미가 당연하게도 내탕금의 심사와 분류를 맡았단다. 황후 대신으로 말이야."

엄연히 말하면 황후 대신이 아니라 황후의 권리를 빼앗은 거였지만. 샬롯은 다시 입술만을 얄팍하게 올려 웃으며 말을 끝마쳤다.

"그 애의 내탕금을 네게 주마. 내명부의 벌은 즉결 재판과는 별개니까. 폐하가 시종들을 내렸어도, 이 샬롯의 권한만은 어쩌실 수 없을 것이다. 그리고…… 재판은 꼭 이기도록 이 어미가 도우마."

"아…… 어, 어머니. 정말 감사해요."

"별말을."

샬롯의 표정이 얼마나 독하던지, 렌티아마저 그녀의 눈치를 살피며 조그맣게 몇 마디 감사의 말을 웅얼거렸을 뿐이다.

샬롯은 찻잔을 렌티아의 침대 옆 협탁에 내려놓았다. 검디검어 동공조차 보이지 않는 눈동자가 음험하게 빛났다.

"네 어미로서 당연히 해야 할 일인걸."

샬롯이 다정한 목소리로 대답했다. 너무 다정하고 가늘어 소름이 끼칠 정도로 고운 목소리였다.

주변의 사정은 까맣게 모른 채, 아벨라는 오늘도 분장한 채 도서관으로 향했다. 두어 달 전 훔친 책을 양동이에 넣은 채. 훔쳐서 읽긴 했어도 돌려는 놓아야지. 게다가 모두 잘 읽었다. 중요한 부분은 직접 베껴서 따로 보관해 놓기도 했다.

아벨라는 도서관 문 앞에 서서 옷매무새를 다시 한번 살폈다.

소맷귀도 가다듬고 앞치마의 모양도 매만졌다. 차림을 모두 점검한 뒤에서야 아벨라는 조심스럽게 문을 열고 도서관에 들어섰다.

"저, 실례합니다. 청소하러 왔는데요……."

"왔군."

"끼야아악!"

아벨라는 그 자리에서 자기도 모르게 뛰어오르며 소리 질렀다. 깜짝 놀랐네! 예의 황궁 도서관 사서, 진볼드 남작이었다.

그가 저번과는 다르게, 그녀의 목소리가 들리자마자 테이블에서 허리를 꼿꼿이 세운 채 그녀를 바라보고 있었다. 그는 이번에도 그 날카로운 눈길로 그녀를 뚫어 죽일 듯이 바라봤다.

다시 봐도 정말 에일 듯이 날 선 눈빛이었다.

"저번에 가고 나서, 정말 어처구니가 없었네."

"예, 예에?"

틀렸다. 어색하게 더듬거리는 목소리로 대답한 아벨라는 자신도 모르게 울상을 지었다.

좀 태연하게 응대를 하고 싶은데 저 눈길을 보면 도저히 평정심이 생기지 않았다. 과장 하나도 보태지 않고, 황궁에서 만난 위인들 중 눈이 가장 무섭게 생긴 사람이었다.

너무 놀라서 딸꾹질을 하지 않은 게 다행일 정도였다. 앗, 아니다. 이제 나오려고 했다.

"흡, 흐끅, 왜 부, 르, 흐끅!"

아벨라가 입을 덥석 막은 채 눈을 동그랗게 뜨고 남작을 바라보았다. 남작은 그런 그녀를 탐탁찮게 바라보고 있었다. 대체 무슨 일이지?

아벨라는 자신도 모르게 불안한 눈빛으로 생각했다. 등 뒤에 땀이 차오르기 시작했다. 이번에야말로 가짜 시녀고 책을 훔치려고 한 게 아니냐며 취조하려 들지도 몰라.

너 누구냐고 하면 어쩌지? 병사들을 부르면 어째? 도망갈 수 있을까?

그때였다.

"……그렇게 겁내지 말게. 그러면 혼낼 수가 없잖나."

혀를 차는 소리를 내며 진볼드 남작이 중얼거렸다.

"제발 청소 좀 똑바로 하게. 그게 청소를 한 건가? 책장의 구석 먼지까지 꼼꼼하게 훑었어야지. 그리고 물걸레질을 한 뒤엔 반드시 마른걸레질로 마무리를 해야 하네. 게다가 자네,

맨 위쪽의 책장은 건드리지도 않았더군!"
"…… 죄, 송, 흐끅!"
"딸꾹질은 왜 해?! 뭘 혼냈다고. 이번엔 저기 서가를 전부 다 닦고 가게! 제대로 닦지 않았다간 이번에야말로 빈델 앞으로 직접 보내 혼쭐을 낼 것이야!"
"네, 네!"
"가 보게!"
방금 '혼낼 수가 없다'고 말해 놓고 지나치게 잘 혼내지 않았나. 아벨라는 고개를 끄덕이면서 후다닥 서가로 향했다.
남작에게서 돌아서는 그 순간, 얼굴의 땀구멍들이 모두 열린 것처럼 땀이 났다.
진볼드 남작이 그녀의 뒷모습을 보다 다시 고개를 숙여 제 업무에 집중하기 시작했다.
"……휴우."
가까스로 진볼드 남작에게서 벗어난 아벨라는 서가에 도착하고 나서야 간신히 숨을 내쉴 수 있었다. 정말 아슬아슬했다.
"무서워 죽는 줄 알았네."
아니, 한낱 사서가 왜 저렇게 무섭게 생겼냔 말이다. 심지어 본인이 무섭게 생긴 걸 알고 있는 것 같았다. 뭐, 겉보기보단 착한 성격인 것 같지만…….
이번엔 걸레질을 좀 잘해야겠단 생각이 들었다. 그래, 책을 빌린 값도 있고. 아벨라는 마른걸레와 젖은 걸레를 착착 접어 서가의 가장자리로 다가갔다. 그래, 고등학교 시절 동네 도서관에서 봉사 활동 시간을 채운 이력을 되살려 열심히 걸레질을 해 보자.

……물론, '마법' 서적이 분류된 서가부터.

그녀는 몰랐다.

오늘 도서관엔 진볼드 남작과 그녀 단둘만 있는 게 아니었다. 그러니까, 다른 사람도 있었다.

연한 갈색 머리칼을 어깨까지 길러 아래로 묶은 미남자였다. 키가 무척이나 크고 꽤 마른 체격을 가졌다.

하지만 남자에게서 가장 눈에 띄는 부분은 표정이었다. 상냥하게 휘어진 눈매는 그를 웃지 않아도 웃는 얼굴처럼 보이게 만들었다. 게다가 웃는 눈매 사이, 선연하게 빛나는 연녹색의 눈동자는 그의 총명함을 증명하려는 듯 빛나고 있었다. 책을 읽는 사람이라는 것을 광고하는 양 콧등엔 작은 모노클까지 걸쳐져 있었다.

그는 그녀가 선 서가의 맞은편, 그러니까 그녀의 시선이 쉽게 닿지 않는 구석에서 그녀를 지켜보고 있었다.

"……."

그녀가 도서관에 들어와 진볼드 남작에게 혼쭐이 나는 순간부터 그녀가 양동이의 책을 자리에 돌려놓고 부리나케 걸레질을 한 뒤 도망가는 순간까지 말이다.

"책을 훔쳤다니."

그는 진볼드 남작에게 꾸벅 인사한 뒤 급한 걸음으로 사라지는 시녀를 보며 자그마한 목소리로 중얼거렸다.

물론 그렇게 가치 있는 도서들은 아니었다. 애초에 연구 서적들과 논문들은 이곳에 존재하지 않았으니까.

하지만 책을 빌리지도 못할 시녀가 책을 훔치는 일은……

그저 좌시할 일이 아니다.

남자는 속으로 혀를 찼다. 진작 열람실을 제대로 구분 지어 더 좋은 보안 시설을 만들어야 한다고 열변을 토했으나 이런 열변을 듣지도 않은 황제가 원망스러웠다.

그렇다면 이 설명을 들은 사람들은 합당한 의문을 가질 법도 했다. 왜 남자가 이렇게까지 열변을 토하는 가?

간단했다. 그가 책을 아주 사랑하기 때문이다.

남자는 성큼성큼 아벨라가 서 있던 서가로 다가갔다. 그리고 아벨라가 책을 되돌려 놓은 위치를 찾아 책을 살폈다.

"……응?"

순간 그의 표정이 풀어졌다. 그녀가 꽂아 놓은 서적은 분명히 마법과 관련된 서적이었다.

일개 시녀가 고를 법한 책이 아니다. 보통 시녀나 내명부의 여인들은 연애 소설 같은 통속 소설들을 보곤 했으니까.

남자의 눈이 깜박였다. 혹시, 공부를 하려던 걸까. 순간 그의 머릿속에 이야기 타래가 풀렸다. 어려운 가정 형편에 궁인으로 보내진 시녀는 불타는 학구열을 어찌지 못하고 결국 책을 훔쳐보기로 마음을 먹었던 것이다…….

"……그런 걸까."

남자가 눈을 빛냈다.

그러고 보니, 그 시녀의 눈빛이 범상치 않은 것 같았다. 매우 영리해 보였지. 혹시 정말 배움에 기갈이 든 인재일 수도 있지 않은가.

따라가 볼까?

……따라가 보자.

어디의 시녀기에 저렇게 혼자 열렬히 공부를 한단 말인가. 만일, 그녀가 공부를 하고 싶어 한다면 그녀의 상관에게 말해 그녀에게 따로 기회를 주고 싶었다.

여기까지 생각한 남자는 천천히 걸음을 옮겼다. 진볼드 남작이 한창 펜을 놀리다 그를 보고 무척 살가운 웃음을 지었다.

"9황자님, 벌써 가십니까? 오랜만에 황궁 도서관을 방문한다며 그렇게 행복해하시더니."

"급한 용무가 생각나서. 이만 가겠습니…… 아니, 가겠네."

9황자라고 불린 남자는 턱을 끄덕여 남작을 일별한 뒤, 그대로 그녀가 사라졌던 문을 단숨에 통과해 사라졌다.

그랬다. 남자는 바로 9황자 제롬 단 카셀란이었다. 아벨라가 말로만 듣고 들었던 아카데미의 그 교수, 황실 재판이 늦어진 주원인.

제롬은 몹시 마음이 급했다. 그녀가 어디로 가는지 알아야 했다.

제롬은 고개를 이리저리 돌려 사라진 아벨라를 찾았다. 시녀는 그사이 어디로 이동했는지 보이질 않았다.

발이 참 빠른 시녀군.

마음이 급해져, 제롬은 그대로 신발에 부착된 마정석을 통해 거센 바람을 불렀다. 비행 마법을 완전히 복원한 건 아니지만 바람으로 비슷하게 응용은 가능했다.

다른 이들은 제롬이 황자이기 때문에 교수가 된 것이라 오해했다. 하지만 황자라서 쉽게 교수가 된 게 아니었다. 제롬은 학업적 성취뿐만이 아니라, 마법에 천부적인 재능이 있었다.

아카데미 마법학 교수

제롬 단 카셀란.

그게 바로 그의 정식 직함이었다.

"……."

그는 마법의 복원을 연구하고 있었다. 하지만, 연구학도이기 이전 제롬은 교육자였다. 제롬은 마법을 배울 후진을 양성하는 데에도 많은 관심이 있었다.

제롬이 이렇게 그녀를 찾는 것도 이 때문이었다. 그녀는 분명히 마법에 흥미가 있었다. 책을 훔쳐서 보고 가져다 놓을 정도였다. 하지만 어떤 사정인지는 몰라도 꿈을 이루지 못하고 궁인으로 일하고 있다.

제롬은 바람으로 제 등을 거세게 밀어 속력을 냈다. 보통 마차만큼의 속력은 나오는 좋은 방법이다.

만일 이 광경을 아벨라가 보았다면 또다시 눈이 휘둥그레졌을 게 분명하다. 왜냐면 마법이 실전되었다고 알고 있으니까.

하지만 제국은 마법을 복원하려고 필사적으로 노력하고 있다. 예전처럼 심도 있고 범위 넓은 마법은 아니더라도, 제롬이 하는 간단한 응용 마법 정도는 이미 복원이 되어 있었다.

제 몸을 거센 바람에 실어 몸을 움직이던 제롬은 이내 덜컹거리며 어디론가 향하는 궁인용 마차를 발견했다. 마차의 창 너머로 변장한 아벨라를 발견한 제롬은 눈살을 찌푸렸다.

……본궁의 시녀가 아니었다고? 게다가 지금 가는 곳은…….

곧 그의 시야에 바랜 흰빛의 궁전이 눈에 들어왔다. 정말이었다. 저곳은 8황자 펠리체가 사는 곳이다. 그럼 8황자궁의 시녀라는 말인가?

제롬은 미간을 찌푸렸다. 제롬은 펠리체의 사람됨을 알고 있다. 지금 자신은 친형인 7황자 때문에 대외적으로는 샬롯을 따르지만 마음만은 펠리체를 응원하고 있다.

펠리체는 시녀가 공부하고 싶다면 결코 말릴 사람이 아니었다. 자신이 아는 선에서 최대한 그녀를 도왔겠지.

게다가 펠리체는 마법에 대해 꽤 잘 이해하고 있는 축이다. 제롬만큼은 아니지만 재능도 있었다.

이쯤 되면 더 알 수가 없어진다.

대체 8황자궁의 시녀가 왜 본궁 도서관의 책을 훔쳐본단 말인가? 사실은 펠리체가 자신의 생각보다 나쁜 놈인가?

마침 마차가 8황자궁에 멈추고, 제롬이 본 시녀가 마차에서 내렸다. 제롬의 눈이 빛났다. 발에 바람을 싣고 겅중 뛰어오른 제롬은 시녀의 동선을 살필 수 있는 나무에 걸터앉았다.

그러고 보니 형님이 결혼하셨다 했었지.

"혹시 8황자비 쪽의 시녀인가."

그렇다면 이해가 된다.

8황자비는 대륙 전체에 소문난 백치였다. 펠리체처럼 시녀의 학구열을 알아챌 리도, 배려할 리도 없는 것이다. 그런 거라면 이해가 된다.

제롬은 가지에 걸터앉아 창을 통해 시녀를 살폈다. 그녀가 터벅터벅 층계를 오르는 것을 발견했다. 곧 그녀가 2층으로 올라가 내실인 듯한 방으로 들어갔다. 순간 제롬의 눈썹이 들렸다.

시녀인데 주인이 있을 내실에 들어갈 때 노크를 하지 않았다.

"……시녀로서의 교육을 못 받은 것은 아니겠고."

궁인으로서의 재능이 영 없는 모양이지. 제롬은 그 방에서 함부로 문을 열었다며 크게 혼날 그녀를 상상했다. 제롬은 시녀가 방에서 나온다면 몰래 다가가 창문을…….

잠깐, 그러고 보니 제롬은 자신이 지나치게 저 시녀에게 신경을 쓴다는 것을 인지했다.

"……너무 오지랖인가."

아니다. 제롬은 애써 자신의 행동을 합리화하려고 애썼다. 그 시녀가 지나치게 안쓰러웠기 때문이다. 도와주고 싶기 때문이다…… 라고.

오랜만에 인간에게 갖는 호기심임을 자각하지 못한 채, 제롬은 그녀를 계속 기다렸다.

제롬이 나무의 굵은 가지에 걸터앉은 지 30여 분을 조금 넘겼을 때였다. 드디어 2층 맨 끝방의 문이 열렸다. 제롬이 몸을 기울였다.

"아씨, 빨리요!"

열린 창이 있는 모양이었다. 복도에서 시녀가 재촉하는 소리가 제롬의 귀까지 닿았다.

평범하게 생긴 갈색머리 시녀가 빠르게 문을 열곤 뒤를 재촉했다. 그리고 그 뒤를 따라, 눈부시게 아름다운 금발의 여인이 남색의 가운을 입은 채 하녀의 뒤를 총총 따라 나왔다. 같은 색의 리본으로 머리를 한 갈래로 묶어 옆으로 내린 스타일은 청초하고 또 사랑스럽게 보였다.

저 말도 안 되는 미태를 가진 여성에 대해 능히 짐작했다. 이 궁에서 저렇게 당당하게 걸어 나올 여성은 단 한 명밖에 없었다. 자신의 형의 결혼 상대, 말로만 듣던 딜루어 공국의 공녀 아벨라.

하지만 제롬은 아랑곳 않고 그 공녀의 뒤를 따라 나올 시녀를 기다렸다. 시녀가 나오면, 외따로 그녀만 불러낼 방법을 찾아서…….

유유히 걸어가는 아벨라의 뒤로, 아까의 평범한 갈색머리 시녀가 다시 쪼르르 따르기 시작했다.

길목을 돌자 다른 시녀가 나타났다. 그러자 그 갈색머리 시녀가 그녀를 불러 세우더니, 큰 소리로 이렇게 말했다.

"황자비 저하가 나오신 내실, 아무도 없으니 꼭 청소해 두도록 해. 액세서리함은 내가 이따가 직접 정리할 테니 그대로 두고."

……잠깐, 뭐라고?

제롬은 순간 눈을 크게 치떴다. 내실에 아무도 없다고?

하지만 말도 안 돼. 아까 그 시녀는……. 제롬은 복도를 유유히 걸어 사라지는 아벨라와 다른 시녀를 얼빠진 표정으로 바라보았다.

"분명히 저기로 들어갔는데."

제롬이 망연한 목소리로 중얼거렸다. 착각일까? 아니, 맞는데……

어떻게 된 영문인지, 그는 전혀 알 수가 없었다.

아벨라의 입장에서는 꽤 평화로운 나날들이었다.

마법진을 풀이하는 일은 세 권 모두 쉽게 끝냈다. 사실은 더 배우고 싶고, 더 풀이하고 싶었지만 도서관에서 구할 수 있는 책으로는 한계가 있었다. 아카데미라도 가지 않는 이상, 마법에 대해 배우는 건 힘들 것 같았다.

재판까지 불과 한 달도 채 남지 않은 때였다. 이젠 그놈의 재판이라는 것에도 신경을 좀 써야 하지 않을까, 하면서도 침대에 배 깔고 누워 샌드위치나 먹다 보니 어느덧 햇볕이 따가운 5월이 되었다.

"아씨, 지 너무 힘들어요."

여느 때와 다름없는 저녁이었다. 저녁을 먹은 뒤, 방으로 돌아와 편한 옷으로 갈아입을 때였다. 아벨라의 풍성한 금발을 빗어 내리던 베티가 우울하게 중얼거렸다.

거울로 그녀를 살피던 아벨라의 얼굴이 덩달아 우울해졌다. 베티가 저렇게나 어두운 얼굴을 한 적이 있던가? 아니, 단 한 번도 없었다.

그러고 보니 요새는 아벨라 자신의 일로도 벅차 베티에게 신경을 쓰지 못했다. 아차, 내가 너무 무신경했구나.

그를 깨닫자마자 아벨라는 그녀를 향해 돌아봤다.

"……무슨 일이 있었어?"

설마, 이 궁 안에서 누가 베티를 괴롭힌단 말인가? 아벨라의 푸른 눈이 불타오르기 시작했다.

"그게요……."

베티는 시무룩한 얼굴로 고개를 젓다가 두 손으로 얼굴을 가린 채 이야기를 시작했다.

모든 일은 베티가 이 궁을 총괄하는 시녀장이 된 것에서 시작한다.

그 궁에서 오래 머문 사람은 펠리체의 시녀이자 찬모였던 주디지만 너무 연로했고, 그녀 또한 스스로 시녀장을 고사했다.

주디와 세스 외 이 궁에 대해 잘 알고 있는 사용인은 베티뿐이었다. 게다가 아벨라를 가장 가까이에서 모시는 이가 시녀장이 되는 게 당연한 이치이기도 했다.

하지만 베티가 시녀장이 되고 난 뒤 문제가 생겼다. 하인들과 시녀들이 베티를 종종 무시한다는 것이다.

8황자궁에 새로 배속된 시녀와 시종은 주방장, 보좌 시종과 치장 시녀를 포함하여 총 열다섯 명이다. 모두 황제가 증원한 자들이었다. 그리고 원래 있던 늙은 참모인 주디와 시종이자 마구간 지기인 세스, 그리고 아벨라가 데려온 베티를 포함하면 총 열여덟 명이 8황자 궁에서 일하고 있다.

인원이 증원되었다고 하지만 다른 궁에 비하면 여전히 적은 수다.

대표적인 예로 백영궁의 동관, 그중에서도 한 층을 모두 쓰는 아이타 황녀가 있었다. 황녀의 숙소는 배속된 시녀들'만' 총 서른 명이었다.

그에 비해 면적도 넓고, 사람도 적은 8황자궁은 할 일이 엄청나게 많았다. 게다가 명령하는 상관은 자신들보다 훨씬 '어린' 시녀장 베티다.

그러니 적색궁에서 일하게 된 시녀와 시종들의 불만은 최대치였다. 8황자궁은 똥밭 중 똥밭이었다. 아예 8황자궁에 근무하는 이들을 좌천된 것처럼 여기는 이들도 있었다.

그러니 의욕이라는 게 있을 리 만무했다. 충성심? 있던 충성심도 사라질 판국에, 자신의 주군이 된 8황자나 8황자비에 대한 충성심이 생길 리 없었다. 그들에게 있어 이곳은 무덤이나 마찬가지였다. 스스로 '살길'을 찾아야 했다.

그러니 8황자 궁에 배속된 시녀와 시종들은 슬금슬금 본인들이 갖고 있는 인맥들을 최대한 활용하여, 황궁의 인사들에게 다리를 놓기 시작했다. 살길을 뚫느라 바빠, 당연히 본업인 업무는 태업하기 일쑤였다.

이런 상황에서, 가장 크게 피해를 본 사람은 당연히 시녀장인 베티였다. 애초에 베티는 황궁에서 지낸 기간이 압도적으로 짧은 데다, 황궁이 어떻게 돌아가는지도 감을 잡지 못한 상태였다. 때문에, 시녀들과 시종들은 심심찮게 그녀를 무시하곤 했다.

베티의 하소연에, 아벨라는 놀라 입을 벌렸다. 상황이 지나치게 심각했다. 아벨라는 대외적으로 백치인 척하고 있으니 베티에게 궁의 모든 운영을 맡겼고, 펠리체 또한 지나치게 바빴다.

베티가 말을 이었다.

"다루기가 너무 어려워요. 제 말을 들어 주지도 않고요. 오늘은 결국 제가 혼자 홀 청소를 해야 했어요. 제가 권위가 없어서 그런가 봐요. 시녀장이란 직책을 맡기엔 너무 어려서……."

"아냐, 베티. 네가 권위가 없는 게 아니야. 나와 펠리체가 없는 거지."

"게다가 제가 걱정되는 건 또 있어요. 이 시종들이 제 말을 안 듣기만 한 것뿐이라면 상관이 없지만……."

"없지만?"

"낌새가 좀 이상한 자들이 있어요."

"뭐라고? ……자세히 말해 봐."

베티는 입술을 깨문 뒤, 다시 심호흡을 하곤 입을 열었다.

"아씨를 모실 땐 주변 10m 이내에 사람이 없게끔 해요. 혹시라도 아씨가 이렇게 말하시는 게 알려지기라도 하면 아씨가 숨기려고 하시는 게 수포로 돌아가잖아요."

"그렇지."

"그런데 요새, 그 말을 어기는 시종들이나 시녀들이 보여요."

"뭐?"

"그게⋯⋯ 처음엔 실수라고 변명하면서 사라지긴 했는데, 아씨가 목욕물을 들일 때 물러나는 척 완전히 물러나지 않고 은근슬쩍 곁방으로 빠지거나, 제가 옷을 다시 가져오려고 내실 문을 나설 때 문밖에 서 있다거나 하는 식이에요. 부엌에도 함부로 기웃거리는 것 같고요."

아벨라의 입술이 굳게 다물렸다. 이를 악물어 턱이 단단해졌다. 아벨라는 팔짱을 끼고 인상을 찌푸린 채 베티를 바라보았다. 베티는 아벨라의 표정을 보곤 더 풀이 죽은 채로 말을 이었다.

"시녀가 없다고 극성맞게 굴었던 것도 있고, 시녀장씩이나 되어서 아랫사람들 못 부리는 건 부끄러운 일이니 쉽게 말하지 못했어요. 죄송해요, 아씨. 화내지 마셔요."

베티가 슷제 눈물을 글썽거리기 시작했다. 아벨라는 베티의 '화내지 말라'는 말에 자신이 얼굴을 잔뜩 찌푸리고 있음을 알았다.

"너한테 화가 난 게 아니야, 베티. 내가 미안해서 그런 거지."

아벨라는 황급히 설명하곤 베티의 손을 쥐었다.

"내가 네게 너무 큰 짐을 지우고 있었어. 혼자 중간에 끼어서 얼마나 힘들었던 거야?"

"아씨……."

"나는 그런 줄도 모르고, 네가 언제나 달려와 주기에 다른 것들이 잘 돌아가고 있는 줄 알았어. 미안해."

아벨라는 진심으로 그녀에게 사과했다. 베티와 펠리체만을 편으로 거두고 만족한 제가 제일 잘못했다. 베티를 가장 가까운 아군이라고 표현하면서도, 베티가 자신 때문에 어려워하는 걸 방치했다.

황제에게 시녀와 시종을 '하사받았다'고 한들, 그들은 무생물이 아니었다. 그들을 너무 무시하고 있었다. 아벨라는 그들에 대해 좀 더 치밀하게 알고 파악했어야 했다고 자책했다. 마법이나 다른 지식에 욕심을 내느라, 자신의 주변 환경을 장악하는 일이 늦었다.

아벨라는 그제야 펠리체가 왜 이 넓은 궁에 사용인을 단둘만 두고 있었는지 이해할 수 있었다. 처음엔 황자의 권위가 땅에 떨어졌기 때문이라고 생각했다.

지금 보니 그게 아니었다. 일부러 '얻지' 않은 것이다. 자신이 믿을 수 있는, 서로를 잘 아는 최소의 인원만을 남겨 둔 거였다. 자신이 움직이기 용이하게 만들기 위해서.

뭐, 그렇다고 후회만 하고 있을 순 없다. 결국 사용인들은 궁에 왔고 일은 벌어졌다. 이들을 적재적소에 써먹어야 하는 건 아벨라가 아닌가. 이곳은 아벨라가 기거하는 곳이다. 이곳 8황자궁만큼은 아벨라가 장악해야만 한다. 자신의 편들로만 채워야 한다는 소리였다.

'이제 슬슬 움직여도 좋겠어.'

그래, 이 세계에 대한 적당한 지식도 익혔고 마법이라는 비장의 무기도 있고 궁의 주인인 펠리체에게 사정도 구했으니, 더 이상 몸을 사릴 필요도 없다. 아벨라는 오른손 검지를 들어 제 아랫입술을 툭툭 건드렸다.

아벨라의 머리가 맹렬하게 돌아가고 있다는 신호였다.

"베티."

아벨라가 베티를 불렀다. 아까와는 다르게 살짝 늘어지는 듯한 발음이었다.

"네."

"나랑 약속 하나 해."

"네? 네에……."

아벨라는 그녀를 향해 빙그레 웃곤 풀썩 침대에 앉았다. 눈부신 금발이 엉덩이 근처에서 이리저리 출렁거렸다.

"앞으로 이런 일이 있으면 절대로 혼자 삭이지 마. 넌 시녀장이고, 내 대리인이나 마찬가지니까."

아벨라가 살며시 웃으며 속삭였다. 눈매가 둥글게 휘고, 그 사이의 푸른 눈동자를 영민하게 빛내는 모습이 더없이 사랑스러웠다. 하지만…… 왠지 모를 기백이 느껴지는 것은 착각일까.

"알겠어? 애들을 가르치는 것도 마찬가지야. 그 조그마한 애들도 얕보이면 수업시간 내내 잡아먹을 듯이 군다고. 아랫사람도 똑같아."

"네…… 네?"

"아니, 이건 좀 다른 소리……. 아무튼 알겠어? 절대로 지지 마. 나머진 내가 알아서 할 테니까."

베티는 고개를 끄덕이며 주춤주춤 문을 나섰다.

펠리체는 오늘도 늦을 모양이다. 아벨라는 내실의 침대 헤드에 기대 앉아 펠리체를 기다렸다.

펠리체는 밖에서 시간을 보내고 오는 일이 잦았다. 일전에 잠깐 설명을 들었지. 황궁보다는 저 밖에서 하는 일이 많노라고.

펠리체의 말은 그저 단순한 허풍이 아닌 것 같았다. 독자적인 체계라고 했던가, 궁의 내부를 새로 단장한 것만 봐도 알 수 있었다. 그의 독자적인 세계라는 것은 생각보다 부유한 것 같았다.

이런 부분에 대해 캐물을 생각은 없지만, 그렇지만……. 아벨라 자신이 생각하고 있는 계획을 위해서라면 필요할 수도 있었다.

"아벨라."

"으악!"

그때였다. 코앞에서 들리는 목소리에 아벨라가 그대로 꽥 고함쳤다.

심장이야! 펠리체였다. 언제 온 건지, 붕대를 푼 맨얼굴로 아벨라를 지켜보고 있었다.

"놀랐잖아!"

아벨라가 펠리체의 가슴을 밀며 항의했다. 문득 펠리체가 억울한 표정을 지었다.

"놀라게 한 건 미안해. 미안한데, 네가 한참 불러도 대답이 없었다고. 계속 생각에 잠겨 있었어."

"그럼 노래로 깨웠어야지. 아침에 새들이 왜 우는 줄 몰라? 사람 깨우려고 우는 거야."

"뭐?"

안다. 생억지인 거 안다고. 그래도 이렇게 심통을 내야 풀리겠는 걸 어떡해. 아벨라는 불퉁한 표정을 지었다.

"어쨌든 잘 왔어. 오늘 안 오면 어쩌나 걱정했거든."

아벨라의 말에 펠리체가 눈썹을 모으며 사과했다.

"먼저 자고 있지 그랬어. 혹시 내가 이곳에 오는 게 불편하면 어차피 나는 내 방에서 자면 되고……."

"그런 문제가 아니야. 너와 상의할 게 있어서 그래."

"상의?"

펠리체의 물음에, 아벨라가 가볍게 고개를 끄덕였다.

"말해."

"나, 이 궁을 완전히 손아귀에 넣고 싶어."

"뭐라고?"

펠리체가 고개를 기울이며 물었지만 아벨라는 계속해서 제 말을 이어 나갔다.

"이곳에서 완전히 안심하고 싶어. 너도 시종들과 시녀들이 들어온 이후로 붕대를 풀고 다니지 못하잖아. 나도 이제 저 사람들 앞에서 바보인 척하는 거 힘들어. 생각해 보니, 심지어 주디와 세스도 내가 백치가 아니라는 거 모르더라. 따로 알릴 기회도 없었고, 너도 말하지 않았잖아. 맞지?"

"……네 말이 맞아."

펠리체의 표정이 점점 진중하게 변했다. 아벨라는 그의 표정에 적이 안심됨을 느꼈다. 제 말을 진지하게 들어 주니, 속마음을 털어놓기가 한결 편했다.

"믿을 사람과 믿지 못할 사람을 고르고, 확실한 내 사람을 만들고 싶어. 도와줘, 펠리체."

펠리체의 눈빛에 따뜻한 빛이 어렸다. 진중하게 주먹마저 쥐고 열렬히 말을 잇던 아벨라가 말을 멈추고 펠리체를 바라보았다.

"……왜 그렇게 봐?"

"아니, 그냥. 네가 내게 이렇게 말하는 게 좋아서."

"……그런 말 대놓고 하면 부끄럽지 않아?"

"부끄러워. 그런데 그래도 말해야겠다고 생각했어."

펠리체가 미소 지으며 아벨라의 손을 들어 제 입술을 대었다. 아벨라의 심장이 쿵 내려앉았다.

"네 마음대로 해, 아벨라. 뭐든 도울게."

심장은 계속 쿵쿵대고 있었다. 대체 무슨 고동 소리가 벽에 망치질을 하는 소리처럼 크단 말이야? 창피해…….

"제발 제때 궁에 돌아오기나 해. 맨날 놀라게 하지 말고."

아벨라는 그만 눈을 꼭 감고 말았다. 그가 제 심장 박동을 알아채지 못했으면 좋겠다. 아니면 놀라서 심장이 뛰고 있는 거라고 생각하면 좋겠다고 간절히 바랐다.

며칠 뒤, 동이 트기도 전인 어두운 새벽.

8황자궁의 침모 주디는 자신을 두드리는 손길에 눈을 떴다.

"주디, 일어나요."

"……음, 뭐야…… 에그머니나."

베티였다. 그녀가 등불을 든 채 코앞에 서 있었다.

항상 봐 오던 베티의 얼굴과는 많이 달랐다. 항상 웃는 낯인 표정은 오늘따라 많이 굳어 있었다. 주디는 더듬더듬 그 자리에서 손을 짚은 채 일어났다.

"베티 시녀장님?"

"안녕하세요, 주디."

주디는 자신보다 나이도 어리고 궁에 들어온 지도 얼마 되지 않은 베티를 '시녀장'이라고 거리낌 없이 부르며, 침대 맡 자신의 신발을 신었다.

그게 주디의 성품이었다. 35년간, 이 궁의 주인인 황자보다 오래 이 궁을 지키면서도 보상이나 돈을 바라지 않는 선량함. 도리어 제 주인이었던 로칠라를 기억하고, 그 아들인 펠리체의 비밀을 지키는 충직함.

"무슨 일이세요, 시녀장님?"

앳된 소녀가, 그런 주디를 향해 빙그레 미소 지었다.

"주디, 지금부터 조용히 저를 따라와요."

"네에?"

"어서요. 의복은 갖춰 입지 않아도 돼요. 시간이 없어요. 황자비께서 부르세요."

"……어, 예."

황자비 저하가 자신을 부른다고? 이 시간에? 주디는 미간을 찌푸리면서도 조용히 그녀를 따라나섰다.

내실에 도착하자, 방 안엔 이미 자신 말고도 또 한 명이 있었다. 자신과 함께 오랜 시간 이 궁을 지켜 온 시종, 세스였다. 이미 백발이 된 머리칼을 낡고 검은 리본으로 묶은 그는, 우직하게도 궁정복을 갖춰 입은 채 서 있었다.

그때였다. 문이 잠기는 소리가 나 뒤를 돌아보았다. 베티였다. 그녀가 문을 단단히 잠그고 있었다. 그러곤 녹인 뒤 적당히 식은 밀랍 덩어리로 열쇠 구멍마저 막아 버린다.

이게 무슨 일인지 물으려 그녀가 입을 벌리는 순간이었다.

"시녀장님, 이게 무슨……."

"내가 말하지요."

순간 주디와 세스의 고개가 빠르게 돌아갔다.

화톳불 바로 곁, 아벨라가 단정하게 앉아 있었다.

흰빛의 얇은 베일을 여러 겹 겹쳐 만든 슈미즈 가운은 그녀에게 환상적으로 어울렸다. 허리에 동여맨 것과 같은 남색의 리본이 어깨에도 달려 있었다.

아니, 중요한 건 그녀의 차림이 아니다. 방금 자신이 들은 청명하고 우아한 목소리가 대체 누구의 목소리란 말인가. 목소리가 들린 쪽엔 오로지 아벨라만이 있었다.

아벨라가 미소를 머금으며 입을 열었다.

"펠리체에게 이야기를 듣는 것 외에, 직접 이야기를 나눌 일이 없었잖아요."

"……황자비 저하."

주디는 순간 잘못 들었나 싶어 세스를 바라보았다. 하지만 세스의 표정을 보고 나니, 자신이 공연히 환청을 들은 건 아닌 모양이다. 지금 이게 무슨 일이지 싶어, 주디가 눈만 깜박거릴 때였다.

아벨라는 굳어 있는 그들의 눈을 똑바로 바라보며 다시 입을 열었다.

"주디, 세스, 보시다시피 저는 정상적으로 말하고 생각할 수 있어요."

주디와 세스가 입을 쩍 벌렸다.

아벨라는 그런 그들을 보며 여전히 웃는 얼굴로 말을 이었다.

"아 물론…… 원래부터 속여 왔던 건 아니에요. 이곳에 와서 갑작스럽게 나아지게 되었어요. 그동안 여러분을 속인 건 미안해요. 상황이 상황이다 보니, 이런 사실은 숨기는 게 좋을 거 같았어요."

아벨라의 부드러운 목소리에도 주디는 여전히 당황스러운 듯 눈동자를 깜박였다.

"황자 저하는……."

"저하께서는 알고 계세요. 당연히 베티도요. 이제 여러분이 그다음으로 제 비밀을 알게 된 거예요. 심지어 제 아버지도 아직 제가 나았다는 걸 모르는데요."

주디와 세스는 아벨라의 말에 단지 침묵하고 있었다. 표정들은 무척 놀란 것처럼 느껴졌지만, 각자 서 있는 자세에는 흐트러짐이 없었다.

첫인상은 낡은 궁정복을 입은 노쇠한 노인들이었는데, 아벨라는 그제야 펠리체가 주디와 세스를 각별히 신뢰하는 이유를 알 것 같았다.

그때였다. 세스가 천천히 입을 열었다.

"저하, 대공께서도 모르는 비밀을…… 저희가 먼저 알아도 되겠습니까?"

"안 될 건 또 뭐예요."

아벨라가 밝게 웃음을 터뜨렸다.

"전 알아요, 세스, 주디. 당신들은 단순한 궁인이 아니에요. 펠리체에겐 가족이고 형제들이고 늘 첫 번째 신하인걸요. ……그러니 당연히 저도 그렇게 대우해야죠. 여러분은 제 비밀을 먼저 알 자격이 있어요."

아벨라의 말에, 주디의 눈이 일순 일렁였다.

"황자님이…… 그러시던가요? 저희한테 잘해 주라고……."

"아뇨. 그냥 봐도 알겠던데요. 그는 처음부터 궁의 살림을 아예 주디 당신에게 맡겼잖아요. 그래서 저도 생각했죠. '아, 남편이 믿는 사람들이다. 나도 여러분을 믿어야겠다'고."

여기서 울면 얼마나 남사스러울까. 하지만 주디는 그대로 눈물을 흘리고 말았다. 자신들에 대해 아벨라가 말하는 수식어 때문이다.

다른 누군가의 입으로 펠리체와의 유대 관계에 대해 들은 것은 이번이 처음이었다. 아벨라의 말대로였다. 주디와 세스는 펠리체의 가족이고, 형제들이고, 늘 첫 번째 신하였다.

누구에게도 인정받지 못했지만 항상 셋이서 이 낡은 궁을 지켜 왔다. 그걸 알아주는 것만으로도 고마웠다.

주디는 눈물을 숨기려 고개를 돌렸다가 자신과 같은 표정으로 울먹이고 있는 세스를 보았다.

"……잘 부탁해요, 여러분."

아벨라가 그들을 보며 미소 지었다.

주디와 세스가 자신들의 처소로 돌아간 것은 먼동이 트기 직전, 새벽 다섯 시가 한참 지난 뒤였다. 그래도 간신히 시종과 시녀가 일어나는 시간 이전엔 돌려보낼 수 있었다.

"아씨."

베티는 아벨라의 테이블에 따뜻한 차를 놓으며 그녀를 불렀다.

아벨라는 베티가 부르는 줄도 모른 채 테이블에 앉아 종이를 열심히 뒤적거리고 있었다. 어지간히 골몰한 모습이었다.

"아씨!"

"어, 응?"

아벨라가 고개를 들었다. 집중한 여파인 듯 그녀의 눈매가 매섭게 돋아 있었다. 베티는 겁먹은 티를 내지 않으려고 노력하며, 그녀를 향해 차가 담긴 잔을 밀었다.

"차 드시고 하시라고요."

"고마워."

아벨라는 그녀를 향해 상냥하게 웃고는 잔을 들어 한 모금 머금었다. 베티는 그녀가 보고 있던 서류를 흘깃대며 궁금한 어조로 그녀를 향해 물었다.

"얻고자 하는 정보들은 다 얻으셨어요?"

"어느 정도는. 펠리체가 먼저 시종들의 정보를 알아봐 주었어. 덕분에 큰 도움이 되었어. 물론 너와 주디와 세스도 큰 도움이 되었고."

아벨라는 눈썹을 치켜세우며 자신만만한 미소를 지었다. 이미 써져 있는 인적 사항 이외에도, 아벨라는 서류에 새로이 인적 사항들을 써 놓았다. 바로 어제 베티, 그리고 오늘 세스와 주디에게 들었던 그들에 대한 품평이었다.

학생기록부를 작성하는 선생처럼 아벨라도 성심성의껏 그들에 대한 평가를 적었다. 한 번도 만나 보지 못한 자들을 장악하기 위해선 그 무엇보다도 정보가 중요하다.

"그럼 언제 그들을 만나 보실 건데요?"

"지금."
"예?"
"얘와 얘, 그리고 얘. 아, 또 얘랑 얘."
아벨라는 되묻는 베티에게 종이 뭉치에서 종이를 쏙쏙 빼내어 그녀에게 내밀었다.
"이 사람들은 왜요?"
"걔네 빼고, 전부 다 데려와."
"네? 얘네가 누군데요?"
"수상한 애들."
"네에?"
"시간이 없어. 이거."
아벨라는 그녀에게 대답도 제대로 하지 않은 채로 옆에 두었던 반지를 내밀었다.
"이거 갖고 정원에 나가서, 어디 구석에다가 묻어 둬. 그리고 그 반지 없어졌다고 내가 울고불고 난리 났다고 하면서, 내가 뽑은 걔들 데리고 찾게 시켜."
"어, 네."
베티가 눈을 동그랗게 뜬 채로 고개를 끄덕였다.
"세스와 주디 중 하나한테 감시를 부탁하고, 네가 반지를 숨긴 곳도 알려 줘. 점심 먹기 전에 끝낸다고, 해가 중앙에 뜰 때까지 시간 끌다 돌아오라고 해."
지금 골라낸 이 다섯 명의 시종들은 아벨라가 판단하기에 자신의 사람이 아니었다. 이미 누군가를 주인으로 모시고 있는 자들이다.
아벨라는 이들에게 자신의 정체를 밝힐 생각이 없었다. 반지를 찾으란 건 어디까지나 이들을 격리할 수작이었다.

아벨라는 숨도 쉬지 않은 채 지시 하곤 고개만 연신 끄덕이는 베티를 향해 다시 방긋 웃었다.

"얼른."

바로 어제 베티에게 지어 보였던 만큼이나 해사한 미소였지만, 베티는 이제 그녀의 미소에 숨겨진 송곳니가 보이는 것 같았다.

어제 느꼈던 기백은 단순한 착각이 아니었다. 단단한 맹수가 사냥감을 물기 위해 몸을 낮추는 듯한 환영이 아벨라에게 겹쳐 보였다.

"빠, 빨리 다녀올게요."

"그래, 다녀와."

베티의 말에 아벨라가 다시 환한 미소를 지으며 대답했다. 이 궁의 주인이 되기 위한 첫걸음이었다.

어니스트는 8황자궁의 청소와 접객과 우편물 분류를 담당하는 풋맨이었다. 담당 업무가 많은 이유는 아시다시피, 궁의 시종 수가 매우 적기 때문이다.

어니스트는 스스로를 꽤 성실하고 괜찮은 인품이라고 평가했다. 때문에 더더욱 이런 곳으로 좌천되리라곤 꿈에도 생각하지 못했다. 살아오면서 친구도 몇 없지만 적도 별로 없다 믿었기에 실망이 더 컸다.

사실 어니스트는 이 8황자궁이 별반 나쁘지 않았다. 공연히 빡빡한 규율도 없었고, 자신에게 텃세 부리는 자들도 없다. 물론, 이 궁으로 온 뒤 신세 한탄하는 작자들은 좀 많아 귀찮았지만. 이곳에 온 게 좌천이라는 것도 그들에게서 알게 된 거였다.

어쨌든 그래도 팔자려니 하고 이대로 살기로 했는데, 그 다짐이 바로 오늘 완전히 뒤집혔다.

빼빼 마른 붉은 미리칼의 청년이 아벨라를 향해 얼굴의 모든 부분을 개방한 채로 한껏 경악하고 있었다. 그 모습이 꽤 보기 힘든 표정이라, 아벨라는 그를 애써 외면하며 서류를 읽어 나갔다.

"어니스트 다알. 카셀란의 극동쪽 멘하른 출신, 아내 없음, 자식 없음, 양친 모두 살아 계시고 멘하른에서 농사를 짓고 있음. ……왜 베티가 당신을 첫째로 데려왔는지 알겠네요."

눈부시게 아름다워서 감히 얼굴조차 볼 수 없었던 황자비가, 자신의 앞에서 낭랑한 목소리로 서류를 읽고 있었다.

하지만 그녀는 분명히 백치라고 들었는데. 그녀가 시녀장인 베티와 함께 뛰어가는 모습을 보고, 몇 하녀들이 그녀를 손가락질하고 비웃는 것을 보았다.

"인사가 늦었죠? 나는 이 궁의 주인인 아벨라 블리스 오 데 딜루어예요. 그리고 맞아요, 백치가 아니죠."

순간 어니스트의 한껏 벌어진 입에서 자신도 모르게 침이 툭 떨어졌다. 하지만 아벨라는 그를 지적하거나 찌푸리는 대신, 상냥하게 말을 이었다.

"많이 놀란 건 알겠지만 잘 들어 둬요. 내가 오늘 당신을 부른 이유는 당신을 내편으로 포섭하기 위해서니까."

"저, 저, 저를요."

드디어 입을 꽉 다문 청년이 침을 꿀꺽 삼켰다. 파랗게 질린 얼굴색이, 현재 본인이 당황스럽다 못해 넋이 나갈 것 같다는 걸 여실히 보여 주고 있었다.

"당신은 믿음직스러운 사람이에요. 어디서 남에게 함부로 나쁜 말 한 적도 없고, 행동거지도 조심스러웠어요. 나는 당신이 정성스럽게 닦은 층계참을 보았고, 내가 백치라고 생각하면서도 우편물을 정성껏 분류해 놓았죠."

순간 청년의 안색에 붉은 기가 확 돌았다. 눈이 동그래졌다. 자신이 하고 있는 일을 황자비가 알고 있었다. 그래, 그리고 아깐 너무 놀라 인지하지 못했지만 그녀는 자신의 출신지나 가족 관계도 알고 있었다.

"나는 당신이 마음에 들어요, 어니스트. 그러니 당신이 날 좀 도와줬으면 해요."

"저, 저, 저, 저는 당연히 황자비 저하으, 의……."

"좋아. 당신이 하는 일을 방해하는 자는 아무도 없을 거예요. 내가 그렇게 두지 않을 테니까. 당신을 방해하는 사람은 곧 나를 방해하는 사람이에요. 그 말인즉슨."

아벨라는 몸을 기울여 조그맣게 속삭였다.

"나를 방해하는 사람은 곧 당신을 방해하는 사람이고, 당신의 적이라는 소리죠."

순간 어니스트의 눈이 아까보다 좀 더 커졌다. 그의 머릿속에, 아벨라가 베티와 함께 나타나고 사라질 때마다 뒤에서 손가락질하던 하녀들의 얼굴이 지나갔다.

그는 눈을 크게 뜬 채로 군침을 꿀꺽 삼켰다.

"당신이 이곳에 온 걸 후회하지 않게 해 주겠어요. 긍지와 명예, 그에 버금가는 재산을 준다는 말이에요. 나를 따르기만 하면."

누구보다도 달콤한 목소리로 아벨라가 속삭였다. 그 순간 어니스트는 그의 생에 한 번도 느껴 본 적 없던 용기가 제 복부에서 치받는 걸 느꼈다. 이상할 정도의 고양감, 흥분, 그리고 확신이 그를 휘감았다.

"따, 따르겠습니다."

입에서 자연스럽게 흘러나온 말에 어니스트는 스스로 놀라 어깨를 들썩였다.

물론 그가 그러거나 말거나 아벨라는 좀 더 입꼬리를 올리며 말했다.

"지금부터 당신이 할 일은 나를 방해하는 자를 적극적으로 내게 알려 주는 일이에요. 베티에게 말해도 좋아요. 또, 당신에게 해코지하는 이를 알려도 좋아요. 당신 뒤엔 내가 있을 테니까."

"아, 알려 드릴 수 있습니다. 제 목숨은 이미 비 저하와 황자 저하께 달려 있습니다."

어니스트는 이제 숨넘어가는 소리를 내며 그 자리에서 무릎을 꿇었다. 달달 떨며 제게 머리를 조아리는 모습에선 거짓과 기만을 찾아보기 힘들었다. 역시 베티, 어린 나이에도 불구하고 눈썰미가 있었다. 가장 설득하기 쉬운 자를 데려온 것이다.

"고마워요."

물론 아벨라는 그런 티를 하나도 내지 않은 채 단지 빙그레 미소 지었다.

그 뒤로 이어진 대담도 모두 이런 식으로 흘러갔다. 약점을 알고 있다면 그를 빌미 삼아 말하거나 최근 실수한 일이나 집안 사정에 대해서 부드럽게 감싸거나 하는 식이었다.

물론 세세한 사항은 모두 달랐고, 그들의 반응도 다양했으나 결론은 모두 아벨라를 따르기로 거듭 약조했다.

그들이 지나가는 말로 충성을 약속한 게 아니라는 것은, 그 자리에서 그들의 모습과 호흡을 지켜본 아벨라가 누구보다도 더 잘 알았다.

애초에 아벨라는 이런 경험이 많았다. 설득과 협상 모두 학원에서 배웠다. 대치동 학원의 학부모들은 하나하나 괴물이나 마찬가지였다.

돈과 자존심, 그리고 그만큼의 지식을 두른 채 제 자식들을 위해서라면 물불을 가리지 않았다. 게다가 원생들은 제 부모들을 고스란히 닮아 영악하고 선생에게 빈틈이 있다면 바로 파고 들어와 깔아뭉개려 들었다.

그들의 마음을 사로잡고, 그들에게서 돈과 존경을 얻어 내려면 지금같이 사람을 파악하고 구워삶는 능력이 필수였다.

강서경으로 살면서 얻었던 협상 능력이 바로 오늘, 빛을 단단히 발한 것이다. 덕분에 수월하게 그들의 마음을 단시간에 사로잡을 수 있었다.

연신 흐느끼며 그녀에 대해 찬사를 늘어놓던, 3층의 청소 담당이자 식사 보조와 부엌 보조를 담당하던 시녀 앤이 나갔다. 아홉 명째였다. 아벨라는 하늘을 흘끗 보곤 초조한 기색을 띠었다. 거의 정오였다.

그리고 남은 설득 대상은 단 한 명이었다. 바로 주방장 쇼우.

아벨라는 마음이 급해졌다.

지금까지 하던 방식으로 부엌의 쇼우를 내실로 호출한다면 시간이 많이 걸렸다. 세스는 분명히 한 치의 오차도 없이 정오에 돌아올 터. 그렇다면 쇼우가 돌아오는 시종들과 조우할 가능성이 높았다.

쇼우가 오고 가는 모습을 들킨다면 바로 의심을 살 것이다. 왜냐면 쇼우는 주방장, 여간해서는 부엌 밖으로 나오는 자가 아니다. 주방장이 내실 앞을 오가다니, 척 봐도 수상하다고 광고하는 꼴이 아닌가.

아벨라는 곧 들이닥칠 시종들에게 계획을 들키고 싶지 않았다.

어쩔 수 없지.

아벨라는 그 자리에서 벌떡 일어나 치맛단을 틀어쥐었다. 어느새 공손히 그녀의 옆에 시립해 있던 베티가 눈을 동그랗게 떴다.

"베티."

"네?"

"따라와, 주방으로 뛸 거야."

"뭐라고요?"

"빨리!"

아벨라가 후다닥 그 자리를 박차고 달려 나가기 시작했다. 몸도 날래서, 순식간에 복도를 지나 멀어져 간다.

"아씨, 같이 가요!"

어쩔 수 없었다. 베티도 치맛단을 단단히 틀어쥔 뒤, 그녀를 따라 우다다 달려 나가기 시작했다.

아벨라는 주방으로 달려가며 생각했다. 그녀가 생각하기엔 지금 이 남자가 가장 중요하고 까다로운 상대였다.

주방장 쇼우.

직전 근무처가 본궁인 이 남자는 이미 제국과 병합된 지 오래인 다레인국 혼혈로 차별 대우를 상당히 많이 받았다. 실력은 무척 뛰어나지만 그를 견제하는 사람들이 많아 이곳으로 온 모양이다.

아벨라와 펠리체가 먹는 음식을 총괄하는 사람인 만큼 반드시 그를 제 편으로 만들어야 한다. 그녀는 문득 아까 주디가 말했던 말을 떠올렸다.

—만일 그가 그저 그런 놈인 것 같았다면, 전 절대로 찬모 자리에서 물러나지 않았을 거예요.

주디는 인자하게 눈을 휘면서 말을 이었다.

—그에겐 긍지가 있더라고요. 요새는 뭇 기사들도 갖고 있지 않은 스스로에 대한 자부심이 눈에서 반짝이는데, 저는 그가 아주 믿음직스러웠답니다. 그래서 침모를 하기로 했지요. 저는 그가 괜찮을 것 같아요, 저하.

주방 앞에 선 아벨라는 헐떡이는 숨을 가다듬고 옷차림을 정돈한 뒤 바르게 섰다.

시간은 없고, 남은 건 제일 상대하기 까다로운 작자고. 아벨라는 숨을 훅 들이쉬곤 마른 입술을 혀로 축였다. 이 안에는 쇼우 한 명만 있을 게 분명하다.

애초에 주방 보조라고 부를 수 있는 인원은 딱 둘이었는데, 하나는 앤이고 그녀는 지금 시간이라면 점심을 위해 식당으로 음식을 나를 때였다. 게다가 다른 하나는 오늘 자신이 멀리 보내 뒀다. 세스와 함께.

좋아, 가자.
"실례합니다."
아벨라는 공손히 인사하며 부엌으로 들어가는 문을 열었다.
쇼우는 검은 머리, 검은 눈에 덥수룩한 수염을 기른, 덩치가 커다란 남자였다. 걷어 올린 팔은 큰 근육이 주렁주렁 붙어 있고, 팔뚝엔 크고 작은 상처들이 나 있었다. 주방에 있지 않았다면, 분명히 뱃사람이나 용병이라고 착각했을 법한 비주얼이다.
그녀의 멀쩡한 등장에 쇼우는 앞의 사람들과 똑같은 반응을 보였다. 일단 입을 쩍 벌리고 눈은 크게 뜬 채 흡사 귀신을 본 양 경악하는 것이다.
"이렇게 얼굴을 보니 반갑네요. 날 위해 맛있는 요리를 만들어 주어서 고마워요, 쇼우."
아벨라는 이제 그런 표정을 일일이 달래지도 않은 채 곧장 자신의 볼일을 이야기하기 시작했다.
"당신이 혼혈인 걸 알아요."
"……."
순간 놀라던 그의 눈동자가 일순 차가운 기색을 띠었다. 아벨라가 알기로, 이는 그의 역린이다. 단숨에 그의 약점을 파고든 아벨라는 천천히 웃으며 다시 말을 이었다.
"정말 맛있고 멋진 요리를 하는데도, 당신의 솜씨를 질투한 당신의 상사가 당신을 본궁에서 이쪽으로 좌천시켰다고 들었어요. 아쉬운 일이죠."
"……무, 뭘 말씀하시고 싶은 겁니까."
아직도 혼란스러운 표정의 쇼는 자신의 역린을 찔려 화가 났지만 애써 평정을 유지하려 노력하며 되물었다.

"이 제국은 당신을 알아주는 일 없지만 전 달라요. 그 누구보다도 당신을 잘 알 수밖에 없죠."

아벨라는 그의 눈을 똑바로 바라보다 어깨를 가볍게 으쓱였다. 아벨라 자신을 상기시키는 몸짓이었다. 그 순간 쇼우는 그녀를 백치라고 비웃고 떠들었을 수많은 사람들을 상상할 수 있었다. 마치 자신의 요리 실력을 출신 성분 하나로 짓누르던 사람들처럼.

"제가 하고 싶은 말은 단 두 가지예요. 제가 백치가 아니라는 점은 이미 말했고…… 나머지 하나는."

아벨라는 최대한 느릿하게 다음 말을 이었다.

"저와 황자를 위해서만 요리해 달라는 거예요."

단순히 요리를 부탁하는 말이 아님을 뱉는 사람도, 듣는 사람도 알고 있었다.

쇼우는 제 앞에서 여유롭게 말하는 그녀를 가만히 살폈다. 앞서 그녀를 만난 다른 사용인들이 느꼈던 기묘한 고양감과 흥분이 쇼우의 등골을 울렸다.

이상했다. 그녀가 말하면, 말하는 대로 그녀를 따르고 싶어졌다. 자신이 장수고, 그녀가 장군이라면 지체 없이 자신의 목숨을 걸 수도 있으리라. 아벨라의 말엔 그런 힘이 있었다.

"……당연합니다."

그녀를 뚫어지게 바라보던 쇼우가 어느 순간 입을 열었다.

"저는 한 번도, 제 음식을 먹는 사람들을 배신한 적이 없습니다. 앞으로도 그럴 거예요."

그의 말이 떨어지는 바로 그 순간이었다.

아벨라는 사용인들이 사용하는 주방 쪽 현관문이 열리고,

지친 발걸음들이 일제히 현관을 지나 숙소로 향하는 소리를 들었다. 역시 믿음직한 세스. 정오에 오랬더니, 정말 정확하게 맞춰 돌아온 모양이다.

아벨라는 시간에 맞춰 제 목적을 달성했음을 깨닫고 그 자리에서 더없이 환하게 소리 없는 웃음을 터뜨렸다. 웃는 얼굴이 만개한 꽃처럼 화려했다. 마치 꽃망울을 터뜨리는 작약처럼 화려하고 순결한 웃음이었다.

쇼우의 눈이 휘둥그레졌다. 이번엔 황자비의 미태에 순수하게 감탄하는 놀라움이었다. 시간에 맞췄음에 뿌듯해하는 아벨라의 미소가, 그에겐 마치 오롯이 자신을 향해 짓는 것처럼 느껴졌다.

"그럼 나는 이만 가 볼게요. 수고해요."

아벨라는 쇼우에게 상냥하게 말하고는 유유히 등을 돌려 부엌을 빠져나갔다.

평온해 보이는 표정이었다. 하지만 아벨라의 주먹은 불끈 쥐어져 있었다. 가슴이 북소리처럼 쿵쾅대고 있었다.

과연 의도한 것처럼 시종들이 자신에게 호감을 품었을까? 동경을 넘어, 목숨을 바칠 만큼의 충정을 자신에게 바쳐 줄까?

그건 앞으로 확인하면 될 일이다.

"아씨, 정말 대단했어요!"

늦은 밤, 베티는 아벨라의 머리를 빗어 내리며 연신 들뜬 목소리로 오늘 있었던 일들을 떠올리기 바빴다. 그 정도로 아벨라의 언변은 특출 났다. 한 명 한 명을 설득해 나가는 그 파죽지세가 얼마나 통쾌하던지, 마치 베티 자신이 직접 편을 만드는 것 같이 느껴질 정도였다.

"그런데 아씨, 저 질문이 있어요."

아벨라의 윤기 어린 머리를 계속 빗질하던 베티가 문득 흥분이 가시지 않은 어조로 물었다.

"말해 봐."

"왜 걔네들이 수상한 건가요?"

그러자 아벨라가 고개를 돌려 베티를 흘끔 바라보곤 작게 미소 지었다.

"걔네들은 이미 텄어."

"네?"

"이미 나 말고 다른 사람을 위해 일하고 있을 거야. 다리를 뒀단 소리지."

"네? 대체 어떻게 아신 거예요?"

"출신 가문과 지역부터 봤어. 몰락 귀족 출신이거나 가난한 지역 출신이거나 부모가 한 명만 있거나 하는 자들부터 추렸어."

"출신 가문과 가난한 지역은 어떻게 아셨는데요?"

"응? 별거 아냐. 귀족 가문들은 귀족명부일람을 보고 찾았어. 이건 저 테이블 서랍에 있더라. 보니까 맨 앞에 제국력 249년 대귀족회의 기념이라고 쓰여 있는 게, 아무래도 그냥 뿌리는 책인 거 같아. 하여간 이런 쓸데없는 거 뿌리는 건 어디나 똑같아."

"네?"

"아, 아냐. 가난한 지역은, 일전에 도서관에 갔을 때 제국 전체 지역의 수입액과 수출액을 표기해 놓은 게 부도처럼 사전에 별첨되어 있기에 같이 들고 와서 심심할 때 외워 뒀거든. 부촌과 빈민촌은 파악해야 하잖아. 그리고 특산품이나 뭐 유명한 사항도 알아 둬야 할 것 같아서."

"헉."

"그리고 형제가 있는데, 형제의 결혼 유무를 표기하게 되어 있더라? 그래서 그걸 좀 봤지. 보통 첩자 짓은 가문의 부흥에 욕심이 있는 것들이나 엄마나 아버지가 어디 한 명 아프거나 탐욕스러운 사촌이 있거나 아프거나 돈 많이 쓰는 동생이 있을 때 하거든. 가족을 추리고, 가문을 추리고, 출신 지역을 추리고, 너희들이 알려 준 최근 동향이 수상한 것들, 그리고 바로 직전의 근무처까지 추리니까 딱 걔네 다섯 나오더라."

순간 베티의 입이 떡 벌어졌다. 놀란 눈이 튀어나올 것처럼 커졌다.

그런 그녀를 향해 아벨라는 빙그레 웃었을 뿐이다. 어쩐지 의기양양한 웃음이었다. 하지만 의기양양할 만했다. 베티는 그런 그녀를 향해 뭐라고 형용하지 못할 찬사의 눈길을 보냈다.

"아, 아씨. 정말 대단하세요!"

"알아."

아벨라가 기다렸다는 듯이 냉큼 대답했다.

"어떻게 그런 걸 외우실 생각을 하시지? 아씨, 혹시 천재세요?"

"알아. 그런데 좀 더 칭찬해 줘."

"아씨, 진짜 아카데미 가시면 다른 학자들을 손가락 하나로 짓누르실지도 몰라요."

"호호, 정말? 에이, 그래도 걔네들에 비하면 뭐 내가 대단하겠어?"

"아니에요! 이 정도면 아씨, 나라에서 모셔 가는 사학이 되고도 남을 거라고요!"

"아, 듣기 좋아라. 하긴, 나도 가끔 내가 부유한 여피족 백인 미국인 남성으로 태어났다면 어떨까 하는 생각을 종종해. 뭘 하든 어디 가서 한자리쯤 해 먹었을 거야. 유엔이라든가. 그렇지?"

"네?"

"아니다, 이건 너무 나갔다. ……아니야."

아벨라는 오리처럼 뾰족하게 입술을 내밀며 침통하게 대답했다.

가끔 베티의 주인은 저렇게 영 알 수 없는 말을 할 때가 있었다. 베티는 그런 그녀의 표정을 궁금해하는 대신 제가 궁금한 걸 묻기로 했다.

"그럼, 얘네가 수상한 거면, 이중에서 첩자를 어떻게 추려내시게요?"

"아냐, 내 생각엔 걔네 다섯 모두가 각각 다른 주인이 있어 보였어."

"네?"

"아마 걔네 다섯 모두가 첩자라고. 그리고 솔직히, 오늘 내가 만난 놈들 중에서도 첩자가 있을 거야."

아벨라는 손을 깍지 껴 크게 기지개를 켰다.

"헉, 그럼 어떡해요?"

"어떡하긴. 걔네가 첩자라면 대체 누구와 이어져 있는지를 봐야지. 그걸 파악해 둬야 해. 그래야 나중 일에 대비하기도 쉽지."

베티는 이제 숫제 정신이 나간 표정이었다. 감탄과 찬사, 그리고 호기심이 동시에 그녀의 얼굴에 스몄다.

"어, 어떻게 하시게요?"

"뭐, 심플하고 고전적인 방법으로."

아벨라는 더없이 여유롭고 한가로운 목소리로 의자 등받이에 몸을 편하게 기대며 말을 이어 나갔다.

"각자 다른 이야기를 알려 줄까 해. 어떤 애들이 누구에게 말을 전했는지 파악할 수 있겠지."

여기까지 말한 아벨라는 입을 다물었다.

"그렇지만 그건 나중에 할 일이야. 일단 내키진 않지만 재판도 있고."

"그렇죠."

"걱정돼."

저번 셰이라와 렌티아가 이야기하는 것을 들은 뒤로, 재판 시일이 가까워 올수록 아벨라는 점점 불안해졌다.

보아하니 시쳇말로 쪽수 싸움인 것 같은데, 그렇다면 투표권을 가진 사람들에게 로비라도 해야 하는 거 아닌가 싶었다.

그렇지만 누가 누군지도 아직 모르는 마당에 함부로 움직일 수 없다. 무엇보다도 아직 아벨라는 대외적으로 자신이 백치라는 설정을 계속 밀 계획이었다.

"이럴 때 공국이 움직이고 있다면 무슨 영화 같겠는데 말이야."

베티의 말대로 아벨라를 지켜보고 있다면 이 정도는 도울 수 있지 않을까?

"아, 모르겠다."

아벨라는 하품을 하곤 침대로 걸어갔다. 어떻게든 되겠지 싶었고, 무엇보다 지금은 피곤하니까.

물론 공국은 조심스럽게 이미 움직이고 있었다. 아직 아벨라는 알 수 없는, 까마득히 낮은 곳에서.

제3황자비 셰이라 데 플로바는 매우 기분이 좋았다.

오늘 아침에 일어나자마자 접견실에서 자신의 아버지가 기다리고 있다는 소식을 들었기 때문이다. 매우 이른 접견이었다. 이 경우 자신을 지극히 아끼는 아버지가 접견하는 이유는 단 하나였다. 귀한 장신구나 보물들을 진상하기 위해서였다.

플로바 백작이 운영하는 플로바 무역상단은 카셀란 제국에서 가장 큰 무역상단 중 하나였다.

플로바 백작은 본디 귀족이 아닌 상인 출신이었으나, 머리가 기민하고 돈의 흐름을 읽는 눈이 빨랐다. 그의 수완은 대단하기 짝이 없어, 서른 살이 갓 넘었을 때에 이미 제국에서 다섯 손가락 안에 꼽히는 거부가 되어 있었다. 그 중심엔 그가 세운 플로바 상단이 있었다.

이름을 바꾸기 전엔 설란베 상단이었지만, 원래 신분이 일천한 그가 가난했던 플로바 백작가에 데릴사위로 들어가며 백작위를 물려받음과 동시에 상단의 이름도 플로바로 바꾸었다.

원래라면 그는 황궁에 출입은 물론 중앙 귀족원에 드나드는 것조차 불가능했다. 백작이 되었다고 한들 그의 원래 출신은 비천했으니까.

그러나 귀족원이 그를 받아들이고, 심지어 황족과의 결혼을 성사시킬 수 있었던 것은 모두 플로바 백작의 치밀한 로비 덕택이었다. 그는 자신의 입지를 다지고 출신을 세탁하는 데 자신의 재산을 아낌없이 퍼부었다.

개중에서도 그의 딸 셰이라는 플로바 백작의 역작이었다. 플로바 백작이 쓰는 돈의 상당수는 바로 이 셰이라를 공들여 꾸미는 데 들어갔다. 플로바 백작가 특유의 외양을 고스란히 물려받은 셰이라는 플로바 백작의 혈통 증명서나 다름없는 존재였기 때문이다.

그리고 플로바 백작의 이 발악은 다행히 황실에서도 세도가로 이름 높은 샬롯 황비의 눈에 드는 성과를 거두었다. 제3황자와 셰이라를 성혼시킨 것이다.

이미 죽은 황태자와 어릴 때 죽은 2황자를 제하면 3황자가 황자들 중 가장 웃전이었다. 황제가 될 가능성이 높았다.

플로바 백작은 지금이 자신과 가문을 건 주사위를 굴릴 차례임을 알았다. 플로바 백작의 인생 숙원 사업이 정해지는 순간이었다. 제3황자의 자금줄이 되어, 그를 황제로 만들어야 한다.

그 이후로, 플로바 백작은 궁에 들어올 때마다 진귀한 진상품을 갖고 왔다. 제 딸에게도 진상하고 샬롯과 황제, 그리고 그 주변의 인물들에게 아낌없이 뿌려 플로바와 제3황자를 각인시키기 위해서였다.

셰이라는 이번에도 아버지가 자신을 위해 좋은 보물들을 갖고 왔으리라 확신했다. 그 계집에게 창피를 당했다는 소문을 듣고, 또한 앞으로 있을 황실 행사에서 기죽지 말라고 온갖 패물들을 구해 오셨을 게 분명했다.

셰이라는 자신의 아비를 위해 정성껏 치장한 뒤, 밝게 웃으며 접견실로 들어섰다. 셰이라는 시녀들을 문가에 세워 둔 채 그의 아버지에게로 다가섰다.

그런데 좀 이상했다. 플로바 백작은 오늘따라 무척 초조한 기색으로 접견실을 돌아다니고 있었다. 그의 충복인 하인 한 명만이 옆에서 조용히 시립하고 있을 뿐이었다. 셰이라가 고개를 설핏 기울였다.

"아버지?"

아버지가 왜 저렇게 초조해하시는지 모르겠다. 원래 저렇게 서 있을 분이 아니신데……. 아무리 다급한 일이라 할지언정, 상인은 표정이 변하는 일이 없어야 한다며 웃는 낯으로 여송연을 피우는 위인이 자신의 아버지일진대…….

셰이라는 웃으며 그를 불렀다. 플로바 백작이 그 자리에 딱 멈춰 셰이라를 바라보았다.

"아버지, 왜 그렇게 급해 보이셔요. 제가 그렇게 보고 싶으셨나요?"

셰이라는 애교 있게 말하며 그에게로 다가갔다. 다가갈수록 정말 이상했다. 플로바 백작의 목덜미가 진땀으로 이미 축축해져 있는 게 보였다.

"셰이라."

"예에, 아버지."

그때까지만 해도 셰이라는 제대로 상황 파악조차 하지 못했다. 자신의 아버지가 주실 목걸이를 위해 두 손을 미리 벌릴까

하는 생각 따위만을 할 정도였다.

그러나 플로바 백작은 셰이라의 예상처럼 근사한 목걸이를 갖고 오지 않았다. 목걸이가 아닌 값진 진상품도 없었다. 단지 그는 셰이라의 눈을 똑바로 바라보며 이렇게 말했을 뿐이다.

"딜루어 대공녀, 8황자비와 절대로 연관될 생각조차 하지 마라."

"네?"

"곧 너와 네 시누가 연다는 그 재판, 너는 무조건 무효표를 던져야만 한다."

제 아비의 입에서 저런 말이 나오리라곤 한 번도 생각해 본 적 없었다. 설마 농담일까 생각했으나, 플로바 백작의 얼굴에선 한 치의 장난기도 흐르지 않았다. 오히려 비장하게만 보였다.

그제야 셰이라가 눈을 부릅떴다.

"대체 그게 무슨 소리세요?"

새된 소리로 비명 지르듯이 대답했다.

"이른 아침에 오셔선 하신다는 말이 고작! 말도 안 되는 소리 하지 마세요! 왜 제가 제 표를 행사하지 못하나요? 아버지, 저는 이제 더 이상 당신의 자식이 아니라 황실의 일원이자 황자의 비입니다. 그런 제가 한낱 백치한테 머리채가 잡혔다고요! 목걸이도 빼앗기고…… 이런 수치를 주다니, 당장 귀양이라도 보내야죠!"

"그 목걸이!"

그때였다. 플로바 백작이 그녀에게로 성큼 다가갔다.

순간 셰이라는 아비의 기백에 눌려, 그의 눈을 피해 제 시선을 아래에 두었다.

"그 목걸이도 애초에 네가 대공녀에게서 빼앗은 게 아니냐!"

셰이라는 자신의 아버지가 이렇게까지 화난 모습을 본 적이 없었다. 얼굴은 검붉게 달아올라 있었고, 코와 입으로 연신 거친 숨을 내쉬고 있었다. 거기서 얌전히 입을 다물었으면 좋았으련만, 황족의 삶을 살면서 형성된 헛된 자존심은 셰이라의 본능적인 경고조차 눌렀다. 셰이라는 그 상황에서 도리어 턱을 쳐들고, 제법 당당하게 대꾸한 것이다.

"그, 그래요! 그게 왜요? 제가 더 웃전인데, 제가 갖는 게 죄인가요? 그렇다고 위아래 도리 없이 머리채를 잡는 것은 너무하지 않나요?!"

"닥쳐!"

셰이라의 바로 옆에 있던 하인이 "악!" 소리를 내며 쓰러졌다. 셰이라도 덩달아 놀라 짧은 비명을 지르며 물러섰다. 이럴 수가. 플로바 백작이 결국 분을 이기지 못하고 하인을 때린 것이다.

셰이라의 얼굴이 창백하게 질렸다. 맞은 것은 하인이었지만, 플로바 백작이 정말로 누구를 때리려던 것인지 이 자리의 누구보다도 잘 알고 있었다. 자신이었다. 플로바 백작, 자신의 아버지는 자신을 때린 거나 마찬가지였다.

플로바 백작이 충혈된 눈을 부릅뜬 채로 셰이라를 향해 거세게 고함질렀다.

"닥쳐라! 네가 감히 공국의 유일무이 독녀의 것을 빼앗아? 그 여자가 아무리 바보라 할지언정, 그 여자는 딜루어를 대표해 온 거란 말이다! 딸아, 이 아둔한 딸아. 그걸 모른단 말이냐?! 네가 이 황궁에서 괄시해도 되는 상대는 이 아비보다 약한 자다! 네 성이 갖는 딱 그곳까지 가야 한단 말이다!"

일갈한 백작은 뺨을 때리는 것으로 모자랐는지 하인을 향해 재떨이를 던졌다. 크톤 연합국에서 수입한 귀한 칠보 그릇이, 셰이라의 바로 코앞에서 산산조각이 났다. 하인이 벌벌 떨면서 더욱더 몸을 움츠렸다.

셰이라는 정말로 겁에 질렸다. 깨진 유리 조각이라도 스친 모양인지, 순간 셰이라의 드러난 발목 부근이 시큰했다. 아, 오늘 괜히 폴루네즈 가운을 골라선. 셰이라가 울상을 지었다. 금방이라도 눈에서 눈물이 떨어질 것 같았다.

그러나 그녀가 얼마나 다쳤는지, 얼마나 상처받았는지는 아랑곳 않은 채 백작은 다시 그녀를 향해 고함쳤다.

"아무리 멍청해도 그렇지! 그것이 백치고 그 계집이 가진 것을 빼앗고 싶거든, 더욱더 교활하게 놀 생각을 왜 못해! 네 남편을 치마폭으로 감싸든, 네년보다 높은 여자들의 엉덩이를 핥든, 네가 아닌 남의 권력에 숨어 휘두르란 말이다!"

셰이라는 주먹을 쥔 채 한참을 부들부들 떨었다. 무서웠다. 자신이 저지른 짓에 아버지가 왜 이렇게 화를 내는지 이해가 가지 않았다.

하지만 머지않아 셰이라는 아버지가 자신을 찾아온 이유를 알 수 있었다.

식식 화를 내던 플로바 백작이 눈을 번득이며 다시 씹어뱉듯 입을 열었다.

"우리 상단이 망하게 생겼다."

"예에?"

"망하게 생겼단 말이다. 벌써 크톤 지점 열여섯 곳이 부도가 났다. 왜인 줄 아느냐? 딜루어 은행에서 신용장의 사소한 철자를 문제 삼아 어음 지급을 거부했기 때문이다. 배들이 갓 거래 물품들을 선적한 저번 달부터!"

플로바 백작이 이를 악문 채로 그녀를 노려보며 말을 이었다.

"딜루어 은행, 아느냐? 딜루어 공국에서 만든 은행. 딜루어 은행은 무역하는 사람들이라면 반드시 거래해야 하는 은행이다. 선상보험에 있어서 신용도가 엄청나단 말이다. 그곳과 거래한다면 어떤 물건이든 제대로 된 대금을 제때 받을 수 있다고. 그런데 네깟 년 때문에 그 거래가 모두 끊어졌다!"

플로바 백작은 조곤조곤 설명하다가, 점차 분을 이기지 못하고 완전히 격앙된 목소리를 내었다.

"크톤 연합국 16개의 국가 중 딜루어 은행과만 거래하는 나라만 열 개 국가다. 사므텐 공국은 아예 딜루어의 이름이 아니면 그 공고한 철문을 열지조차 않는다! 그곳들과 이 내가 대체 어떻게, 어떻게 거래처를 텄는 줄 알아! 그걸 네가 모두 망쳤다!"

플로바 백작의 눈에 살기가 넘실거렸다. 셰이라는 그 자리에서 이젠 자신이 숫제 살해당하는 것이 아닌가 따위의 상상을 하기 시작했다. 아닌 게 아니라 정말로 제 아비의 눈에는 살기가 넘쳐흘렀다.

플로바 백작이 그녀를 똑바로 노려보며 중얼거렸다.

"잘 들어라. 다시 한번 네가 네 손으로 대공녀를 괴롭혔다는 이야기가 들린다면 그땐 내가 다시 와 네 목을 그어 버릴 것이다. 너 따위 멍청한 것 때문에 내 앞길마저 막힐 수는 없다. 네게 들어간 돈은 아깝지만 앞으로의 손해를 계산하면 네 목을 베어다 딜루어 공국에게 바쳐도 시원찮다. 알았느냐? 널 대신할 양녀들은 많다. 3황자에게 다른 플로바로의 재취를 권

하는 한이 있더라도 내 너만은 죽일 테니."

그의 살기에, 순식간에 공간 전체에 침묵이 어렸다. 얼어붙은 듯이 매서운 공간, 아무도 입을 열지 못했다. 셰이라가 데려온 시녀들 중 하나는 그 자리에서 다리가 풀린 채 울음을 간신히 참고 있었다.

"얌전히 이번 재판에서 무효표를 던져, 알았느냐?"

"하지만 황비께서……."

"그것조차 둘러대질 못하면서 내가 준 홍진주는 용케 두르는구나. 쫄딱 망해 소박을 맞는 결과를 그리도 원하누?"

플로바 백작의 통렬한 비웃음에, 이내 셰이라의 입가가 뒤틀렸다. 무서웠다. 이렇게나 자신의 아버지가 무서운 적이 없었다. 절벽에 몰린 사람처럼, 플로바 백작의 눈이 번들거렸다. 마음만은 진작 저기서 벌벌 떨고 있는 자신의 시녀들과 똑같았다. 그녀는 윗입술을 꾹 내리눌렀다. 괴상한 입 모양이 된 채, 셰이라는 간신히 허리를 눌러 숙였다.

"……명심하겠습니다."

"또 대공녀에게 얌전히 사과문과 선물을 보내라. 그로도 수습이 되지 않는다면 네년이 직접 찾아가 빌어! 우리 상단은 살려 달라고 네발로 기어가 싹싹 빌란 말이다!"

"……흐윽."

기어코 허리 숙인 셰이라의 입에서 흐느낌이 새어 나왔다. 하지만 이 접견실 안, 그녀의 울음을 달래 줄 이는 아무도 없었다.

Chapter 6

Chapter 6

재판을 걱정하던 한 달 전이 바로 어제 같은데 벌써 재판 당일의 아침이 밝았다.

막상 재판이 열린다고 하니 긴장이 되었다. 아벨라는 제 접시 위의 부드러운 훈제연어와 비스킷을 툭툭 포크로만 건드렸다.

재판에 대비해, 그간 아벨라가 뭘 했냐고? ……아무것도 하지 않았다.

변명하자면 궁 안의 시녀와 시종들을 컨트롤하는 데만도 벅찼다. 게다가.

"……식욕이 없어?"

그녀의 맞은편에서 얇은 빵 조각 위에 머스터드와 햄을 올리던 펠리체가 물었다. 아벨라는 뾰로통하게 입술을 모았다.

"당연하지."

"긴장할 필요 없어. 별거 아니야. 무사히 궁으로 돌아올 거야."

벌써 몇 번째나 들은 이야기였다. 펠리체는 아벨라가 일찍 돌아오라고 일갈한 이후로 꼬박꼬박 정해진 시간에 돌아와 아벨라에게 안부 인사를 건네러 왔다.

자연히 둘이 식사하는 시간도 많아졌는데, 아벨라가 걱정하는 기색을 보일 때마다 펠리체는 저렇게 말했다.

"그렇게 말한다고 긴장이 풀릴 리가 없잖아."

아벨라가 툴툴댔다. 펠리체는 그런 아벨라를 보고 입꼬리를 올려 미소 지었다. 이런 때에도 더럽게 잘생겼다. 그래, 얼굴을 보니 좀 위안이 되는 것 같기도 하고.

아벨라는 펠리체를 향해 힘없이 웃어 주곤 접시를 아래로 내렸다. 하지만 펠리체의 말대로 마음을 편하게 먹기엔 걸리는 게 한 가지 있었다.

바로 셰이라 플로바, 오늘 재판의 주인공 중 하나인 제3황자비 때문이다.

며칠 전의 일이었다. 갑자기 제3황자비로부터 선물이 왔다.

아주 작은 다이아를 촘촘히 이은 정교한 팔찌 한가운데엔 노란 다이아몬드가 박혀 있었다. 그것까진 괜찮은데, 그와 같이 온 메시지가 문제였다. 아주 짧은 메시지였는데, 이렇게 쓰여 있었다.

[제 결례를 진심으로 사과합니다. 저를 용서하세요.]

결례? 무슨 결례? 그녀들은 계속해서 아벨라가 결례를 저질렀다고 주장하고 있었다.

그러니 아벨라에게서 목걸이를 훔치려고 했었던 바를 사과하는 건 아니겠고. 설마…… 앞으로 자신이 아벨라에게 '결례할 일이 있을 거다'라고 비꼬는 건가?

그러고 보니까 말이 되긴 된다. 다례회에서 이미 이 귀부인이라는 작자들의 돌려 돌려 돌림판 같은 화법을 경험한 아벨라였다.

이 편지에는 분명히 고도의 비꼼이 숨어 있는 게 확실하다.

그리고 아벨라는 바로 그 순간부터 몹시 불안해지기 시작했다. 대체 무슨 결례를 저지를 건데.

야, 차라리 이러저러하게 엿 먹일 거라고 PPT를 해 줘라. 마음의 준비라도 할 수 있게!

그때를 다시 떠올리던 아벨라는 찝찝한 듯이 입술을 불퉁 내밀고는 포크로 노른자를 터뜨렸다.

긴장의 극한에 다다랐는지, 이젠 그냥 아예 긴장을 넘어 초탈해지기까지 한다. 아, 모르겠다. 될 대로 되라지. 어쨌든 오늘 가서 입 딱 다물고 있으면 될 거 아냐.

"하하, 괜찮아. 잘될 거야."

이런 아벨라의 심정을 아는지 모르는지, 펠리체가 부드럽게 웃음을 터뜨렸다. 웃긴. 아벨라는 밉지 않게 눈을 흘기면서 그가 오늘 차려입은 모습을 살폈다. 붕대로 칭칭 동여맨 몸과 두르고 있는 어두운 암적색의 로브를 보니 마치 음모를 꾸미는 흑마법사 같았다. 이제 저 얼굴마저 붕대로 감으면 다시 화상을 입은 괴물 황자가 되겠지.

하지만 아벨라는 이미 알고 있다. 저 붕대 아래에는 거짓말같이 멀끔한 근육질의 몸매와 녹을 정도로 부드럽게 웃는 잘생긴 얼굴, 그리고 아름다운 암황색의 눈동자가 빛나고 있음을.

잠시 펠리체를 보던 아벨라가 이내 마주 웃었다. 왜 저렇게 웃는지는 이해하지 못하겠지만, 그래도 펠리체가 저렇게 말해 주는 게 도움이 되기는 했다. 10초 전까지만 해도 어쩌면 좋냐고 덜덜 떨고 있었는데 말이야.

저 얼굴을 보는 것만으로도 진정이 되다니. 말이 되나? 펠리체가 최강 미남자라서일까?

아니면…….

악, 아냐. 생각하지 말자.

아벨라는 보일 듯 보이지 않게 고개를 미세하게 젓고는 다시 식사에 집중하기 시작했다.

그래, 다른 생각 말고 조금이라도 먹어 두자. 어차피 굶어 봐야 아벨라 자신만 손해가 아닌가.

두 사람은 채비를 하고 백영궁으로 가는 마차에 나란히 올랐다. 펠리체는 마부나 다른 이들이 안쪽을 볼 수 없게 마차의 창을 완전히 닫은 뒤, 푹신하게 솜을 넣어 누빈 등받이 쿠션에 몸을 기댔다. 펠리체가 작게 속삭였다.

마차의 소음에 묻히게 하려는 목소리라, 아벨라는 펠리체에게 아예 허리를 숙이다시피 해야 그의 말을 들을 수 있었다.

"간단하게 설명해 줄게."

펠리체가 입을 열었다.

"황궁의 세력 구도는 너도 이미 알다시피 샬롯 대 나머지나 다름없어. 그리고 오늘, 10황자를 제외한 모두가 모이지."

"10황자라고 하면."

"내 동생. 체하트 단 카셀란. 길라 황귀비에게 양자로 가 그의 밑에서 자라고 있지. 올해로 열다섯밖에 되지 않은 데다 시험이 있어서 못 오겠다며 불참을 선언했어."

"그럼…… 우리가 불리해지는 거 아냐?"

"아냐. 표가 아쉬운 상황은 아니니 괜찮아."

펠리체는 빙그레 웃은 뒤, 제게 바짝 머리를 붙여 온 아벨라의 이마를 제 머리로 장난스레 밀었다.

"심각한 얼굴 할 필요 없어. 계속 말하자면 황자는 일곱, 황녀는 셋, 황자비는 넷, 그리고 황제와 황후, 황비와 황귀비 모두 합쳐 18명이 지금 현재 재판에 참여하는 사람들인 거야."

"후궁은 단둘뿐인 건가?"

"응. 지금은. 원래는 다섯 명 정도 되었던가, 그런데 모두 돌아가셨어."

"……모두?"

"네게 자세한 걸 설명할 수 있었으면 좋겠지만, 너무 복잡해."

펠리체는 희미하게 웃곤 계속 이어 속삭였다.

"샬롯 황비의 사람들만 알아 둬. 이 사람들이 네게 확연히 적대적인 사람들이야. 제3황자 다로프 형님, 제3황자비 세이라, 제7황자 아리하, 제9황자 제롬, 그리고 1황녀 겔다 도르테오 후작 부인, 4황녀 렌티아까지 6명이야. 샬롯까지 합치면 총 7표가 되겠군."

"어?"

수를 헤아리던 아벨라가 미간을 찌푸렸다.

"황후는 이번 판결을 주관하니 발언권이 없고, 길라 황귀비는 기권한다고 이미 발언했었다면서. 거기다 황제는 샬롯 편을 들 수 있으니 뺀다 치면, 우리 쪽은 여덟 표가 되는 거야?"

"맞아."

"아슬아슬하네. 변수가 있을 수도 있겠다."

아벨라가 어깨를 늘어뜨리자, 펠리체가 다시 웃음을 흘렸다.

"글쎄. 그건 봐야 돼."

"그래, 좋아. 알겠다고. ……그런데 말이야."

"뭔데?"

"7황자와 9황자는 왜 샬롯의 편을 드는 거지? 이들은 샬롯의 태생이 아니잖아. 성격이 못된 편이야?"

펠리체는 한숨을 쉬곤 고개를 저었다.

"아니. 반대 세력이지만 이들은 사실 그렇게까지 나쁘지 않아. 그저……. 지금부터 내가 하는 이야기는 그냥 흘려들어."

펠리체가 말을 이었다.

"7황자는 제 어미 메이아 귀비를 죽인 사람이 이미 죽은 틸라 향비라고 굳건히 믿고 있어. 왜냐면 샬롯이 메이아를 죽인 죄를 물어 제멋대로 틸라를 죽여 버렸거든. 하지만 그때 증거는 없었고, 틸라 향비가 죽을 때 반대하는 사람도 많았어. 특히나 틸라 향비 태생의 4황자와 5황자의 분노는 굉장했지."

아벨라가 입을 쩍 벌렸다. 뭐냐고 묻기만 하면 줄줄이 나오는 막장 드라마라니. 그야말로 복수의 대서사시 같았다.

"그래서 틸라 향비 태생의 4황자와 5황자는 샬롯을, 7황자는 4황자와 5황자를 맹렬히 싫어해. 9황자는 7황자와 달리 이성이 있어 틸라 향비의 죽음이 석연찮다는 건 알고 있어. 하지만 그는 이미 아카데미에 적을 두겠다고 선언했지. 그저 7황자를 형으로서 존중하기 때문에 그를 따르고 있는 거야."

"어, 엄청 복잡하다, 그쪽도."

아벨라의 말에 펠리체가 천천히 고개를 기울여 왔다.

왜, 왜 이래?

놀란 아벨라가 딱 굳었을 때였다. 펠리체가 아벨라의 귀에 대고 조용히 속삭였다.

"이런 이야기는 네가 신경 쓸 필요 없어, 아벨라."

귀에 와 닿는 목소리에, 아벨라의 눈이 크게 뜨였다. 놀란 채 그를 다시 마주 보니, 펠리체가 붕대 너머로 그 다정한 암황색 눈동자를 빛내고 있었다.

"괜찮아."

그가 다시 한번 그녀에게 확인해 주듯 속삭였다.

본궁에 도착한 아벨라는 펠리체의 손을 잡은 채, 천천히 걸어 들어갔다. 빈델 궁내부장이 현관에 마중 나와 있었다.

"어서 오십시오. 4층의 대관으로 안내하겠습니다."

"알아서 가겠다."

"따르겠습니다."

8황자 내외에게 고개 숙인 빈델은 한 치의 오차도 없는 미소를 지었다. 너무 완벽한 미소라 위화감마저 느껴지는 미소. 아예 웃는 가면을 뒤집어쓴 느낌이다. 하여간 다시 봐도 별로야. 아벨라는 내색하지 않은 채로 그를 지나쳐 올라갔다.

시종은 당연히 따라오지 않았다. 어차피 대관은 황제나 황제의 가족들만 드나드는 사적인 영역. 그 어떤 시종보다 펠리체 스스로 거니는 게 더 익숙할 터였다.

펠리체는 아벨라의 손을 잡은 채 성큼성큼 앞서 걷기만 했다. 층계를 올라 아무도 없는 복도를 걸었다.

"펠리체, 너무 빨라."

아벨라는 종종걸음으로 그를 쫓다, 결국 볼멘소리를 아주 작게 뱉었다.

바람소리보다 작은 소리였다. 하지만 펠리체는 아벨라가 속삭이자마자 보폭을 줄이고, 그녀의 걸음걸이와 맞추려 노력했다.

"……미안."

펠리체가 작게 사과했다.

"네게 보여 주고 싶은 게 있어서 마음이 급했어."

나직하게 속삭이는 말투에, 아벨라는 다만 고개를 끄덕였다. 보여 주고 싶은 거라고? 대체 그게 뭐지?

펠리체와 손을 마주 잡고, 이제야 원래 보폭으로 복도를 거닐게 된 아벨라가 주위를 살폈다.

그나저나 복도에 뭐가 많다. 정물화에 나올 법한 과일들이 비싸 보이는 자기와 함께 바구니에 뉘어지듯이 늘어져 있었다. 저거 다 먹을 수 있는 건가? 아벨라가 과일을 바라보며 눈을 깜박일 때였다.

"여기군."

순간, 펠리체가 속삭였다. 응? 뭐라고? 아벨라가 반사적으로 고개를 돌렸을 때였다. 펠리체가 웬 벽을 향해 씨익 웃고 있었다.

뭐야, 얘가 왜 이래? 아벨라가 어리둥절한 표정을 지었다. 펠리체는 마치 어디 애니메이션에나 나올 법한 장난꾸러기 같은 표정을 짓고 있었다.

한쪽 눈썹이 들리고, 자연스레 입가가 의뭉스럽게 변한다. 아벨라는 서서히 미간을 찌푸리며 펠리체가 보는 곳을 향해 시선을 돌렸다.

벽?

벽뿐인데.

"여기가, 네게 보여 주고 싶었던 곳이야."

엥? 아벨라가 미간을 찌푸렸다. 벽이? 황궁의 벽이?

백치를 가장하고 있으니, 소리 내서 비웃을 수도 없다. 아벨라는 비난하는 표정으로 펠리체를 바라봤다.

황궁 벽이 여기만 때가 안 탔다더라, 뭐 이런 걸 말하고 싶어서는 아니겠고. 아벨라가 시선으로 펠리체를 마구 힐난하고 있을 때였다.

펠리체가 피식 웃었다. 마치, 아벨라가 아무것도 모르고 있다는 듯한 표정이었다.

"알았어."

펠리체가 씨익 웃으며 말했다.

"보여 줄게."

그리고 그때였다.

펠리체가 그녀의 어깨를 와락 끌어안은 채 벽으로 몸을 날렸다.

"악!"

아벨라가 소리쳤다. 펠리체가 복도 맞은편 벽에 그대로 돌진한 것이다. 얘가 미쳤나 봐! 왜 벽에다가 몸통 박치기를 한담?!

아벨라는 그대로 눈을 꽉 감았다. 맙소사! 이제 곧 부딪히겠지! 엄청 아프겠구나!

……응?

이상하다. 복도가 이렇게 넓었나? 아벨라는 눈을 꽉 감은 채로 생각했다. 분명히 전속력으로 벽을 향해 돌진했는데, 아직까지도 벽에 부딪히질 않네? 아니다, 이제 곧 부딪힐 거야.

원래 시간은 상대적인 거라잖…….
"눈 떠도 돼."
갑자기 머리 위로 펠리체의 상큼한 목소리가 들렸다. 속을 줄 알고! 아벨라가 눈을 꼭 감은 채 고개를 저었다. 이러다 눈 뜨면 바로 코앞이 벽일 것 같았다.
"정말 눈 떠도 된다니까. 아, 참. 말도 해도 돼."
"뭐?"
말을 해도 된다고? 펠리체의 말이 떨어지자마자 아벨라는 눈을 반짝 뜬 채 어리둥절한 듯이 주변을 둘러보았다.
"……뭐야?"
굉장히 좁은 길이었다. 주변은 황실의 복도와 같은 실내 장식이 되어 있었지만, 아벨라는 이곳이 정식 복도가 아닐 거라는 확신이 들었다.
좁은 복도 안에서 펠리체와 그녀는 거의 몸을 밀착하는 수준으로 붙어 있었다.
"벽인 줄 알았지?"
펠리체가 웃으면서 속삭였다.
"벽이 아니면? 펠리체, 여기가 어디야?"
아벨라는 어리둥절해하며 물었다. 펠리체는 그런 아벨라가 더없이 사랑스럽다는 듯이 바라보았다.
"여기가 내가 네게 보여 주고 싶다던 곳이야. 황실의 '비밀 공간'에 온 걸 환영해, 아벨라."
펠리체의 말에, 아벨라의 눈이 휘둥그레졌다. 황실의 비밀 공간이라고?
"이걸 보여 주고 싶어서 시종도 떼어 놓고 온 거야."

펠리체가 빙글빙글 웃으며 아벨라에게 설명했다.

"이 궁은 중간중간 이렇게 숨은 공간이 있어. 이 공간 사이를 누비면 어디든 이동할 수 있는 미로가 완성되거든."

"미로라고?"

아벨라의 눈이 반짝였다. 마치 미지를 탐사하는 탐험가라도 된 기분이었다.

"그런데 이런 미로가 있는 줄은 아무도 몰라. 물론, 황제는 빼고. 원래 이 미로는 황제만 출입할 수 있던 거라더라."

"이 비밀 통로를 황제에게 배운 거야?"

아벨라가 묻자, 펠리체는 웃으며 고개를 저었다.

"우연이었어. 운이 좋게 더듬더듬 함정을 피하며 탐사했고, 통로 안에서 침입자가 있음을 안 황제를 만났지."

아벨라의 눈이 반짝였다.

"그럼 황제랑 너밖에 아는 사람이 없는 거네?"

"일단은. 하지만 나처럼 누군가 우연찮게 발견했을 수도 있어. 이 벽은 환술로 벽처럼 보일 뿐이고, 황족 이외의 작자에겐 정말 단단한 벽처럼 느껴지는 것 같지만…… 그래도 만지면 벽 안으로 손이 들어가거든."

"흐으음."

아벨라는 고개를 끄덕이곤, 주변을 돌아보았다. 엄청 신기하고 구미가 당기긴 했다. 펠리체에게 가르쳐 달라고 해 볼까?

이게 아니지. 지금은 나가야 할 때였다. 재판까지 얼마 남지도 않았는걸. 아벨라는 제 옆에 바짝 붙어 있는 펠리체를 바라보며 입을 열었다.

"그런데 되게 좁다. 얼른 나가……."

아벨라가 말하는 순간이었다. 펠리체가 아벨라의 허리를 끌어당겨, 완전히 품에 가둔다.

“맞아. 좁지.”

펠리체는 아벨라의 뒷말은 듣지 못한 척하며 뻔뻔하게 눈을 휘어 웃었다.

“그러니까 잠깐 이렇게 이야기합시다. 오붓하게요, 부인.”

“……!”

순간, 아벨라의 얼굴이 ‘펑’ 하는 소리라도 날 듯 붉어졌다. 아까 마차에서보다 훨씬 더 가까이 와 닿는다. 솜털까지 곤두설 정도였다.

“끼야아아악!”

결국, 패닉한 아벨라가 꽥 소리쳤다. 급히 얼굴을 멀리 떨어뜨리려 했지만 가능할 리 없었다. 애초에 매우 좁디좁은 틈이라 두 사람이 서로 마주 보고 서는 것만으로도 가득 차 움직일 틈이 없었다.

“너, 대체, 야, 너…… 너 되게 뻔뻔하다? 악!”

“아니, 아니. 저기.”

펠리체는 아벨라가 기댄 벽에 손을 짚었다.

“진정해, 아벨라. 농담이야, 짓궂게 굴어서 미안해! 소리가 나도 된단 거지 소리를 질러도 된단 건 아니라고.”

“이렇게 붙으면, 붙으면 부끄럽단 말야!”

아벨라가 솔직하게 말하는 그때였다. 그 순간 펠리체의 얼굴이 훅 붉어졌다.

“네가 그렇게 말하니까 나도 부끄러워지…… 아니다, 내가 잘못했어.”

펠리체는 허리 대신 아벨라의 손을 잡아 제 가슴에 대었다. 두 사람은 서로 붉은 얼굴을 한 채 떨리는 눈동자로 마주 보았다.

아벨라의 손으로 펠리체의 맥박이 느껴졌다. '쿵쿵' 펠리체의 심장이 빠르게 뛰고 있었다.

"네게 말하고 싶은 게 있어서였어."

"……그게 뭔데?"

아벨라가 그사이 잠긴 목소리로 물었다. 심장 소리를 들으니 조금 진정이 되고, 방금 전 행동을 자각했다.

큼, 큼……. 아벨라는 슬그머니 헛기침을 했다. 방금은 좀 호들갑을 떤 것 같았다.

고작 끌어안긴 걸로 가슴이 그렇게 뛰고 말이야. 너무 젬병처럼 보이잖아. 좀 의연하게 대처해도 됐을 텐데. 에라이, 모르겠다.

"소리 질러서 큼, 미안해. 뻔뻔하다고 한 것도."

아벨라가 눈을 내리깔며 조그맣게 속삭였다. 뜬금없는 사과였다.

아벨라의 사과에, 펠리체가 목을 울려 키득키득 웃었다. 마치 소년 같은 장난스러운 웃음이었다. 웃어? 이게 웃겨?

아벨라가 억울한 감정을 가득 담아 반박했다.

"야, 너는 사람이 사과하는데 웃냐?"

"아니, 정말 웃겨서가 아니라 귀여워서. 귀여워서 그래. 내가 잘못했다고 말했는데도…… 사과해 주니까. 내가 놀라게 했잖아."

펠리체가 목으로 웃음을 삼키면서 눈부시게 웃었다. 손에 와 닿는 펠리체의 심장 고동은 여전히 빠르게 맥박치고 있었다.
"미안해, 아벨라."
아, 안 돼. 이대로라면 완전히 홍당무가 될지도 몰라. 아벨라가 그 자리에서 세게 도리질 쳤다.
"어, 어쨌든! 하려던 말이 있다며, 그래서 온 거라며. 그게 뭔데!"
"아. 이 말을 해 주는 걸 깜빡해서."
펠리체는 태연하게 답하며 아벨라의 머리칼을 살그머니 쥐었다. 부드러운 금발이 펠리체의 붕대투성이 손에 감겼다가 틈새로 빠져나갔다.
"걔네 머릿수가 많아서 네가 벌을 받아야 한다고 하면, 바로 한 번 더 달려들어서 다 잡아 뜯어 놔. 내가 책임질게."
"뭐?"
"머리를 다 뽑아 놔도 돼. 너 하고 싶은 대로 해. 너 벌 안 받아, 안 받게 할 거야."
말도 안 되는 소리에 아벨라가 자신도 모르게 '푸핫!' 웃음을 터뜨렸다. 펠리체도 다시 그녀를 따라 키득거렸다. 한참을 소리 죽여 키득이던 둘이 다시 서로를 마주 보았다. 웃느라 눈물이 고인 채 아벨라가 물었다.
"대체 뭘 믿고 그래?"
"뭐, 그냥 준비하고 있는 걸 일찍 터뜨려서라도 어떻게든."
준비하고 있는 게 뭔지는 모르겠지만 딱히 대책은 없다는 뜻 같았다.
중요한 건, 이 되도 않는 말을 그는 어쩐지 진심으로 하는 것 같다는 점이다. 아벨라는 웃음기를 거두며 그를 빤히 바라보았다. 붕대로 온통 감겨 있는 얼굴인데, 아벨라는 어쩐지 그가 만면에 미소를 띠고 있는 것 같았다.

애는 볼 때마다 캐릭터가 달라지는 것 같아. 처음 만날 땐 신실한 기사 같았는데 푸른 방에선 한없이 어수룩한 얼뜨기 같다가, 적색궁을 설명하던 날엔 한없이 상처받은 반항아 같다가.

지금은…… 지금은 능청맞고 여유로운 어른처럼 군다.

문득 가슴이 거세게 뛰는 게 느껴졌다. 하지만 아벨라는 티 내지 않으려 노력하며 펠리체를 물끄러미 응시했다. 푸르고 깊은 바다 같은 눈동자가 펠리체를 가득 담았다. 펠리체 또한 그 선명하고 아름다운 암황색의 눈동자로 그녀를 다정하게 바라보았다.

"원래라면 분명히 설렜을 텐데."

아벨라는 시선을 떼지 않은 채 희미하게 웃으며 말을 이었다.

"그 말을 하는 사람이 붕대를 칭칭 감고 있어서 하나도 설레지가 않아."

그러자 펠리체도 잠시 '하하' 웃곤 대답했다.

"설레라고 말한 거 아니야. 착각도 심하네."

가벼운 농담 섞인 대화, 그렇지만 둘 모두 그 대화 이면에 다른 감정이 있음을 알았다. 서로가 서로에게 의미 모를 감정으로 엮였다. 둘은 그렇게 서로를 오래도록 마주 보았다.

'제8황자비 아벨라의 황족 상해죄를 심판하기 위한 황실 회의'는 정말로 이상하다 싶을 정도로 싱겁게 끝났다.

아벨라가 벌을 받아야 한다에 거수한 사람이 턱없이 적었기 때문이다.

처벌 찬성 5명, 처벌 반대 8명, 기권 5명.

게다가 거수 결과가 정말로 의외였다. 아벨라의 처벌을 찬성하는 쪽이 펠리체의 예상보다 두 사람이나 적었다.

3황자비 셰이라와 9황자 제롬.

아벨라는 아까의 상황을 떠올렸다. 다시 생각해도 이해가 되지 않았다.

"판단이 불가하여…… 기권합니다."

셰이라가 울먹이는 목소리로 고개를 저었다. 렌티아가 "언니!"라고 째지는 비명을 지르거나 "당신 미쳤소?"라고 제3황자가 다그쳐도 아랑곳하지 않았다. 더 이상한 것은 9황자였다.

"제8황자비는 지적 능력에 심각한 문제가 있어 자기 행위의 결과를 합리적으로 판단할 의사 능력이 없는 심신상실인 자라 들었습니다. 고로, 그녀가 행한 행위에 있어 상당 부분 참작이 되어야 한다 생각합니다. 처벌은 반대합니다."

답변한 9황자는 이어 샬롯을 향해 말했다.

"그리고 앞으로 이런 일에 부르지 마셨으면 합니다. 연구가 힘들어서요."

그의 말에 샬롯 황비는 눈만 슬며시 흘뿐 대답하지 않았다. 하지만 그녀의 심기가 언짢음을 누구나 알 수 있었다.

황제는 턱을 괸 채 그들의 말을 모두 경청하고 있었다. 아벨라는 황제를 좀 더 유심히 지켜보았다. 처음 만나는 시아버지가 아닌가. 처음 만나는 자리가 이런 곳이라니 어쩐지 우습지만.

황제의 이목구비는 펠리체와 매우 흡사했다. 황제의 젊을 적 초상화가 있다면, 펠리체와 매우 똑같이 생겼을 거라는 확신이 들 정도였다. 아, 이 경우엔 펠리체가 황제를 닮았다 말하는 게 좋을까?

게다가 눈동자도 똑같았다. 저 암황색 눈동자 말이다. 하지만 다른 점이 있다면, 황제의 눈동자는 매우 메마르고 차가웠다.

황제는 황족들의 거수를 모두 헤아린 뒤, 황금 의사봉을 쥐고 두 번 두드렸다.

"그럼 판결하지."

황제가 건조하지만 명확한 발음으로 말을 이어 나갔다.

"원래는 내명부의 일이나, 오늘은 특별히 짐이 의장을 대리하여 판결코자한다. 제8황자비의 황족 상해 건에 대해 판결한다. 찬성 거수자는 샬롯 황비, 3황자, 7황자, 1황녀, 4황녀 총 다섯. 반대 거수자는 황태자비, 4황자, 4황자비, 5황자, 6황자, 8황자, 3황녀와 9황자까지 여덟. 기권자는 10황자와 3황자비, 원래 의장을 맡았던 황후, 그리고 짐과 길라 황귀비 다섯. 5대8로 8황자비의 혐의를 기각한다."

의사봉이 묵직하게 세 번 울리고, 두 달 동안 온갖 겁을 줬던 회의는 어이없이 끝났다. 그것도 아벨라를 편드는 자가 압도적으로 많은 채로. 아벨라는 울지도, 웃지도 못한 채 단지 미묘하게 얼굴을 찌푸렸을 뿐이다.

이게 정말 끝인가. 아벨라 혼자 한참을 고민하는데, 보란 듯이 황제가 자리를 박차고 나갔다. 황제는 아벨라에게 아는 척도 하지 않았다. 누가 보면 처벌에 찬성한 사람인 줄 알겠다.

황제에게 아무 소리 듣지 못했어도 괜찮다. '처벌을 면해서 다행이다' 같은 소리는 바라지도 않았으니까.

황제가 의자를 박차고 일어서자, 그 옆의 황후도 동시에 일어났다. 그리고 그 뒤를 이어 길라 황귀비와 샬롯 황비가 일어났다. 테이블에 앉아 있던 다른 황족들이 일어나 그에게 무릎을 굽혀 깊이 절했다.

황제와 황후들이 일어나 나간 뒤, 황자들도 움직이기 시작했다. 우호 관계인 사람들끼리 인사나 한담을 나누는 식이었다.

"너무 싱거웠는걸."

"그래도 일찍 끝나니 다행이지. 여, 펠리체."

"오늘은 감사했습니다."

4황자와 5황자는 펠리체에게 찡긋 눈짓하면서 사라졌다. 두 황자는 서로 몹시 닮아 있었다. 심지어 짙은 고동색 머리와 검은색의 눈동자까지 똑같았다. 쌍둥이인가?

"멍청하긴, 대체 왜 일을 여기까지 키운 건지."

"발리엇 형님."

"짜증 나 죽겠으니 말 마라. 나 간다."

연한 백금발에 연갈색 눈동자를 가진, 척 봐도 신경질적으로 보이는 인상의 미남자가 투덜거리면서 지나쳤다.

펠리체가 입술을 다문 채 아벨라에게 작게 '6황자'라고 흘려주었다. 말 안 해도 알아. 아까 거수할 때 다들 자기 이름 말했다고.

아벨라는 그를 향해 눈동자를 굴린 뒤 시선을 돌렸다. 그리고 그 뒤를 이어 황귀비의 무리들, 그러니까 아벨라에게 유죄라 말했던 작자들이 우르르 대관을 나갔다.

3황자는 무정하리만큼 큰 보폭으로 혼자 걸어 나갔다. 3황자비가 뒤처진 채 울고 있는데도 그녀를 기다린다든가, 울음을 달래 줄 생각조차 않는 모습이었다.

이내 7황자가 그를 지나쳤다. 펠리체에겐 한마디 말도 없었다. 그러나 그 옆을 걷던 9황자는 달랐다. 그만이 멈춰 펠리체에게 가볍게 고개 숙여 인사했다.

"형님."

"……제롬."

펠리체의 목소리도 유독 부드러웠다. 다른 이들을 대할 때보다도 훨씬 우호적이고 선량한 미소였다. 샬롯 황비의 편이라고 해도 사이가 그렇게 나쁘진 않은 듯했다.

제롬이라 불린 남자가 웃으며 대답했다.

"일단 일이 원만하게 수습되어 다행입니다."

"너야말로, 그런데 말이 너무 직설적이었어. 괜찮겠어?"

"황비 저하가 안 괜찮으면 어쩔 겁니까. 전 어차피 이런 싸움 관심 없습니다."

펠리체는 그의 말에 짧은 웃음소리를 내곤 다시 입을 열었다.

"……그래. 체하트는 요즘 어때?"

"검에 관심을 많이 두네요. 공부도 못하는 게."

"네가 잘 돌봐 줘. 부탁한다."

"편애라고 다른 학생들이 욕합니다."

제롬이 대꾸하다가 아벨라에게로 시선을 돌렸다.

"그나저나 형님."

제롬은 입은 펠리체를 향하면서도 시선은 아벨라를 향했다.

뭘 봐.

아벨라는 의아한 기색을 숨기면서도 그의 눈을 피하지 않고 마주 보았다.

그래도 시선이 딱히 기분 나쁘진 않았다. 아까 황자들은 자신을 동물원 원숭이 보듯 했으나 이 남자는 좀 달랐다.

선량하고 수줍은 눈인가 했는데, 이상하게 눈동자가 날카로운 빛을 담은 듯도 하다. 착각이겠지, 저렇게나 부드러운 얼굴인데.

어쨌든 펠리체의 태도도 괜찮으니 아벨라는 이 사람을 좀 더 잘 기억해 두기로 했다. 반대 세력이라지만 이번에 아벨라를 도와줬으니까.

“우리도 슬슬 가자.”

제롬과 대화를 마무리한 펠리체는 뒤쪽 아이타에게 눈빛으로 안부를 일별한 뒤, 짤막하게 말했다.

펠리체와 아벨라가 막 대관을 나서 복도를 걷던 그때였다. 문득 아벨라는 걸음을 멈췄다. 웅웅대는 소음이 어디선가 들렸다.

이게 무슨 소리지? 옆을 바라보니, 펠리체도 소리를 들은 모양인지 가만히 소리 나는 쪽을 찾고 있었다.

오래지 않아 아벨라와 펠리체는 소리가 나는 근원을 찾았다. 복도의 끝, 비어 있는 대관 중 하나의 방에서 들려오고 있었다. 심지어 문이 조금 열려 있기까지 해, 안쪽 상황이 적나라하게 보였다.

렌티아 4황녀와 셰이라 3황자비였다. 3황자는 어디로 갔는지 보이지 않았다. 렌티아가 셰이라의 손목을 붙잡은 채 나직하게 뇌까리고 있었다.

비록 소리는 들리지 않았어도, 단박에 알 수 있었다. 렌티아가 셰이라에게 화를 내고 있었다.

렌티아의 눈에 시퍼렇게 날이 서 있었다. 셰이라는 렌티아에게 잡힌 손을 빼내려 들면서도, 결국 잡힌 채로 그 자리에서 고개를 푹 숙이고 있었다.

그리고 얼마 지나지 않아, 셰이라의 몸이 바들바들 떨리기 시작했다. 조금 멀리 떨어져 있음에도, 셰이라의 안색이 백지장처럼 하얘지는 게 보였다. 하지만 렌티아는 그녀가 떨고 있는 모습을 봤음에도 제 고개까지 디밀어 가며 악착같이 말하고 있었다.

아벨라의 미간이 찌푸려졌다.

렌티아가 왜 저러는지는 이미 익히 짐작이 가고도 남는다. 아벨라를 처벌하는 데 찬성하지 않아서일 터.

하지만 그렇다고 해서 뭐 저렇게까지 상대방을 몰아붙인단 말인가?

게다가 아벨라가 알기로 둘은 매우 절친한 친우였다. 바로 얼마 전만 해도 언니 동생하면서 8황자궁 주변에서 저 보란 듯이 티타임을 나누기까지 해 놓고.

아벨라의 푸른 눈이 순간 형형해졌다. 렌티아의 저런 태도가 싫었다. 그냥 재도 사정이 있는가 보다, 하면 되지.

셰이라가 예쁘다고 생각해 본 적은 한 번도 없지만, 막상 저렇게 털 밀린 양처럼 파들파들 떨고 있는 모습을 보니 기분이 좋지만은 않았다.

하지만 저기 끼어들어서 막무가내로 말릴 수도 없었다. 셰이라가 자신을 곤란하게 만들려던 사람 중 하나라서가 아니다.

이유가 뭐든 아벨라가 나서는 자체로 그림이 이상해진다. 오히려 렌티아가 셰이라를 아벨라 편이라고 확신할 계기만 만들어 줄 것 같았다.

게다가 자신은 지금 백치인 척하고 있…… 잠시만.

아벨라의 고개가 옆을 향해 돌아갔다. 아까, 복도를 지나치며 보았던 과일 바구니가 보였다. 아벨라의 눈이 반짝였다.

아벨라의 말대로, 렌티아는 셰이라를 겁박하는 중이 맞았다.

"지금 이게 뭐 하자는 짓이에요. 어머니나 제가 우스워요?"

"그런 게 아니고."

"언니, 그렇게 안 봤는데 정말 실망스럽네요. 대체 무슨 생각으로 그런 짓을 한 거죠? 피가 천해서 그런가?"

순간 셰이라의 얼굴에서 핏기가 가셨다. 셰이라의 꽉 쥔 주먹이 덜덜 떨리기 시작했다. 셰이라의 고개가 푹 수그러졌다.

플로바 백작은 본디 평민 출신, 렌티아는 정확히 그 점을 꼬집었다.

"그렇게 천한 피로 이 황궁에 들어와, 어쩌면 평민 피를 이어받은 최초의 황후가 될 수도 있는데 여기서 이렇게 계산이 안 되면 곤란하잖아요?"

렌티아가 고개를 숙이는 셰이라에게 바짝 고개를 갖다 대며 속삭였다. 마치 나뭇등걸을 휘감은 독사처럼 눈을 반짝이며 셰이라에게 온갖 독설을 퍼부어 댔다.

어차피 셰이라가 찬성표를 던졌어도 졌을 투표였다. 그러니 사실 렌티아의 이런 태도는 화풀이에 가깝다는 것을 둘 모두 알고 있었다. 하지만 셰이라는 그녀에게 맞설 힘이 없었다. 애초부터 명확하게 그어진 선이다. 셰이라가 울음을 참으며 눈을 질끈 감을 그때였다.

"아!"

렌티아가 관자놀이를 쥔 채로 셰이라가 아닌 다른 곳을 노려보았다. 셰이라도 따라 고개를 돌렸다. 땅바닥을 구르는 자두가 보였다. 렌티아가 이 자두에 맞은 건가? 곧 셰이라의 눈동자가 크게 떠졌다.

아벨라였다.

갑자기 나타난 아벨라가 산더미 같은 과일바구니를 끌어안고 있었다.

"자두."

아벨라가 눈을 휘며 큰 소리로 웃은 뒤 이내 바구니를 들지 않은 쪽 팔을 휘둘렀다.

다시 제 눈앞의 렌티아가 '악!' 소리를 내며 휘청였다. 셰이라의 눈이 동그래졌다. 붉은 비로드 카펫 위로, 잘 익은 자두 두 개가 굴러다니고 있었다.

"자-두."

아벨라가 방긋 웃음을 터뜨렸다. 작약이 꽃망울을 터뜨리듯, 그야말로 방 안이 밝아지는 화사함이었다.

"자두우."

"뭐 하는, 야!"

다시 한번 자두에 얻어맞은 렌티아가 그녀를 향해 다가가려 할 때였다. 아벨라가 까르르 웃으며 방 안으로 쫓아 들어왔다.

"자두!"

이번엔 살구임이 뻔한 과일을 '자두'라고 부르며 던졌다.

"그건 살구, 꺄앗!"

렌티아가 허리를 숙여 날아오는 살구를 피했다. 부서져 반쪽만 남아 바닥을 구르는 살구를, 셰이라가 망연히 바라보았다.

"자두!"

아벨라는 이어 미라벨을 한 움큼 쥐어 던지며, 다시 꽥 소리쳤다. 미라벨이 렌티아의 얼굴을 때리곤 이리저리 흩어졌다.

렌티아의 눈이 희번덕거렸다. 저게 보자 보자 하니까……!

"어맛! 미라벨을 그렇게 던지면, 야 미쳤어?!"

"자두!"

렌티아가 고개를 들어 와락 외치던 그때였다. 렌티아의 얼굴에 무른 배가 질퍽하게 날아왔다. '철퍽' 하는 질척한 소리는 덤이었다.

"끼야아아아아악!"

렌티아가 무른 배로 범벅이 된 얼굴을 끌어안고 와락 고함을 지를 때였다. 셰이라가 황급히 렌티아의 손을 잡아 이끌었다.

"여기, 이쪽!"

렌티아는 무른 배가 눈에 들어갈까 봐 눈도 제대로 뜨지 못한 채, 셰이라의 손에 질질 끌려갔다. 아벨라는 서둘러 도망치는 뒷모습들을 지그시 바라보았다.

좋았어.

그들이 멀리멀리 사라졌을 때쯤, 아벨라가 눈썹 한쪽을 크게 까닥였다. 하고 싶은 짓은 일단 모두 했다. 그렇게 당했으면서도 끝까지 렌티아를 이끌고 가는 셰이라가 마음 쓰였지만 아벨라는 거기까진 생각지 않기로 했다.

좋아서 데리고 나가는 거겠어?

어쨌든 오늘은 자신이 빌미가 되었다. 그러니 셰이라도 오늘만은 곤란을 면했으면 좋겠다고 생각하며 자두를 쥐었다. 이번엔 진짜 자두였다. 잘 익어서, 아주 맛있어 보였다.

렌티아를 괴롭혀서 받은 재판에서 나오자마자 또 이렇게 사고를 치니 걱정도 됐지만, 그래도 괜찮았다. 아벨라의 머릿속에선 이미 계산이 되어 있는 상태였다.

자신은 때리지 않았다. 던졌잖아. 던지면서 그냥 '자두'만 외쳤는데.

딱히 문제가 될 것 같지 않았다. 정신이 이상해서 발작을 일으킨 것뿐이잖아? 게다가 설마 이 요란을 떨다 기각이 되었는데, 멍청하게 렌티아가 또 똑같은 짓을 벌일 것 같지는 않았다. 그래 봐야 샬롯 황비 쪽이 훨씬 불리할 테고.

뒤늦게 시종 두 명이 헐레벌떡 방에 들어왔다. 그러곤 으깨지고 부서진 과일들로 범벅이 된 바닥과 구석에서 과일 바구니를 끌어안은 아벨라를 바라보며 입을 쩍 벌렸다.

미안해라.

그리고 그들과 눈이 마주치자마자, 아벨라는 빙그레 웃으며 이젠 빈 과일 바구니를 그들에게로 던졌다.

"자두."

아벨라가 다시 눈매를 접어 싱긋 웃으며, 제 손에 들려 있던 자두를 야무지게 깨물었다. 그때였다. 누군가 과일 바구니를 쥐었던 쪽의 손을 덥석 잡아 왔다.

아벨라는 텅 빈 복도를 둘러보다, 자신의 손을 내려다보았다. 펠리체가 제 손을 잡고 있었다. 얘는 왜 아직도 손을 잡고 있어. 보는 눈도 없는데 빼도 되지 않나?

아벨라가 슬그머니 손을 빼려고 할 때였다. 손이 막 빠지려는데, 펠리체가 그 손을 도로 틀어쥔다. 그 순간이었다.

"다례회 때도."

갑작스런 목소리에 당황한 아벨라가 그를 올려다보았지만 펠리체는 아랑곳 않고 천천히 말을 이었다.

"다례회 때도 이렇게 했어?"

뜬금없는 소리에 아벨라가 미간을 찌푸렸다.

"무슨 소리야?"

아벨라가 손을 뺀 채 나가려고 할 때였다. 펠리체가 다시 손을 잡는다. 얘가 왜 이래?

"다례회 때도 이렇게 멋있었냐고."

"응. 그랬…… 뭐? ……앗."

얼결에 대답한 아벨라의 표정이 창백해졌다. 후다닥 주변을 살펴본 뒤에야 안도의 한숨을 내쉬었다. 다행이었다. 복도엔 아무도 없었다.

그나저나 얘가 대체 무슨 소리야? 멋있다니?

입술을 앙다문 아벨라가 펠리체를 향해 눈을 부라리려던 때였다. 아벨라는 자신도 모르게 좁혔던 미간이 펴지는 게 느껴졌다.

펠리체가 환하게 웃고 있었다.

지금까지 봤던 그 모든 표정을 통틀어서 가장 아름다운 미소였다. 사람의 심장을 녹일 듯한 부드러운 꿀 같은 미소를 지으며, 그가 그녀의 손을 쥔 채 속삭였다.

"……아해."

"……뭐?"

제대로 듣지 못한 아벨라가 되물었다. 그러곤 아까와 같은 실수에 놀라 그 자리에서 펄쩍 뛰어올랐다. 이번엔 스스로를 지적할 생각조차 들지 않았다. 죽자, 죽어. 아벨라, 너는 학습 능력도 없어? 바보 연기 더럽게 힘드네. 근데 얘는 대체 왜 자꾸 말을 시키는 거야?

"이제 가자, 아벨라."

아벨라가 스스로에게 화를 내건 말건, 펠리체는 아무것도 모른다는 양 그녀의 손을 이끈 채 걸어 나갔다. 얘가 또 말을 시키네! 그러나 이번엔 입을 열어 따지지도 못한 채 그저 그에게 끌려갔다. 그런데 아까 그렇게 환상적으로 웃으면서 한 이야기가 뭐였지?

"……."

이 모든 광경을 아이타와 제4황자비, 그리고 황태자비가 지켜보고 있었다.

"……방금, 보셨어요?"

얼마 지나지 않아, 아이타가 입을 열었다. 어조는 더없이 침착했지만 눈동자가 사정없이 흔들리고 있었다.

침묵을 지키던 코티아 4황자비가 미간을 좁히며 묵묵히 고개를 끄덕였다.

"8황자비가 말했어요."

"황자께서도 대답하셨고요."

"……."

아이타가 미간을 좁혔다. 이게 어떻게 돌아가는 일인지 영감이 잡히지 않았다. 나중에 펠리체에게 물어봐야 할까? 생각에 잠기던 아이타가 코티아를 돌아보았다.

"일단, 이 일은 저희만 알고 있을까요."

아이타가 조용히 속삭였다. 코티아는 내색하지 않은 채, 조용히 고개를 끄덕였다.

며칠 뒤.

"그럼, 이제 정말 다 끝난 거지?"

우유를 넣은 홍차를 홀짝이며 아벨라가 물었다. 펠리체가 고개를 끄덕였다.

"괜찮아, 이젠. 다른 사람들과도 접견이 가능하고."

"음. 궁 밖에도 나갈 수 있고?"

아벨라가 대뜸 물었다. 펠리체가 자신이 마시던 홍차를 내려놓았다.

"궁 밖에 나갈 수 있냐고?"

"응."

"어. 음…… 그렇지. 나갈 수 있지."

"그래?"

아벨라는 순간 자신도 모르게 함빡 미소 지었다. 순수한 기쁨의 미소였다. 그 미소를 본 펠리체가 아까보다 훨씬 더 심각해진 어조로 물었다.

"……나가려고?"

"응. 볼일이 있어서."

“그대로 행차할 거야?”

“아니, 몰래 나가야지.”

“몰래? 어떻게?”

펠리체가 의아하다는 듯 되물었다. 아벨라는 대답하는 대신, 저 역시 의아한 눈으로 펠리체를 바라보았다. 그걸 몰라서 물어?

아무 무늬도 없는 마차가 황궁의 서문을 통과했다. 마차를 모는 인물은 8황자궁에서 15년째 근무하고 있는 시종 세스였다.

“……이 마차를 이용할 생각은 대체 어떻게 한 거야?”

마차 안에는 펠리체와 아벨라가 있었다.

펠리체가 불퉁한 어조로 물었다. 서문은 주로 황실에서 취급하는 물자들이 오가는 문으로, 외부 손님이나 공무 집행을 위해 출근하는 귀족들은 주로 동문, 공식적인 황족의 행차나 황족에 준하는 나라의 사신들만이 정문을 사용한다.

“그걸 왜 몰라? 맨날 궁 밖으로 뻔질나게 나가는 거 아주 잘 알고 있다고. 그러니 당연히 이런 식으로 다녔겠지. 바보가 아닌 이상 이 정도는 추측할 수 있어.”

아벨라는 미간을 찌푸리며 대답했다. 펠리체는 잠시 미묘한 침묵을 지켰으나 곧 고개를 젓고는 제 얼굴의 붕대를 풀기 시작했다.

“어? 붕대 벗게?”

“얼굴만. 좀 이따가 치료소에 도착하면 몸까지 다 풀고 옷 갈아입을 거야.”

“밖에선 아예 붕대를 풀고 다니는 거야?”

"당연하지. 밖에선 붕대가 더 눈에 띄잖아."

펠리체의 말에 따르면, 일단 위장 목적으로 진료소에 가기는 한다고 말했다.

진료소는 수도의 중심가로부터 그렇게 멀지 않은 곳에 있었다. 골목을 지나자 어떻게 이 번화한 대로 사이에 이렇게 허름한 곳이 있을까 싶을 정도로 낡은 건물이 보였다.

그를 돌봐 주었다는 의원은 굉장히 주름지고 허리가 굽은 노인이었다. 그가 내준 진료실에서 펠리체와 아벨라는 각자 편한 옷으로 갈아입은 뒤 길을 나설 수 있었다.

"그런데 넌 왜 밖에 나오고 싶어 하는데?"

"은행에 볼일이 있어."

"딜루어 은행?"

"응."

아벨라는 고개를 끄덕이며 그에게 순순히 대답했다.

저번에 베티가 말해 줬던 신탁을 확인하고 싶었다. 사실 지금은 형편이 모자란 것도 아니거니와, 필요한 게 있는 것도 아니었다.

하지만 자신의 명의로 된 재산이 있느냐 없느냐의 차이는 크다. 그러니 신탁금을 탈 수 있다면 타고 싶었다.

"나 이번 내탕금 0원이래. 샬롯 황비네 짓인 것 같아. 그런데 베티가 내 앞으로 신탁이 있다잖아. 그래서 그걸 어떻게 되살릴 수 있는지 물어보려고."

내탕금은 사실 핑계였다. 하지만 듣는 펠리체의 얼굴이 갑자기 더없이 심각해졌다.

"샬롯이 또 수작 부리는 거야? 그렇다면 황제에게 말할 수 있어.”

“응? ……아냐, 괜찮아.”

“하나도 안 괜찮아. 난 황궁의 지원을 못 받는다지만 넌 받을 자격이 있다고. 게다가 너와 나는 국가 간의 결합이니 황제께서…….”

“잠깐만, 펠리체.”

“응?”

“알았어. 알았는데, 지금은 일단 이거.”

아벨라는 자신이 챙겨 온 종이봉투를 펠리체에게 건넸다. 펠리체가 고개를 기울였다. 이해가 잘 되지 않는다는 표정이었다.

“……이게 뭐야?”

“은행에 제출할 위임장 써 왔어. 네가 대신 물어봐 줘. 위임장으로 신탁을 열고 일반 계좌로 돈을 옮길 수 있는지.”

순간 펠리체의 눈이 가늘어졌다.

“내탕금은 핑계군…….”

“응? 뭐가?”

아벨라는 눈을 깜박이며 순진해 보이는 표정으로 그를 응시했다.

위임장을 받아 든 펠리체는 탐탁지 않은 듯한 침음을 흘렸다.

“……너, 신탁을 확인한다는 게 어떤 일인지 모르나 본데…….”

“어떤 일인데?

“……아니다. 됐다. 말 안 해 줄래.”

펠리체는 눈가를 휘며 씨익 웃었다. 그러곤 종이봉투를 손에 든 채 아벨라에게 손을 내밀었다.

덕분에 물어볼 타이밍을 놓쳤다. 대신 아벨라는 자의적으로 생각하기로 했다. 해 주기 싫어서 핑계 대나 봐. 그러거나 말거나. 어쨌든 해 준다니 다행이지 뭐.

아벨라는 고개를 돌렸다. 아까보다 한결 여유가 생기니, 주위 풍경이 시야에 들어왔다.

그나저나 아까부터 이상했다. 오고 가는 여성들이 전부 다 화관을 썼다.

조화인 듯한 화관에 실같이 흘러내리는 은줄 장식을 달아 머리 사이사이에 늘어뜨리게끔 한 채 쓰고 다니고 있었다. 꽃의 종류는 굉장히 다양했지만, 아무래도 연분홍색 프림로즈가 가장 많았다. 자신이 다례회 때 쓰고 갔던 화관도 프림로즈였는데.

아벨라는 화관을 쓰자고 했을 때를 떠올렸다. 베티가 '아씨가 화동이냐'고 속상해했었지. 지금 보니 다들 일상적으로 화관을 즐겨 쓰고 있는 것 같았다. 그럼 괜찮았던 거잖아?

"요새는 화관이 유행인가 보다."

아벨라가 중얼거렸을 때였다. 펠리체가 그녀를 보곤 피식 웃었다.

"귀족가의 아씨들은 황족들을 동경하고 따라 하고 싶어 해. 그리고 일반 여염집 처녀들은 귀족가의 아씨들을 동경하고 따라 하고 싶어 하고."

"당연히 그렇겠지. 그런데 갑자기 왜 그런 말을 해?"

"저 화관, 네가 유행시킨 거야."

응?

"뭐라고?"

아벨라가 눈을 동그랗게 떴다.

"저 사람들이 그걸 어떻게 알아서?"

"아, 정말."

펠리체는 이젠 아예 정말 즐거운 듯이 키득대며 지나가던 가판대에 놓여 있던 화첩을 계산하고 아벨라에게 건넸다. 아벨라는 홀린 듯이 그 화첩을 읽었다.

"주간 패션. ……순백의 마력, 황궁을 휘감다. 딜루어 공녀가 선보였던 소녀풍의 가운 드레스와 간결한 장식…… 잠깐, 이거 내 옷이야?"

"응."

"내 옷을 따라 하고 있다고?"

"맞다니까."

"내가 다례회를 다 엎어 버렸는데도?"

"아, 그거. 읽어 봐."

아벨라는 눈을 휘둥그레 뜬 채, 잡지를 펼쳐 읽어 나가기 시작했다.

[……와글와글 황실 이야기: 정기 황궁 다례회, 제국의 봄과 여름을 결정지을 패션들이 격돌했다. 이번 다례회에 처음으로 참석한 제8황비이자 딜루어 대공녀인 아벨라 블리스 오 데 딜루어는 더할 나위 없는 미모로 마치 꽃과 같은 아름다움을 뽐냈다.

그녀는 직설적이고 가감 없는 순수한 성격으로 잘 알려져 있는데, 이번 다례회에서도 벌에 쏘인 3황자비가 아파하자, 일부러 자리를 파하기 위해 테이블을 엎는 기지를 발휘했다. 어려운 웃전들이 모인 자리에서는 물러남을 청하기 어려운

법. 그녀는 3황자비가 제때 치료를 받을 수 있게끔 배려한 것이다…….]

단숨에 기사를 읽는 아벨라의 입이 마치 삶은 조개가 입을 틔우듯이 벌어졌다. 기사 옆엔 금발의 여인이 다른 여인을 가리며 테이블을 엎는 삽화가 실려 있었다.

"이걸 믿어? 날더러 '직설적이고 가감 없는 순수한 성격'이라는데? 혹시 여기 사람들은 내가 백치라는 걸 모르는 거야?"

아벨라가 꺼질 듯한 목소리로 되물었다.

"아니, 너는 황족이잖아. 네가 백치인 건 모두가 알고 있는 사실이지만 여기다가 대놓고 '백치가 날뛰었습니다.'라고 적으면 그 잡지는 그날로 폐간이라고."

"허어."

그래, 종종 잊고 있었지만 이곳은 신분제 사회다. 신분에 따라 자유가 강제되는 곳.

펠리체는 아벨라의 표정을 보며 씁쓸하게 웃음 지어 보였다.

"그리고 사실 지금 네가 백치라는 건 상관이 없어. 사람들은 그저 황족들의 생활에 관심이 많고, 괜찮은 게 있다면 따라 하고 싶어 할 뿐이지. 내가 장담하는데, 이제 귀족 다례회에서 심심찮게 테이블을 엎으려는 아씨들이 종종 나올걸."

"말도 안 돼."

"왜 안 돼? 안 될 게 뭐 있어. 유행이라면 시체라도 삶아 먹는 게 귀족들인데."

펠리체는 한쪽 입꼬리를 올리며 냉소했다. 하지만 아벨라는 펠리체의 냉소를 이해했다.

어쩌면 펠리체가 붕대를 온몸에 두른 이유는 샬롯의 경계를 피하기 위해서만이 아닐지도 모른다.

그냥 모든 이의 시선에서 사라지는 걸 원했을지도 모른다. 정말 아무것도 아닌 일로 주목받고, 대단한 듯이 추앙되어지는 삶이 싫으니까.

그때였다. 펠리체가 두어 걸음 먼저 앞서 나가더니, 뒤돌아 아벨라에게 보란 듯이 허리를 과장되게 굽혀 인사했다.

"귀족의 세계에 화려하게 귀환함을 환영하오, 부인."

"……그것 참 감사하와요."

아벨라는 이마를 문지르며 조용히 한숨을 내쉴 뿐이었다.

'고객을 사랑하는' 딜루어 은행은 저잣거리 중에서도 한가운데에 떡하니 위치해 있었다. 얼핏 보면 궁이라고 생각할 수도 있을 정도로 으리으리한 건물이었다. 진하고 유려한 필기체로, '딜루어 은행'이라고 쓰여 있는 간판이 건물의 입구 위에 번듯하게 세워져 있었다.

딜루어 은행 '제국수도지점'은 딜루어 은행 지점들 중에서도 1, 2등을 앞다투는 실적을 자랑하고 있었다.

이 딜루어 은행에서의 데이비스 깁슨 계장은 약 6년째 신탁과 융자 관련 업무를 맡고 있는 유능한 직원이었다.

해상 보험과 선상 보증이 전문이던 딜루어 은행을 내륙에도 자리 잡게 만드는 데 일조한 게 바로 본 수도지점이기 때문에, 그는 딜루어 은행 제국수도지점에서 근무하는 사실을 언제나 자랑스럽게 생각하고 있었다.

은행원이란 직업은 천직에 가까웠다. 돈을 만지고, 많은 사람을 만나는 것이 즐거웠다. 이러다 보면 공국 본점에서 일할 수도 있겠다는 꿈과 희망도 생겼다.

그러나 오늘, 데이비스는 그의 은행원 근무 이력 사상 최고로 어려운 손님을 만났다.

"그…… 저, 아벨리…… 블리스…… 오…… 데…… 딜루어 고객님."

고급 고객을 상대하는 별실, 데이비스는 고객의 이름을 부르며 등에 땀이 촉촉이 배어 나오는 것을 느꼈다. 당연하지. 고객의 성이 이 은행의 이름인데 어찌 긴장을 하지 않을 수 있을까.

"고객님의 신탁…… 을 확인하시는 건…… 가능하나…… 고객님의 사정으로 인해…… 제한된 은행 이용만이 가능하신 관계로……."

"그렇다면 제한된 은행 이용을 어떻게 사용할 수 있습니까?"

"'지정후견인'께서 위임장을 갖고 오셔야 합니다. 이 위임장은 고객님의 부군…… 이신 그…… 펠리체 단 카셀란께 위임이 되어 있는데…… 펠리체 님…… 아니, 저하…… 아니, 님께서는 자격이 안 도…… 안 되셔서……."

데이비스는 결국 말끝을 더듬기까지 했다. 그럴 수밖에. 고객의 배우자의 성은 이 나라의 이름이었으니까!

데이비스는 창백해진 채 식은땀만 줄줄 흘렸다. 혼이 입으로 빠져나가고 있음이 느껴졌다.

그때였다.

데이비스는 문득, 자리에 앉아 있는 대공녀가 인상을 찌푸렸다고 느꼈다. 하지만 그럴 리가 없지. 지금 자신의 눈앞에 앉아 있는 이 소녀 같은 여인은 주변을 인식하지 못하고 지각 능력도 매우 낮은…… 소위 백치로 유명했다.

그러니 당연히 주변의 상황을 제대로 인지하지 못할 게 분명하다.

"그…… 그래도 오신 김에 조회라도…… 하시겠습니까?"

데이비스는 고객의 옆에 앉은 남성에게 물었다. 그는 자신을 펠리체 황자를 대신해서 온 시종이라고 소개했다.

하지만 좀 이상하기도 했다. 아벨라 공녀, 아니, 8황자비는 직접 이 자리에 행차했는데 펠리체 황자는 고작 시종을 대리인으로 보냈다고?

데이비스는 순간 머리를 스치는 미심쩍은 생각에 고개를 휘휘 저었다. 아니다, 8황자님이 아끼는 시종이라 대신 모시라고 시킨 거겠지.

저 봐. 시종치곤 지나치게 잘생겼지 않은가. 황궁의 시종들은 모두 이렇게 잘생긴 걸까?

게다가 펠리체 황자를 대신해 왔다고 했으니, 이 사람의 신분도 무척 높은 사람일 것 같았다. 공녀를 보호하는 기사라든가…….

"조회는 하지 않…… 읏."

시종은 잠시 신음을 참는 소리를 내고는 말을 다시 이었다.

"……으려고 했는데 하는 게 좋겠습니다. 공녀님을 헛걸음하시게 할 순 없으니까요."

"아, 그 그럼…… 저 그 잔액을 아예 탁본으로 떠 드리겠습니다. 그 잠시……."

데이비스는 떨리는 손으로 고객 장부를 열었다.

최대한 신속해야 한다. 딜루어 은행원으로서의 자부심을 보이고 싶었는데, 땀이 들어간 탓인지 눈이 따갑기만 했다.

이걸 위에 보고해야 하나? 데이비스는 조회인을 기록하는 장부에 아벨라 오 데 딜루어를 쓰고 고객의 신탁 계좌에 남은 잔액을 적어 제 직인과 은행 직인을 찍은 뒤 손님에게 두 손으로 공손히 건넸다.

"여, 여기 있습니다……."

쥐어짜는 듯한 목소리로 데이비스가 대답했다.

아벨라는 심상한 채 은행을 나왔다. 맙소사. 신탁을 풀려면 지정 후견인의 허락이 있어야 한단다. 이건 뭐 그림의 떡이나 다름없었다. 대체 이게 무슨 날벼락이란 말인가?

그래도 개중 다행인 건, 베티의 말대로 신탁은 존재하며 그 신탁 계좌엔 정말 엄청난 금액의 돈이 있다는 점이다. 조회라도 해 볼 수 있어서 다행이지.

한숨만 푹 내쉬는데, 옆에서 펠리체가 투덜댄다.

"그렇게 다리를 걷어찰 건 없었잖아."

"엄살은. 살짝만 걷어찼잖아."

"아냐. 정말 세게 걷어찼거든?"

"그럼 미안해."

아벨라가 새초롬하게 대답했을 때였다. 펠리체가 불퉁한 표정을 지었다.

"화나."

"아니, 대체 뭐가 화가 난다고? 거 정말. 다리 좀 차서 미안하게 됐—."

"그거 말고."

……응?

아벨라는 펠리체의 표정을 슬쩍 살폈다. 펠리체는 입술을 꾹 누르다 마지못해 아벨라를 바라보았다. 그의 눈빛에 불안이 도사렸다.

……불안이라고?

아벨라가 자신이 본 광경에 대해 되짚을 때였다. 펠리체가 작게 한숨을 쉬었다.

"솔직히 말해도 돼?"

"말해."

아벨라가 기다렸다는 듯이 대답했다. 아벨라의 말에 펠리체가 가볍게 한숨을 내쉬었다가 말을 이었다.

"나, 네가 네 스스로 뭘 갖고 싶어 하는 게 좋아. 사실 네 스스로 생각하는 것도, 내게 감정 표현을 하는 것도 좋아. 화를 내도 좋아. 꿈에 겨워."

펠리체는 천천히 말을 이어 나갔다.

"그런데 한편으론 불안해. 네가 네 재산에 대해 알아보는 건 당연한데, 괜히 불안해하는 내가 싫어. 소인배 같아서 짜증나고 화나."

"……응?"

아벨라는 그 자리에서 입을 떡 벌렸다. 자신이 지금 무슨 말을 들었단 말인가?

아니 얘 좀 봐, 이런 말을 아무렇지도 않게 하고 말이야. 아니, 지금 내가 뭘 들은 거야?

아벨라의 얼굴이 천천히 짙은 붉은 색으로 물들었다. 아벨라가 얼굴을 붉힌 채로 말을 더듬었다.

"부, 불안할 게 뭐가 있니?"

"너 혼자 모든 걸 하게 되면 내가 해 줄 수 있는 게 없어지고, 내가 곁에 있는 것도 귀찮아지면 어떡해? 나는 네가."

"그만."

그 순간 아벨라는 손을 뻗어 펠리체의 입을 막았다. 펠리체가 눈을 깜박이며 아벨라를 바라보았다. 아벨라는 펠리체를 똑바로 바라보며 어깨를 들썩였다.

"그 이상 말하지 마, 부끄러워 죽겠으니까."

아벨라의 얼굴은 완전히 홍당무가 되어 있었다. 눈물마저 고인 눈으로 펠리체의 입에서 손을 뗀 뒤엔 곧장 앞만 본 채로 걷는다.

곧 펠리체의 얼굴도 서서히 달아올랐다. 한순간의 충동으로, 제가 무슨 말을 했는지 깨달았다. 이게 참으로 대담하고 대단한 사랑 고백으로 이어질 뻔했다는 것도.

둘은 그렇게 아무 말도 없이 걸었다. 그렇지만 이상하지. 둘 중 어느 누구도 마주잡고 있는 손을 놓으려 하지 않았다.

"아벨라."

어느새 진료소로 가는 길목으로 완전히 접어들 때였다. 한참을 말 한마디 안 하던 펠리체가 갑자기 그녀를 불렀다.

덕분에 같이 침묵을 지키며 걷던 아벨라가 그를 바라보았다.

펠리체는 아까처럼 뾰로통한 얼굴이 아닌, 정말로 진지하게 할 말이 있다는 얼굴로 그녀에게 물었다.

“이제 대공께 네 신상에 변화가 생겼음이 알려졌으니 대공께서도 움직이실 거야.”

“뭐?”

아벨라가 벼락같이 큰 목소리로 물었다. 그에 펠리체가 놀란 표정을 지으며 되물었다.

“왜?”

“내가 언제 대공, 아니, 아버지한테 알렸는데?”

“무슨 소리야. 신탁을 네 이름으로 직접 조회했잖아.”

“그래. 난 그저 가서 신탁을 살릴 수 있을지만 알아보려고 한 건데? 그리고 정말 잔액만 조회하고 왔잖아.”

“그래, 조회.”

“그게 왜?”

아벨라가 눈을 휘둥그레 뜬 채 물었다. 펠리체가 기가 막히다는 눈으로 아벨라를 바라보았다.

“신탁은 사실 제한이 많은 금융 제도야. 그리고 너도 제한이 많은 피후견인이고. 그러니 ‘본인의 이름’으로 잔액 조회만 해도 저 은행원이 말하는 ‘지정 후견인’에게 연락이 가. 아까 못 봤어? 조회인 기록 적는 거?”

아까 은행원이 작성한 서류를 떠올리던 아벨라의 얼굴이 일순 흙색으로 변했다. 그 은행원이 하도 떨기에 안쓰럽다고만 생각했는데.

펠리체가 정말 몰랐냐는 듯이 그녀에게 설명했다.

“그 돈이 네 돈이라고 한들, 넌 백치잖아. 널 돌봐 주는 후견인은 네 재산도 지켜야 할 의무가 있어. 그런데 계좌 조회는 커녕 신탁의 여부조차 알 수 없는 피후견인이 본인의 이름으로 잔액을 조회했다고. 후견인이 네 신상에 문제가 있다고 생각하지 않을까?”

그제야 자신의 실수를 깨달은 아벨라의 얼굴이 창백해졌다.

“그리고 그 지정 후견인이 누구인 것 같아? 힌트를 줄게. 나는 아니야.”

“그럼 설마…….”

“그래, 딜루어 대공작. 대공께서 네 후견인이라고.”

망했다. 온몸의 피가 빠져나가는 기분이 들었다. 망치로 한 대 맞은 양 머리가 얼얼했다. 이게 무슨 말이야.

펠리체는 쐐기를 박듯 다시 한마디 덧붙였다.

“네 아버지가 아셨다는 거지.”

“너는 왜 그걸 말도 않고 있었어?!”

“그래서 조회 안 한다 말하려고 했는데 네가 걷어찼잖아?!”

아벨라와 펠리체는 진료소 앞에서 다시 옥신각신하기 시작했다. 아벨라는 펠리체를 볼 때마다 ‘왜 이야기를 하지 않았냐.’며 시비를 걸었고, 펠리체는 ‘대체 어떻게 이야기를 하란 말이냐.’며 맞받아치는 식이었다. 진료소에서 다시 채비를 하면서도 둘은 내내 같은 내용으로 싸웠다.

“못살아, 어떡해?”

아벨라가 두 뺨을 쥐고 와락 외쳤을 때였다.

“……펠리체?”

굵고 낮은 목소리에 아벨라와 펠리체가 번개처럼 뒤를 돌아보았다.

덩치가 큰, 아주 큰 거한이었다. 위압적인 검은 스케일 갑옷을 걸친 채 천으로 둘둘 싸인 검을 들고 있었다. 특이한 검이었다. 검신만큼 손잡이도 긴 모양. 얼핏 보면 창처럼 보일 정도였지만 분명히 검이었다.

그나저나 저 키 봐. 아벨라의 고개가 천천히 위로 들렸다. 얼굴을 보려는데 시선을 어디까지 들어야 할지 모르겠다.

누구지. 궁에서는 한 번도 본 적 없는 자였다. 게다가, 펠리체의 이름을 저렇게 친근하게 부를 수 있는 자는 흔치 않았다. 그때였다.

"……사리베."

펠리체가 한숨을 쉬며 이름인 듯한 단어를 불렀다.

아벨라의 눈이 동그래졌다.

진료소의 안채.

아벨라는 제 손안에 있는 수국차를 가만히 바라보았다.

"이, 이, 이, 이게 제가 지, 직, 직접따서, 직접 따서 만든 건데……."

"……고맙습니다. 잘 마실게요."

"히이이익. 인형이 말을 해."

펠리체가 사리베라고 부른 거한이 히익대며 저쪽 벽에 붙는다.

"그만해. 부담스러워하잖아."

펠리체는 한숨을 삼키며 사리베를 노려보았다. 사리베가 방금 아벨라에게 차를 내주었던 쟁반을 꽉 끌어안은 채 고개를 저었다.

"부담스러워? 소, 송구합니다, 황자비 저하. 그…… 하지만 맙소사! 난 못해. 태연한 척은 못하겠어! 차라리 너를 패겠어!"

중얼대던 거한이 고개를 홱홱 저었다. 들리는 내용에 펠리체가 비뚜름히 비웃는다.

"네가 패고 싶다고 날 팰 수 있겠어?"

"뭐? 이게? 야, 당연하지, 넌 한주먹감이야."

펠리체와 사리베의 대화가 점점 격해지자 아벨라가 조심스레 입을 열었다.

"저, 이곳이……."

"예!"

"응?"

금방이라도 멱살을 잡을 것 같던 사리베와 펠리체가 아벨라를 돌아봤다. 놀라운 반응 속도였다.

아, 부담스러워. 하지만 뭐라도 말해야만 한다. 게다가 지금 저들도 무리하고 있다는 게 느껴진다고.

"이곳이…… 그, 펠리체가 자란 용병단인 줄은…… 몰랐어요."

아벨라는 간신히 할 말을 완성하고는 빠르게 찻잔을 들었다.

그랬다. 아벨라가 진료소라고만 생각했던 이 낡은 건물은, 사실 펠리체가 유년기와 청소년기를 보냈던 곳이라고 한다. 정확히 말하면 용병단의 본거지였다.

펠리체는 일전, 아벨라에게 황궁 밖에서 대부분의 시간을 보냈다고 이야기한 적이 있었다. 하지만 그 경험이 용병단인 줄은, 그리고 그 장소가 이곳인 줄은 꿈에도 몰랐다.

"맞습니다. 원래는 아니었는데, 한 10년 전쯤엔가 진료소로 겉모양을 바꿨죠. 이 녀석 때문에요."

"샬롯이 내가 치료를 받는지 의심했던 적이 있었거든."

펠리체가 사리베의 말을 이었다.

"아까 혹시 보셨습니까? 진료소에서 의사인 척 구는 늙은이."

아까 옷 갈아입을 곳을 안내했던, 작고 허리가 굽은 노인을 말하는 건가?

“어, 네. 보았어요.”

아벨라가 고개를 끄덕였을 때였다. 사리베가 다시 한번 통쾌하게 웃었다.

“그 늙은이가 단장입니다. 크하하하하. 카모프 산맥의 레인저 출신인데 우리에게 무술을 가르쳤죠.”

“날 이 용병단에 섞이게 해 주셨어.”

펠리체가 사리베의 말을 받았다. 그는 툴툴대며 펠리체의 목에 제 팔을 감았다.

“단장님이 귀하게 여기던 온갖 약초와 동양에서 갖고 왔다는 영약을 이놈에게 다 퍼붓지 뭡니까? 제가 얼마나 질투를 했는지 모릅니다.”

사리베가 빙긋이 웃으며 말을 이었다.

“그런데 이놈이 이 나라 8황자라는걸 알곤 용병단이 다 뒤집어졌었죠. 단장님은 이미 알고 있었던 겁니다.”

“……그랬군요.”

아벨라는 쑥스러워하는 듯한 웃음을 짓는 펠리체를 보며 대꾸했다. 설명을 자세하게 덧붙이지 않아도 상상이 갔다. 아직 어리고 힘도 없지만 눈빛만은 살아 있었을 제자를 거두는 재야의 고수……. 무슨 무협지 같았다.

아니, 같은 게 아니라 무협지잖아. 지금 사리베가 설명하는 그들의 관계를 보라. 마치 무협지에서나 볼 법한 기연 아닌가.

“게다가 머리는 얼마나 좋은지, 이놈이 움직이기 시작하니 우리 용병단이 그 이듬해에 딱 백 배 더 벌었습니다. 용병단이 구해 오는 귀한 물건들 같은 걸 보더니 상단을 병행하기 시작한 겁니다."

사리베는 씨익 웃으며 펠리체를 바라봤다.

"이놈 덕에 다들 뒷주머니 두둑이 찼습니다. 먹고살 걱정이 없어지니, 자연스레 이놈에게 모두 충성하게 되었죠. ……그런 겁니다."

'다들 만나 뵈었으면 좋았을 텐데.' 하고 사리베가 중얼거렸다.

"어딜 갔나 봐요?"

"아, 다들 출장 갔어요. 사므텐 공국에서 호위 업무를 맡는다나."

아, 그렇구나……. 아벨라가 고개를 끄덕였다.

"그래서 이때를 노린 것도 있어."

펠리체가 끼어들었다.

"나에겐 소중한 사람들이지만 별로 보여 주고 싶진 않았어. 네가 곤란할까 봐. ……결국 이렇게 됐지만."

"내가 부상이라 단장 보좌로 남지만 않았어도 완전 범죄였을 텐데. 아쉽겠구나? 크핫핫핫!"

사리베가 비꼬는 투로 말하며 크게 웃었다.

펠리체가 아벨라를 바라보며 입모양으로 '미안'이라고 벙긋거렸다. 미안할 게 뭐 있나. 아벨라는 설레설레 고개를 저어 보였다.

물론, 아벨라가 백치가 아니었다는 걸 아는 사람이 이렇게나 많아진 건 문제가 맞긴 하지만. 그래도 괜찮았다. 이들에게라면 괜찮을 것 같았다. 아벨라는 펠리체를 똑바로 바라보며 미소 지었다.

"괜찮아. 네가 소중하게 여겼던 사람들인걸."

아벨라의 말에 펠리체가 사르르 웃었다. 조용히 눈꼬리를 휜 채 누구보다도 아름답게 웃는다.

조용히 그 광경을 바라보던 사리베의 눈에 이채가 흘렀다.

사리베는 이런 광경을 한 번도 본 적이 없었다. 아니, 펠리체의 웃는 얼굴을 한 번도 본 적이 없는 것은 아니다. 하지만 저렇게 순수하게 웃는 모습은 처음이었다.

사리베는 문득, 펠리체가 마지막으로 이곳에 왔을 때를 떠올렸다. 아마 석 달쯤 전이지.

펠리체가 결혼하는 상대가 딜루어 공국의 공녀라는 것을 알고 모두가 놀랐다. 왜냐면 그녀는 대륙 내 소문이 자자한 백치였으니까. 저와 같은 평민 계급도 모두 알고 있는 사실이었다. 모두가 그를 동정했다.

하지만 석 달 전, 막상 본 펠리체의 얼굴은 멀쩡하다 못해 반짝반짝 빛이 났다.

누가 먼저 입을 열었더라. 지금 출장 가고 없는 부단장이었던가? 펠리체에게 이렇게 말했었지.

—너 괜찮아?

—왜?

—아니…… 그게, 너 그 백치랑 결혼한다며. 혹시 정략결혼에 희생된 건 아니고?

—……아닌데?

사리베는 그때의 펠리체를 회상했다.

—희생은 그녀가 하는 거야. 내가 욕심을 부렸어. 편치 않은 몸인데, 이곳까지 와 주잖아. 그러니 내가 소중히 지킬 거야.

그러고 보니. 그때를 떠올리던 사리베는 혼자 고개를 갸웃거렸다.

펠리체는 아벨라가 원래 바보가 아니었단 걸 몰랐다. 확신할 수 있었다. 용병의 감이었다. 그는 명확히 아벨라가 '백치'라는 전제에 맞춰 이야기하고 있었다.

그러니 그때야 그저 '소중히 지킨다'는 말을 '돌본다'는 뉘앙스로 받아들였다.

그렇지만 단순히 '돌보는' 사람이 저런 웃음을 지을 수 있나?

저 웃음은 아무에게도 보여 준 적 없는 웃음이 아닌가. 심지어 단장도 본 적 없을 거다. 사리베는 확신할 수 있었다. 그렇다면 저건…… 저 얼굴은…… 사라…….

"……아니지."

사리베는 고개를 내저어 생각하는 것을 그만두었다. 그래, 애당초 자신이 관심 가질 일이 아니었다.

사리베가 다시 펠리체 쪽을 흘끔거렸다. 펠리체는 아직도 꿀이 뚝뚝 떨어질 듯한 달콤한 얼굴로 아벨라를 바라보고 있었다.

차라리 안 보련다.

사리베는 고개를 절레절레 내저었다. 그래, 자신이 펠리체의 감정을 추리해서 뭘 어쩐단 말인가? 그저 펠리체는 비밀이 엄청나게 많은 것 같다는 사실만 다시 한번 새기면 된다. 나머지는 생각할 필요조차 없다.

"남의 소문에 입이 간지러운 걸 보니 늙었네, 늙었어."

사리베는 혼자 중얼거리며 고개를 절레절레 내저었다.

사리베는 분명히 좋은 사람이었다. 같이 보내는 시간도 즐거웠다.

하지만 이곳에서 오랜 시간을 보낼 수는 없다. 아직 수상한 시종과 시녀들이 궁에 남아 있는 만큼, 아벨라와 펠리체 둘 모두 되도록 빨리 궁으로 돌아가는 게 나았다.

펠리체가 마차를 끄는 말의 마구를 점검하고 있을 때였다. 사리베가 아벨라 쪽으로 성큼 다가왔다.

"그나저나, 바뀐 궁은 마음에 드십니까?"

"네에?"

어리둥절했던 아벨라의 얼굴이 점차 깨달음을 얻은 얼굴로 변했다. 설마, 궁 내부를 고친 사람이…….

"저뿐 아닙니다. 용병단 출신 중엔 돈을 벌 만큼 벌어 이 시장 대로변에서 다른 장사를 하고 있는 작자들이 있죠. 개중 유명한 건축 사무소를 차린 놈이 있는데, 그놈과 몇몇 사람들이 밤중에 황궁에 들어가 고쳐 놓았죠."

"아, 어쩐지. 그렇게 금방 고쳐진 걸 보고 몹시 놀랐어요. 마치 동화 속에 나오는 요정일까도 생각했었고요. 이렇게 능력이 출중하신 분들 덕이었군요."

아벨라가 눈을 반짝이며 그들을 칭찬했다. 무척 놀랐지만 한편 이해도 되었다. 사리베만 보더라도, 어쩐지 일당백의 이미지가 있으니까.

"아핫, 이거 참. 쑥스럽군요!"

아벨라의 '요정'이라는 말에 사리베가 뒷머리를 벅벅 긁었다. 퍽 부끄러운 표정이었다. '이런 칭찬을 기대했던 것은 아니었는데' 같은 얼굴. 쑥쓰러워하던 사리베가 다시 황급히 대화 주제를 바꿨다.

"그나저나, 아까 대로변에선 놀랐습니다."

이번엔 아벨라가 볼을 붉힐 차례였다. 그러고 보니, 아까 사리베를 처음 만난 건 펠리체와 소리치며 다투고 있을 때였다. 민망한 표정으로 아벨라가 목소리를 낮췄다.

"아, 제가 너무 요란하게 화를 내고 있었지요?"

"아니오, 그게 아닙니다."

사리베가 씨익 웃으며 말을 이었다.

"대로변에서 서로 활기차게 다투면서도 마주 잡은 손을 놓지 않는데, 그게 평범한 연인 같았습니다. 서로를 믿고 있단 게 느껴져서요. 참 보기 좋았습니다."

갑자기 말문이 막혔다. 아벨라는 눈을 깜박이며 할 말을 찾으려 애썼다. 하지만 대꾸할 타이밍은 이미 놓쳤다.

"어, 그……."

서로를 믿고 있…… 아니, 믿긴 하지만 그 앞의 수식어들이…….

그때였다. 저 멀리서 펠리체가 그녀를 불렀다.

"안녕히 가십시오."

아무것도 모르는 사리베는 그저 멀끔하게 인사만 건넬 뿐이었다.

결국 아벨라는 아무 말도 하지 못한 채 마차에 올랐다.

마차에 타고 나서 한참 뒤, 황궁이 목전에 보이면 보일수록 아벨라의 말수가 적어졌다. 무척이나 복잡하고 심란한 표정이었다. 그리고 사실 머릿속도 표정과 별반 다르지 않다.
오늘은 정말 일이 많았지. 펠리체의 과거 아닌 과거도 엿볼 수 있었고…… 사리베에게 여러 이야기도 들었다.
악. 갑자기 사리베가 말했던 마지막 말이 생각났다. 아벨라는 황급히 고개를 털어 냈다. 신경 쓰지 말자. 신경 쓰지 마.
'다른 생각을 해야겠어.'라고 생각하던 찰나, 아벨라는 연이어 나타난 또 다른 생각에 안색을 굳혔다.
그래, 진짜 골칫거리가 또 하나 있었다. 바로 펠리체와 진료소 앞에서 다투던 이유였다.
신탁이 엄격하게 관리되고 있을 거란 생각은 했다. 아벨라 이전 강서경이 살던 한국에서도 가장 치밀하고 가장 꼼꼼하게 돌아가는 집단은 돈 세는 곳이었으니까.
하지만 대공이 정말로…… 이 사안에 관심을 가질까? 솔직히 그렇잖아? 백치인 딸이 신탁 조회 한 번 했기로서니 그게 '우리 딸에게 문제가 생겼구나!' 하고 달려올 사안은…… 맞지, 맞는데…….
아벨라는 두 손으로 머리를 쥐다가 문득 물었다.
"아버지가 그렇게 나한테 잘해 주셔?"
"더없이 이상적인 아버지를 떠올려 봐. 격무로 바쁜데도 꼬박꼬박 동화책과 인형을 골라 보내고, 일주일 밤을 샌 뒤에도 네 얼굴을 보기 위해 네 방부터 찾으셨지. 다정한 아버지셔."
"……그 정도야?"
아벨라가 아연하게 되물었다. 실수였다. 그녀는 아직도 아벨라와 딜루어 대공의 관계를 모르고 있었다. 아니, 이걸 왜 물어본 적이 없지? 애초에 이쪽을 먼저 확인했어야 했는데.

쇠뿔도 단김에 빼랬다고 당장 외출에만 급급해 공국 쪽을 신경 쓰지 못했다.

"음. 그리고 매우 유능하고, 그리고 내가 상처를 입지 않으셨다는 것도 알고 계시지."

펠리체는 나른하게 앉은 채로 한숨을 섞으며 말을 이었다.

"많이 도와주셨어. 그분은 지금까지 딱 한 번 화내셨는데 그게 처음 널 제국에 보내게 되었을 때였어."

"뭐?"

"내가 나서서 나와 혼인하게끔 하자고 설득할 때, 그런 말은 백금룡 카셀란을 걸고 하라며 맹세까지 시키셨고. …… 아니, 지금 하고 싶은 말은 이게 아니라."

펠리체가 그녀를 그윽하게 바라보았다.

"어쨌든 그렇게까지 질린 표정을 할 필요 없단 소리야. 대공에게까지 네가 원래대로 돌아왔다는 걸 숨길 필요는 없지 않을까?"

아벨라는 대답하는 대신 입을 꾹 다물었다. 펠리체의 말은 논리적이었다.

맞다. 펠리체의 설명만 들으면 대공은 그녀와 펠리체에게 매우 우호적인 인물이다. 펠리체가 사실은 다치지 않았다는 것까지 알고 있다지 않은가. 그간 수없는 암투를 겪어 온 펠리체가 이렇게 보증할 정도다. 대공의 인물됨은 보지 않아도 알 수 있다.

하지만 아벨라가 정말로 대공에게까지 제 정체를 밝히길 저어하는 이유는 따로 있다.

'대공은 아벨라의 친아버지고 대공이니, 아벨라의 몸에 아

벨라가 아닌 강서경이 들어 있음을 눈치챌지도 몰라.'
대공이 원하는 것은 아벨라지, 아벨라가 되기로 한 강서경이 아니다.
진짜 아벨라 대신 이 몸을 차지했으니 대공을 마주하는 건 양심이 아팠다. 하물며 그렇게까지 아벨라를 아꼈다면, 그렇다면 지금의 자신을 보고 위화감을 느낄지도 모르다. 부모는 자식에게 항상 기민하기 마련이니까…….
게다가, 왜 자신이 이 몸에 씌었는지 설명하기도 요원하다.
얼토당토않은 생각이지만 아벨라는 두려웠다. 지금의 현실에도 간신히 적응했는데 대공까지 신경 쓰고 싶지 않았다. 만일 대공에게 대공녀가 아니라는 선언을 듣는다든가…… 그러면 어떡해?
아벨라는 여기까지 생각하곤 입술을 깨물었다.
지나친 상상 같지만, 그럼에도 불구하고 어느 정도의 방비가 필요하다. 아벨라는 눈살을 좁히며 생각했다. 아벨라의 부친에게까지 거짓말하기는 싫었는데, 해야 할 것 같다. 아, 그래도 그건 싫은데.
아벨라는 눈을 꽉 감으며 시트에 완전히 머리를 기댔다. 아, 어떻게 일이 풀려도 이렇게 안 풀리지.
순간, 마차의 문이 열렸다.
"무사히 돌아오셨습니까."
궁의 시종 중 하나가 발 받침대를 미리 가져다 놓은 채 고개를 숙이고 있었다.
아벨라가 어리둥절하게 주위를 둘러보았다. 어느새 적색궁 앞이었다. 아, 언제 도착한 거야? 아벨라는 열었던 입을 도로 다물었다. 타이밍도 좋지.

아벨라는 한껏 답답한 표정을 억누르며 얌전히 펠리체의 손을 잡았다.

펠리체가 작게 웃는 듯한 소리가 들렸지만 아벨라는 그를 무시했다.

Chapter 7

Chapter 7

백영궁의 서관은 중앙 본관, 그리고 동관과도 그 내부가 좀 달랐다. 본궁이 하얀 대리석과 백영을 기반으로 적색의 융단과 금장으로 장식이 되어 있다면, 서관은 눈이 부셔서 눈을 뜨지도 못할 만큼 바닥을 금장으로 깔아 놓거나, 벽을 금가루와 풀을 섞어 금빛으로 칠해 놓았다.

황제는 이런 내장을 매우 싫어해, 서관에 드나들 때마다 얼굴을 찌푸린 채로 꼭 '이런 식의 장식을 해야겠냐.'며 호통을 쳤지만 이곳의 주인인 샬롯은 황제의 말에 눈썹도 까닥이지 않았다.

이깟 장식으로 황제의 총애를 잃었다면 기백 번도 더 잃었을 것이다. 샬롯에겐 황제의 시선을 죽을 때까지 붙잡을 수 있다는 자신감이 있었고, 덕분에 서관은 황제의 만류에도 불구하고 점점 더 호화롭고 사치스러운 수준을 넘어 천박하게 변했다.

어쩔 수 없었다. 샬롯의 취향은 원래가 좀 천박한 면이 없잖아 있었으므로.

샬롯은 바늘로 찔러도 피 한 방울 나오지 않을 정도로 고매한 외모를 갖고 있었다. 카모프 공작가 특유의 현숙한 검은 눈과 윤기가 흐르는 흑발은 그녀를 수수하고 은은한 미녀로 보이게끔 만들었다.

하지만 자신의 외모에 대한 반발심인지, 현숙함과 현명함을 중시하는 공작가의 가풍에 질린 탓인지 샬롯의 취향은 말도 안 되는 허영으로 점철되어 갔다.

화려하고 아름다운 무늬로 가득한 드레스에 그보다 더 화려한 액세서리를 하는 식이었다.

플로바 백작, 셰이라 3황자비의 아버지 되는 자이자 제국에서 가장 큰 상단을 운영하고 있는 그는, 오늘 긴장된 표정으로 이 서관에 들어섰다.

오늘은 자신의 딸을 보러 오기 위함이 아니었다. 이 서관에 살고 있는 다른 누군가의 접견 요청으로 이곳에 왔다. 서관의 꼭대기층에 살고 있는, 서관의 주인인 여자였다.

샬롯 드 카모프.

플로바 백작은 공연히 침만 삼키며, 품에 들어 있는 진상용 보물을 상기했다. 서로 다른 마정석 줄기 사이에서 두 갈래의 마정석을 한 몸에 품고 태어나는 희귀한 보석 '레줄'을 가공하여 만든 목걸이였다. 레줄엔 다른 마정석보다 최대 몇만 배 정도의 마력이 응축되어 있어, 레줄에 마법진을 새기면 반영구적으로 마법을 쓸 수 있었다.

외양은 수수하나 갖고 있는 힘은 월등했다. 억만금을 줘도 구하기 힘든 귀중한 보석이다.

플로바 백작은 그녀에게 이 레줄을 진상하며 할 말을 되새겼다. 그 누구보다도 현숙한 샬롯 황비시여, 이는 아름다움 안에 감추고 있는 힘을 상징합니다. 레줄의 주인은 당신밖에 없습니다…….

샬롯의 접견실 밖에 서 있던 궁인이 플로바 백작을 알아보고 깊이 허리를 숙여 절했다. 그러곤 문을 열고, 그에게 들어가라는 듯이 더 깊이 절했다.

플로바 백작은 열린 문 앞에서 긴장된 숨을 삼키곤 이내 방으로 들어가기 위해 발을 옮겼다.

"저하."

백작은 문에 들어서며 허리를 숙여 깊이 절하곤 허리를 들어 다시 무릎을 완전히 굽혔다 펴 일어났다. 더없이 정중한 자세였다.

"오, 내 사돈이 오셨군요."

"오늘도 더할 나위 없이 아름다우십니다."

"그런 입에 발린 말은 마세요. 백작에게 가장 아름답고 아끼고 싶은 자는 제 며느리가 아닌가요?"

"아닙니다. 이젠 플로바가의 사람이 아닌 이 카셀란 황가의 사람인데, 제가 어찌 제3황자비 저하를 아직도 사가에서처럼 아끼겠습니까."

"오, 그런가요."

순간 기다렸다는 듯 샬롯이 빙그레 웃으며 말을 이었다.

"제가 보기엔 딸을 지극히 사랑하여, 아직도 플로바 백작 영애인 양 어르고 달래시는 것 같던데. 직접 입궁까지 해 하나하나 일러 줄 정도로 제 며느리를 사랑하시는 것 아닙니까."

"그건……! 황실에 누가 될까 엄하게 다시 한번 일렀을 뿐입니다."

다시 허리 숙이는 플로바 백작의 등이 식은땀으로 축축해졌다. 샬롯은 저번, 자신이 입궐하여 셰이라에게 훈통친 것을 지적하고 있었다. 자신이 셰이라에게 뭐라고 했는지 그 내용까지 알고 있는 게 분명했다. 실수였다. 셰이라를 보자마자 울컥해, 이곳에 보는 눈이 수십이라는 걸 알면서도 윽박지르고 말았다.

백작은 의자에 앉는 대신 샬롯의 바로 앞에 무릎을 꿇고 품 안의 자색 비로드 상자를 꺼내 공손히 그녀에게 내밀었다. 샬롯의 눈썹이 순간 위로 들렸다.

"괜찮습니다, 백작. 그대의 충심은 그 누구보다도 잘 압니다."

샬롯이 대답했다. 아주 상냥해진 목소리였다. 그러곤 시종이 나서기 전에 손을 뻗어 그에게서 상자를 집어 들었다.

'달칵' 하고 그녀가 상자를 단숨에 열었다.

"……."

상자 안에 들어 있는 건, 다양한 색으로 빛나지만 꽤 수수한 수정 펜던트였다. 샬롯의 눈이 미미하게 찌푸려졌다. 세공은 정교하지만, 이런 보석은 샬롯의 취향이 아니었다. 플로바 백작에 대한 그녀의 평가가 내려가는 순간이었다.

제법 쓸 만한 딸도 바치고 괜찮은 보석들도 잘 바치는 데다 무엇보다도 치고 빠지는 판단력이 대단해 아꼈는데, 이런 수수한 보석이라니. 아무래도 정말 눈치가 있었던 건 아닌가 보지.

"저하, 이는 레줄이라는 보석으로……."

"아니, 백작. 제가 먼저 말하겠어요."

플로바 백작이 무안할 정도로 말을 싹둑 끊으며, 샬롯은 목걸이가 들어 있던 상자를 뒤의 시종에게 아무렇게나 넘겼다. 플로바 백작의 얼굴이 변하는 게 보였으나, 그녀는 전혀 아랑곳하지 않은 채로 말을 이었다.

"오늘 나는 백작 말고도 다른 이들을 불렀어요. 카모프 공작이 된 내 남동생과 백작처럼 제게 언제나 힘을 실어 주셨던 분들이지요. 이제 곧 다들 오실 거예요."

플로바 백작의 얼굴이 기묘해졌다.

"사람들을 모아 회동을 하신다고요? 대체 왜."

"사안이 아주 긴급하기 때문입니다."

샬롯은 대답하며, 입꼬리를 부드럽게 치켜세웠다.

"8황자비를 없애야겠어요."

"……예?"

플로바 백작이 순간 말을 이해하지 못하고 아연한 표정으로 되물었으나, 샬롯은 표정 하나 변하지 않은 채 그 웃는 얼굴을 유지하고 있었다.

플로바 백작은 몰랐지만, 딜루어 공국으로부터 피해를 입은 사람은 플로바 백작 한 명뿐이 아니었다. 3황자의 뒤를 봐주던 메를린 후작은 마정석 광맥이 끊어졌다는 소식에 그가 갖고 있던 채굴권을 헐값에 팔아넘겼다.

하지만 그 소식은 사실이 아니었고, 메를린 후작은 뒤늦게 이런 저급한 정보를 흘린 게 딜루어 출신의 무역상이었다는 것을 알았다. 게다가 헐값에 산 이 또한 딜루어 은행이라는 것도.

영지 대부분이 광산인 메를린 후작은 영지의 삼분의 이를 단숨에 잃었다. 이런 식으로 이런저런 재산을 잃은 3황자 측의 주요 인사들만 해도 다섯 손가락을 꼬박 넘어갔다.

카모프 공작가의 손해도 이만저만이 아니었다. 카모프 공작가는 본디 제국의 해변을 막고 있는 산맥 아래를 영지로 삼고 있었는데, 정복 전쟁 시절 전공을 세워 중앙 귀족으로 진출한 가문이었다.

현재는 산맥의 나무들을 베는 임업과 제지업이 가문의 주요 수입원이었다. 그런데 며칠 전 그들의 영지 대부분의 나무가 뿌리가 무르는 병에 걸려 크게 죽어 가고 있다는 비보가 전해졌다.

동시에 딜루어에서 제국으로 불어오는 해륙풍에 흰 가루가 섞여 왔다는 증언도 같이 들어왔다.

카모프 공작은 이에 딜루어 공국이 배후라고 거의 확신하고 있었다. 그리고 샬롯도 이에 동의했다. 샬롯은 그 순간 진지하게 아벨라의 암살을 계획하기 시작했다.

대카모프 공작가와 그의 가신들을 건드린 죄였다.

샬롯에게 있어 딜루어 공국은 주제도 모르는 소국이었다. 백치인 딸 하나를 공물처럼 보내 놓고 이런 식으로 오만방자하게 굴다니. 그 딸을 암살해 이 제국이 얼마나 무서운지를 보여 주고 싶었다.

이미 카모프 공작도 합의한 바였다.

물론, 이는 어처구니없는 착각이었다. 누군가 샬롯을 바로잡아 주면 좋겠지만 샬롯의 곁엔 국제 정세에 감각이 있는 자가 아무도 없었다.

심지어 당대 카모프 공작은 누이인 샬롯보다도 정세에 더 아둔하여, 임업이 주 가업인 카모프 공작가와 딜루어 공국의 힘이 대등하다 믿고 있었다.

우물 안 개구리가 코끼리를 때리려 들고 있었다. 하지만 이를 우물 안 개구리만 모른다. 비극이었다.

무거운 얼굴로 앉아 있는 익숙한 얼굴들을 향해, 샬롯이 부드럽게 입을 열었다.

"더 이상 좌시할 수가 없어요. 그것들이 감히 결혼하여 이 카셀란 제국의 황위 다툼에 끼어들었다는 것만으로도 견딜 수가 없는데, 이곳에 그 백치 하나 들이밀었다고 그깟 공국이 이리저리 마수를 뻗치다니요."

샬롯은 잔을 들어, 옅은 오렌지빛의 홍차를 한 모금 머금었다.

"이번 제국제 안에 반드시 처리해야 해요. 제국제가 앞으로 석 달도 남지 않은 지금, 어떻게든 그 계집부터 처리해야 모든 일이 우리가 원하는 대로 흘러갈 것입니다."

"어떻게 처리하실 겁니까?"

"……이미 그 볼품없는 궁에 사람을 좀 심어 두었습니다. 아주 유능한 사람들입니다."

이미 아벨라가 분리해 낸 간자들이었다. 하지만 이를 샬롯이 알 리 없었다.

그녀는 손을 들어 올려 창가의 햇빛에 제 반지를 비춰 보았다. 알이 큰 사파이어가, 그녀가 손가락을 이리저리 움직일 때마다 눈부시게 빛났다.

"곧 처리될 거고, 그럼 다시 모든 게 잘될 겁니다. 황제 폐하껜 아직 말씀드리지 못하겠지만 모든 일이 다 끝나고 말씀드린다 해도 저를 내치시진 못할 테지요. 제 뒤엔 여러분과 귀족원이 있는걸요."

그녀의 달콤하게 잦아드는 어조 뒤로, 플로바 백작의 주변에 앉아 있던 자들이 고개를 끄덕이며 맞장구를 쳤다. '공국의 비천한 계집, 백치라더니 그쯤이야 쉽지 않겠습니까. 어서 싹을 잘라 버리지요' 같은 말들이 줄지어 나와, 샬롯을 즐겁게 만들었다.

기가 막힌 일이었다. 이곳에서 이 일이 불가능한 일임을 모르는 자는 카모프 공작을 제외하면 아무도 없었다.

그간 샬롯에게 그녀의 일을 반대하며 충언을 했던 몇 안 되는 귀족들은 샬롯에 의해 제거된 지 오래였으니까.

이게 3황자를 황태자로 만들려는 사람들의 실체였다. 샬롯이 사슴을 보고 '저 동물은 말'이라고 말한다면 그마저 따를, 무능하고 불쌍한 꼭두각시들.

플로바 백작은 주위를 둘러보았다.

여기서 웃지 못하는 자는 오로지 플로바 백작뿐인 것 같았다. 아아, 오로지 그만 정상이었다.

그간의 현상들이 그저 '딜루어 공국이 아벨라를 내세워 그들의 제국 내 기득권을 빼앗는 짓'처럼 보인단 말인가?

틀렸다. 선후 관계가 심각하게 뒤바뀌어 있었다. 백작이 보기엔 경고였다. 우리는 너희를 없앨 힘이 있으니 다시는 아벨라를 건드리지 말라는 위협.

그 증거로 셰이라가 무효표를 든 날, 딜루어 은행으로부터 모든 어음이 지급되었지 않던가.

백작은 공국의 행위가 정말로 위협이었음을 그때야 실감했다. 딜루어 공국은 그런 단순한 위협 한번쯤은 아무렇지도 않게 실행할 힘을 갖고 있었다. 그리고 플로바 백작은 그 위협 한번으로 길거리로 나앉을 뻔했지.

지금 와 생각해 보면, 딜루어 상인의 특징도 그랬다. 딜루어 공국 안에 있는 모든 단체와 딜루어 국적을 가진 사람들은, 다들 개인적이고 실리에 밝으면서도 본인들의 나라를 위해서라면 마치 한 몸인 것처럼 조직적으로 움직였다.

그리고 아벨라는 그들을 움직이는 스위치나 다름없었다.

플로바 백작의 아래턱이 덜덜 떨리기 시작했다. 그는 날 때부터 상인이었다. 배포 있었고, 타고난 미래안이 있었다. 되도 않는 일은 시도조차 하지 않았다. 그리고 그의 모든 감각이 소리치고 있었다. 이번 일은 안 된다, 도망쳐야 한다고.

그는 문득 차가운 눈을 하곤 주변을 둘러보았다.

가라앉을 배에서 가장 먼저 도망치는 것은 쥐새끼들이었다. 자신과 같은.

Chapter 8

Chapter 8

제8황자궁, 통칭 적색궁의 분위기는 예전과 많이 달라져 있었다.

물론 겉으로 보기엔 별반 달라진 점이 없었다. 하지만 조금만 더 자세히 살펴본다면 누구라도 쉽게 그 변화를 눈치챌 수 있었다.

우선, 사용인들의 인사가 무척이나 정중해졌다. 아벨라가 지나갈 때마다 너 나 할 것 없이 모두가 올바른 자세로 아벨라에게 절했다. 마치 처음 궁에 들어왔을 때 교육받았던 때처럼 그들의 인사엔 군기가 바짝 들어 있었다.

그리고 모두가 자신의 일에 열중하기 시작했다. 항상 보이는 곳만 설렁설렁 청소하려 들던 이들이, 계단 난간의 뒤까지 팔을 넣어 걸레질했다.

왁스만 묻혀 놓고 그저 몇 번 석석 닦고 넘어갔을 뿐인 복도의 돌들도 광이 나기 시작했다. 담당하는 시종들이 너무 미끄럽지 않도록 몇십 번, 몇백 번 닦아 냈기 때문이다.

몇 안 되는 우편물 분류엔 그날 따 온 정원의 꽃이 한 송이씩 놓여 있고, 식당의 벽엔 휘장이 생겨났으며 테이블보와 식기 모두 이전보다 번쩍번쩍 빛이 났다. 자연스레 모두 일에 열중하는 분위기가 된 것이다. 하루하루 차근차근 변하니, 그 변화가 곧 상전벽해가 되었다.

"물론 돈은 좀 많이 들었지."

아벨라는 회계 장부를 작성하면서 중얼거렸다. 그래도 후회는 없었다. 주디에게 꽤 많은 돈을 받았으니까.

아벨라는 이 과정이 매우 중요하다고 생각했다. 말 몇 마디로 사람의 마음을 사로잡는 건 꿈같은 이야기다. 이 사람들이 자신에게 갖게 된 환상과 기대감을 충족시켜야 한다. 그래서 그들의 상상 속 아벨라를 훨씬 더 크고 우러를 수 있는 존재로 어필해야 했다.

시녀들과 시종들은 아벨라가 주는 소량의 돈이나 음식, 보상에도 몹시 만족하고 행복해하는 모습을 보였다. 당연했다. 선생님이 주는 사탕에 아이들이 유독 환장하는 이유는, 그 사탕이 정말 맛있기 때문이 아니라 선생님이 자신을 인정해 줬다는 뜻이기 때문이다.

이 관계에서 아벨라는 선생님의 역할이어야만 했다. 그들의 인정 욕구를 찾아내고 충족시켜 주는 역할.

"아씨."

그때였다. 문을 열고, 베티가 고개를 빼꼼 내밀었다.

"응."

아벨라가 상냥하게 대꾸하며 그녀를 향해 손짓했다. 베티가 아벨라를 향해 총총 걸어와선 손에 들려 있던 쿠키를 내려놓았다.

"주방장이 지금 구웠다고 드셔 보라고 하셔서요."

"아, 고마워라."

베티는 그렇게 말하면서 쿠키 접시 아래에 있던 쪽지를 보여 주었다. 이는 궁의 사용인들이 아벨라에게 할 말을 적은 쪽지였다.

아벨라의 요청 이후, 사용인들은 조심스럽지만 확실한 증거를 들어 수상쩍은 동료에 대해 말해 주었다. 그런데 공교롭게도 그 인물들이 고스란히 겹쳤다.

또한 아벨라는 베티에게 말한 대로 착실히 시간을 들여 그 요주의 인물 다섯에게 각자 다른 이야기를 흘렸다. 이야기의 시나리오는 각자 달랐고, 그 이야기를 전달하는 인물도 모두 달랐다.

그리고 그 결과, 요주의 인물들은 다섯에서 둘로 추려졌다. 다른 세 명은 이미 아벨라와 베티가 이런저런 핑계를 들어 외부로 방출했다.

이 두 명은 이상하게 이야기를 밖으로 전달하는 일이 없었다. 하지만 그들이 수상한 사람이 아니라기엔 여간 걸리는 일이 많았다.

때문에 여기까지 추리한 아벨라는 그 두 명을 빨리 내보내려 하는 대신 좀 더 알아보기로 했다. 간자임은 확실한데, 무슨 목적을 갖고 있는지 파악하고 싶었다.

그래서 아벨라는 시종들에게 조금 더 그에 대해 알려 주기를 요청했고, 지금 베티가 가져온 쪽지가 그 결과물이었다.

남은 둘의 이름은 다음과 같았다.

리타 픽사스, 델마 레바일.

"이 둘 중 하나란 말이지."

쪽지를 펼치기 전, 아벨라는 다시 서류들을 살펴보며 중얼거렸다. 항상 그렇듯 아랫입술을 검지로 톡톡 두드리곤 다시 생각에 잠겼다.

리타 픽사스, 어디서 많이 들어 본 이름이다 했더니 다름 아닌 아벨라가 시녀로 위장할 때 썼던 이름이다. 그땐 아무 생각 없이 빌렸는데. 아벨라는 그녀의 서류를 보며 생각에 잠겼다.

그녀의 서류 대부분은 허위였다.

제국의 해양 지역 갈라 출신이라고 했지만 아마 그녀는 몰랐을 터다. 시녀 앤이 가장 친하게 지내는 본궁의 시녀가 갈라 출신이었다. 그녀와 동년배고, 같은 동네 출신임이 분명한 본궁의 시녀는 '갈라는 무척 작은 동네인데, 리타라는 아이를 본 적이 없다.'고 공언해 주었다.

게다가 그녀의 직전 근무처도 요원하기 짝이 없었다. 직전 근무처가 본궁의 3층, 귀족들이 공무를 보는 회의실과 집무실들이 있는 곳인데, 그곳에 근무하고 있는 어니스트의 친구들은 그런 여자를 본 적이 없단다.

게다가 베티는 리타 픽사스라고 하면 이를 부득부득 갈기까지 했다. 뭐랬더라.

"베티."

"네?"

"리타가 어땠다고 했지?"

"리타 픽사스요?"

순간 베티의 눈동자가 불타올랐다.

"아씨가 그 서류를 갖게 된 게 왜인 줄 아세요? 그때, 제가 하도 분해서 기억해 두려고 그 계집 서류를 보다가 맨 위에 올려 뒀기 때문이라고요."

베티가 눈썹을 잔뜩 좁힌 채 주먹을 불끈 쥐었다.

"아주 태업의 화신이에요. 전 그렇게 농땡이 부리는 시녀 처음 봤어요. 청소를 시키면 핑계 대고 나무에 올라가 자고요, 부엌에서 먹을 거 먹으면서 다른 부엌 시종의 말은 엄청 안 듣는 그 계집 있잖아요, 누구지?"

"사라? 그 의심했던 셋 중 하나잖아."

"그래요! 걔랑 깔깔거리면서 농땡이나 치고요!"

베티가 두 주먹을 불끈 쥐다 못해 발을 '탕' 굴렀다.

"제가 이 궁 구조를 잘 몰라서 딜루어 건축 양식에만 있는 부분을 유의해서 닦으라고 지시하니까, 빈정거리면서 '모르셨구나~ 여긴 건축 양식이 좀 다른데~.' 하고 비웃었다고요. 제가 이렇게 닦아야 된다고 그랬더니 팔이 아프다고 구르는 거예요! 그리고 또 어쩜 그렇게 다른 궁으로 잘 놀러 다니는지!"

"아, 알았어. 진정해, 베티."

아벨라가 진땀을 흘리며 그녀를 진정시키곤 재빨리 화제를 돌리기 위해 다음 장의 델마를 가리켰다.

"그, 그럼 델마는?"

"아, 델마요?"

잔뜩 흥분하던 베티가 그녀의 물음에 주먹 쥔 손을 펼쳐 손바닥을 맞잡았다.

"델마는…… 전 사실 델마가 첩자일 거라곤 생각지도 못했어요. 일을 너~무 너무 잘 도와줘서."

"응? 그래?"

"네. 엄청 상냥하고, 싹싹하고, 제가 모르는 게 엄청 많은데도 일일이 도와줬거든요. 그리고 저번에 대청소할 때 있잖아요, 아시죠?"

"음, 맞아. 그때 우리 궁 사람들로는 부족해서 본궁에서 인원을 좀 빌려 왔었지?"

"네! 그때 적극적으로 도와준 게 델마거든요."

"……그래?"

"네. 그때 그 애한테 도움을 얼마나 많이 받았는데요. 부시녀장이라도 시키고 싶었어요. 항상 목욕물도 받아 줬고요."

"흠. 그렇게 속이 깊어?"

"네! 혹시라도 아씨 관련해서 입을 잘못 열까 봐 제가 걔랑 얘기하다 혀를 얼마나 깨물었는지 아세요?"

"흐음."

아벨라는 미간을 찌푸린 채, 서류들을 다시 번갈아 보았다. 그러고는 손가락으로 쪽지를 펴, 정보를 읽어 보았다.

"어니스트가 보냈네. ……어젯밤 리타가 또 궁을 나가 뒤로 돌아가는 걸 보았습니다."

"그것 보세요! 고 계집이 분명히 첩자예요!"

"아니, 첩자는 델마일 수도 있어."

"그럼 리타 고 계집은 분명히 황비의 첩자일 거예요!"

"아이고, 그래. 알았어. 진정해."

"정말이래도요!?"

"알았어."

아벨라는 펼친 쪽지를 다시 서류 위로 올려 두며 혼자 조용히 중얼거렸다.

"……어차피 곧 밝혀지겠지."

"리타."

"아, 앤."

"여기. 오늘 간식으로 나온 크림빵이야. 넌 밖에 있어서 못 받았잖아."

"아, 고마워라. 아니, 오늘도 그 어린 게 자꾸 따박따박 일 시키잖아. 졸려서 낮잠 잤어."

앤은 그녀에게 빵을 건네고는 어색하게 웃으며 그 옆에 걸터앉았다. 평상시에 어울려 본 적 없었다. 리타는 좀 무서웠다. 키도 멀대같이 크고 어깨도 떡 벌어진 게, 얼굴만 서늘하게 예뻤기 때문이다. 목소리도 좀 낮고. 게다가 푸른 눈이라니, 저가 무슨 귀족도 아니고. 괜한 자격지심도 들어서 공연히 멀리했던 것도 사실이다.

그렇지만 오늘은 그녀에게 꼭 전달해야 하는 말이 있었다. 어젯밤 베티 시녀장님이랑 수십 번 외우고 연습했던 상황극을 떠올리며, 앤은 주머니 속에 감춘 손으로 주먹을 불끈 쥐었다.

"나 어제 무서운 거 봤어."

"뭔데?"

"아니, 붕대를 펄럭거리면서 웬 남자가 창문을 뛰쳐나가는 거야."

앤이 천천히 말하는 때였다. 빵의 포장을 헤치던 리타의 손이 갑자기 멎었다.

"붕대를 펄럭거리면서? 이 궁에 붕대를 두른 분은 한 명밖에 없잖아?"

"그래, 괴물 황자 말이야."

앤은 '괴물 황자'라고 뱉고는, 스스로 놀란 얼굴을 숨기기 위해 빵으로 고개를 푹 숙였다. 으, 황자님, 죄송해요. 황자비님도 죄송해요…….

"그래서 너무 놀라서…… 도로시한테 말했는데, 도로시가 자기도 본 적이 있대. 근데 그 옆에 있던 어니스트도 봤다고 하고, 라일도 봤다는 거야……. 아무래도 매일매일 황자님이 이 궁을 나가는 거 같아."

"뭐?"

리타가 미간을 찌푸리며 빵을 움켜쥐었다. 빵에 가득 들어 있던 우유 크림이 새어 나왔다. 앤이 놀라 눈을 동그랗게 뜨자, 리타가 어색하게 손의 힘을 풀었다.

"아, 아니……. 그게 사실이야?"

"어? 어어……."

"아니 그럼 아벨라 님…… 아니, 그 백치는 매일 밤 혼자 있는 거네?"

"그렇지……."

"혼자? 주변에 사병도 없고 기사도 없고?"

"시녀장님 계시잖아……."

"그래, 그 어리바리하고 귀여운데 쓸데없이 정석이라 놀려먹기 좋은 시녀장만 있는 거잖아?"

"그, 그렇지……."

"알았어. 앞으로 나도 귀신 보면 황자라고 생각해야겠다."

리타는 미간을 찌푸리며 대답하곤 빵을 크게 베어 물었다. 앤이 제 몫의 빵을 감싸 쥔 채, 자신도 모르게 입술을 일그러뜨렸다. 무서워…… 내가 정말 잘 연기한 걸까?

그리고 또 다른 곳에선 베티와 주디가 델마와 함께 빨래를 개고 있었다.

"델마, 네가 도와줘서 한숨 돌렸어."

"제가 뭘요. 시녀장님과 침모님은 일이 너무 많으니 당연히 제가 도와야죠."

"아휴, 정말 델마 네가 없었으면 큰일 났을 거야."

베티는 수건을 차곡차곡 개는 동안 주디를 바라보았다. 주디가 수건으로 고개를 숙이며 수건을 원래와 다르게 접었다. 신호였다.

"……아씨는 수건을 꼭 가려 쓰시거든. 이 딜루어산 수건이 좋다고 매번 말씀하셔서……."

"네?"

"응?"

순간 델마가 고개를 번쩍 들고 베티를 바라보았다. 상당히 동요하는 모양새였다.

"수건을 딜루어산만 가려서 쓰신단 말이에요? 그걸 직접 말씀하셨다고요? 어떻게요?"

걸렸다.

베티는 자연스럽게 놀란 표정을 짓고 입가를 가렸다.

"어? ……에그머니나. 내가 지금 무슨 말을. 잊어 줘, 델마. 지금 내가 한 말은, 응? 아씨는 그, 그냥 손짓으로 말씀하셨다는 뜻이야."

"어, 그…… 설마, 혹시 아씨가……."

"솔직히 말해 줘요, 베티. 나도 대강 눈치는 챘으니까."

그때, 옆에서 주디가 말을 거들었다. 주디는 수선을 다시 올바르게 개며 말을 이었다.

"아씨가 옷이 마음에 안 든다고 짜증 내고, 언제까지 바보짓을 해야 하느냐며 크게 성토하시는 소리를 들었어요."

"아…… 저, 그건……."

베티는 난처한 표정으로 입을 다물다가 곧 오래 뜸을 들여 자신이 들고 있는 빨래를 매만졌다. 델마를 곁눈질로 흘끔 확인하니, 아주 열렬한 눈으로 베티를 바라보고 있었다. 얼마나 자신을 바라보는지, 베티의 볼이 뚫어질 정도였다.

하나, 둘, 셋. 베티가 타이밍을 재곤 크게 한숨을 쉬었다.

"그건, 하, 안 돼……. 여러분, 이건 정말 비밀이에요. 네?"

"걱정 마시고 말씀해 주세요."

"그게 사실은…… 여러분의 말이 맞아요. 아씨는, 황자비 저하는 백치가 아니세요. 그저 연기하고 계신 거예요."

"……!"

주디는 놀란 표정을 짓곤 델마를 흘끔 살핀 뒤 고개를 천천히 끄덕이며 제가 먼저 말했다.

"……그랬군요. 무서운 사실을…… 이 사실은 못 들은 걸로 하겠어요, 시녀장님. 비밀은 죽을 때까지 지킬 거예요."

"저도, 저도예요."

델마가 걱정스러운 얼굴로 끼어들었다. 그녀는 갠 수건을 가슴에 꼭 끌어안으며 처진 눈썹을 한 채 중얼거렸다.

"제가 이런 사실을 알아 뭐 하겠어요. '이제는' 아무 소용도 없는 사실이라 여기고 잊겠어요. 전 여기 사람인걸요."

"델마, 주디……."

베티는 그렇게 말하고 고개를 숙여 울음을 참는 시늉을 했다. 물론 고개 숙인 눈은 멀쩡하게 말라 있었다. ……잘 흘린 건가? 너무 어설펐나? 연기라지만 주디가 저렇게 말해 주다니 고마운걸. 아니, 아니지. 아씨가 마음 놓지 말라고 하셨어.

베티가 입술을 앙다물었다.

그로부터 일주일 뒤, 밤.

목욕을 끝마친 아벨라는 심각한 표정으로 고민하고 있었다.

그도 그럴게, 둘 다 낌새가 이상했다. 정보를 흘린 지 오늘로 딱 일주일째인데 그 뒤로 둘 다 도무지 움직이지를 않는다.

"……끄응."

아벨라는 앓는 소리를 내며 작게 도리질 쳤다.

정말 예상 밖의 일이었다. 나름 아벨라 선에선 가장 큰 폭탄을 던졌음에도 불구하고, 리타나 델마 모두 쉽게 본인들의 근무지를 떠나지 않았다. 밤에 몰래 나가나 싶어서 다른 사용인들과 함께 밤을 새 봤지만 그도 허사였다. 둘은 꼼짝도 하지 않았고, 항상 8황자궁 안에서 대기하고 있었으며, 부르면 나타났다.

"정말 이상하다니까요."

베티가 아벨라가 입은 폴로네이즈 가운의 셔링을 떼어 내곤 가운을 벗긴 뒤 파니에를 속에서 풀어 아벨라의 다리 아래로 내렸다. 아벨라는 베티의 부축을 받아 파니에에서 나와 화장대 앞에 앉았다. 베티가 아벨라의 머리를 빗기 위해 빗을 들며 말을 이었다.

"요새는 리타도 엄청 일을 잘 도와줘요."

"응? 그래?"

"네. 요전번엔 시키지도 않았는데 풋맨들 사이에 껴서 왁스칠을 하고 있더라니까요. 계단을 벅벅 문지르는데, 문지르는 힘은 또 어찌나 좋은지……."

"……흐음."

아벨라가 다시 침음을 흘렸다. 정말 어쩌면 좋담? 둘 중 하나가 샬롯에게 접근을 해야 파악을 해서 따돌리든 내쫓든 역이용하든 하지.

"아니면 그냥 둘 다 내쫓아 버려요."

"그래, 차라리 그게 낫지? 그 방법도 생각해 봐야겠어."

얇은 모슬린을 여러 장 겹친 슈미즈 가운을 입혀 준 베티가, 침대로 먼저 다가가 침대를 덥히는 데 쓴 물주머니를 빼냈다. 이미 충분히 덥혀진 이불 안으로 들어가며 아벨라가 살짝 웃었다. 베티도 마주 웃어 주며 아벨라의 목 위로 이불을 여며 줬다.

"아씨, 그럼 얼른 주무세요."

"알았어."

"황자님은 언제 오시려나 몰라요."

"글쎄. 오겠지, 뭐."

베티가 슬쩍 열어 둔 문틈으로 도란도란 둘이 이야기하는 소리가 잔잔히 새어 나갔다.

그리고 그 문 앞 어두운 복도 그늘에 누군가의 그림자가 덧대어졌다.

베티가 방에서 나오고, 내실의 불이 꺼진 지 한 시간 즈음 뒤.

내실의 문이 소리 없이 열렸다. 그리고 시녀복을 입은 델마가 총총 걸어 들어왔다.

델마가 처음으로 향한 곳은 벽난로였다. 벽난로의 화톳불을 살피려는 듯이 벽난로를 보다 몸을 일으켰다.

델마의 표정이 완전히 변해 있었다. 마치 서늘한 얼음 같은 얼굴. 베티와 주디에게 살갑게 웃어 보이던 표정은 온데간데없었다.

"드디어 이날이 오는군."

델마가 냉랭하게 읊조렸다. 눈에 아무런 감정도 보이지 않았다. 델마는 침대 이불을 머리끝까지 뒤집어 쓴 아벨라를 바라보았다.

여기서 뜸을 들이고 싶은 생각은 없었다. 델마는 암살자고, 명령받은 일을 수행하면 될 뿐이다.

게다가 자신과 함께 이 궁에 들어왔던 다른 첩자들이 한꺼번에 방출되는 것을 보았다. 그러니 빨리 해치우고 사라지는 편이 좋았다.

게다가 이번에 새로 얻게 된 정보도 쏠쏠했고. 이 정도면 샬롯에게 좋은 값으로 팔 수 있을 것이다.

델마는 제 팔에서 검신이 좁은 검을 뽑아 들었다.

"안녕히 가세요, 황자비 저하. 괴물 황자에게마저 박대당해 혼자 잠드는 신세라니. 이런 세상이면 차라리 제 손에 얌전히 가시는 게 여러모로 이득이겠네요."

델마는 속삭이곤 단숨에 칼을 이불 더미에 꽂아 넣었다. 목과 머리 부분 사이를 베어야 즉사시킬 수 있으니까.

그런데 그때였다. 칼을 꽂아 넣은 델마의 표정이 변했다. 지금 이건 사람을 찌르는 감촉이 아니었다.

델마가 황급히 이불을 제쳤다. 델마의 눈이 램프만 하게 커졌다. 사람이 아닌 베개 더미만 있었다.

"이게 무슨……!"

델마가 놀라 중얼거리는 순간.

침대 밑에서 불쑥 손이 튀어나와 델마의 발목을 잡았다.

"박대 같은 소리 하고 있네."

그리고 불꽃이 강렬하게 피어났다.

"어서 와. 방이 좀 쌀쌀하지?"

그 불꽃 뒤편에서, 아벨라가 고개를 내밀며 사악하게 미소지었다. 그리고 바로 그 장면이 델마가 본 마지막 장면이었다.

풀썩.

불에 잔뜩 그을린 델마가 쓰러졌다. 아벨라는 손을 탈탈 털며 침대 밑에서 나왔다.

"더 멋있는 대사를 하고 싶었는데."

투덜거리던 아벨라가 델마를 살폈다. 제가 불을 지르긴 했지만 델마의 모습은 끔찍했다. 얼굴과 손은 물론 입고 있는 하녀복이 다 타 안에 갖춰 입은 암행복이 드러날 정도였다.

아벨라는 얼른 몸을 돌렸다. 자신이 해 놓은 거지만…… 막상 두 눈 뜨고 보기는 힘들었다.

"……좀 무섭기도 하고."

"뭐가 무서워?"

갑자기 뒤에서 불쑥 목소리가 들려왔다. 아벨라는 목소리가 들리는 쪽을 향해 한숨을 푹 내쉬었다. 놀라지는 않았다. 그곳에 있는 걸 이미 알고 있었기 때문이다.

펠리체였다.

침대 바로 뒤에 있는 비밀 통로에서 그가 빠르게 걸어 나오고 있었다. 펠리체는 근심이 가득한 얼굴로 그녀를 살폈다.

"난 네가 더 무서워. 내가 처리한다고 했잖아."

혹시 다쳤을까, 아벨라의 두 팔을 부드럽게 잡고 이리저리 살핀다. 펠리체가 말을 이었다.

"네가 마법을 할 줄 안다고 말했을 땐 놀랍고 뿌듯했지만…… 하마터면 큰일 날 뻔했어. 그녀가 침대 밑부터 체크했으면 어쩔 뻔했어."

"그래서 네가 여차하면 뛰쳐나오려고 대기하고 있었잖아."

아벨라가 뻔뻔하게 대꾸하자, 펠리체는 다만 한숨만을 내쉴 뿐이었다. 딱히 할 말이 없다. 펠리체의 말이 맞았으니까. 그래도 제 손으로 저를 죽이려는 살수를 잡아낸 건 더없이 좋았다. 아벨라는 배시시 웃으며 아까를 떠올렸다.

아벨라는 이미 델마가 살수이며, 오늘 자신을 죽이러 올 것이라는 걸 알고 있었다. 펠리체 덕분이었다.

잠자리에 들기 전, 내실의 비밀 통로를 열고 펠리체가 등장했을 때, 베티와 아벨라는 너무 놀라 소리조차 지르지 못했다. 하지만 펠리체는 놀란 그녀들을 달래지도 않고 바로 본론을 꺼냈다.
—아벨라, 피해야 해. 네가 찾고 있는 첩자는 살수야. 아마 오늘 움직일 거야.
—뭐라고?
—샬롯에게 심어 두었던 시종이 내게 말해 줬어. 샬롯은 귀족들을 모아 놓고 우릴 죽일 거라고 공언까지 했고, 오늘 아침 차를 마시며 '바로 오늘 끝나겠구나'라고 혼자 중얼거렸대.
그 뒤로는 더 자세한 것을 캐물을 시간이 없었다. 때는 이미 해가 기우는 시간이었고, 살수들의 위협에 다방면으로 대비해야 했다.
하지만 아벨라는 그 순간 묘안을 떠올렸다. 펠리체가 말하는 것처럼 온갖 위협에 대비하는 것도 좋지만 더 나아가 아벨라는 살수를 물리치고 싶었다.
아까 베티와 아벨라가 자기 전 방문을 살짝 열고 서로 대화하던 것도 모두 다 아벨라의 계획이었다. 둘뿐인 척했지만 사실은 펠리체가 이미 그곳에 있었다.
펠리체는 '살수를 잡겠다.'는 아벨라의 생각을 탐탁지 않아 했다. 하지만 그녀를 이 방에서 살아 나가게 둬선 안 된다는 아벨라의 말도 설득력이 있었다. 그는 결국 어쩔 수 없이 계획에 동참하게 되었다.
펠리체는 무척 철저했다. 방을 엿볼 것을 대비해 비밀 통로 안에 숨죽인 채 숨어 있었다.
비밀 통로 안쪽 벽과 같은 색의 태피스트리로 열린 통로를 막아 놓으니, 감쪽같았다.
"그나저나 볼수록 기가 차는군. 언제 마법을 배운 거야? 아니…… 마법을 쓸 수 있었어?"

시체를 가로막은 펠리체가 미간을 문지르며 그녀에게 물었다. 아벨라는 다시 멋쩍게 웃으며 고개를 끄덕였다.

"쉽더라. 수학만 잘하면 되는데, 뭐."

"수학……?"

"정확히는 기하인데, 이런 마법쯤 별거 아냐. 설명해 줄까? 조화사각형이라는 건데, 조화수열은……."

순간 흥분해 말을 이어 나가려던 아벨라가 말을 멈췄다. 펠리체의 표정을 보았기 때문이다. 기하는 고사하고 수학이 뭔지도 모르는 표정을 하고 있었다. 그래, 아직 이 시대는 학문의 발달이 느리니까…….

"……됐다. 그나저나 볼수록 기가 차는 건 나도 마찬가지야. 비밀 통로라고? 이런 게 있다고 왜 말 안 해 준 거야?"

"말할 타이밍이 어디 있었어? 그리고 비밀 통로는 저번에 재판이 있었을 때 이미 한번 겪었잖아?"

"하지만 그건 본궁이었잖아?"

그러자 펠리체가 씨익 웃으며 어깨를 으쓱인다.

"내가 어떻게 황제와 '몰래' 독대할 수 있었을까? 본궁엔 샬롯이 심어 놓은 샬롯의 사람들만 기백 명인데?"

"그럼 이 궁의 비밀 통로는 네가 만든 거야?"

"아니, 당연히 아니지. 아마 내 어머니가 이 궁을 하사받으셨을 때 황제가 다른 목적으로 만들었던 걸로 알고 있어. 어머니가 돌아가시고 난 뒤, 지금까지는 나와 황제만이 알고 있었지만…… 이젠 너도 알았네."

"본궁은 몰라도 이 궁의 비밀 통로는 나중에 꼭 알려 줘. 나랑 탐사를 다니자고.”

“알았어. 일단 황제한테 보고를 드려야 하니까…….”

그때였다. 펠리체의 눈이 갑자기 번득였다. 유황불이 타오르는 것처럼 눈이 활활 타오른다. 응? 왜 저래? 아벨라가 갑자기 변한 그의 분위기에 눈을 둥그렇게 뜰 때였다. 펠리체가 순간 왼 소매에서 단검을 꺼내 뒤로 던졌다.

델마가 있던 사리였다.

아벨라는 경악했다. 델마였다. 죽은 줄 알았던, 이미 숯처럼 검게 탄 델마가 펠리체가 던진 검을 피해 서 있었다. 아벨라는 자신도 모르게 입을 쩍 벌렸다. 살아 있었다. 살아 있다고? 지금 자신이 보는 게 맞는가?

온몸에 불이 붙어 몇 분 동안이나 타올랐는데, 살아서 저렇게 멀쩡하게 움직일 수 있다고?

“살아 있었나!”

펠리체가 델마를 보며 소리쳤다. 하지만 델마는 대꾸조차 하지 않고 자세를 잡았다. 델마가 서늘하게 웃었다.

“암행복이 불에 타지 않는 특수 옷감으로 제작되는 건 상식 아닌가, 애송이들아.”

그리고 어느 순간, 그녀가 몸을 낮춰 펠리체를 향해 달려왔다. 아까 이 방을 누빌 때의 걸음과는 비교도 되지 않는 속도였다. 그러고는 단숨에 팔을 들어 펠리체를 향해 휘둘렀다.

까앙!

펠리체는 능숙하게 검을 들어 그녀의 검세를 흘려 넘겼다. 이내 델마가 다시 한번 검을 내리쳤다. 이번엔 펠리체도 피하지 않았다. 둘은 그렇게 검을 맞부딪힌 채로 서로 힘을 겨뤘다. '까드득' 하고 금속이 부딪치는 소리가 울렸다.

"백치가 아니라는 것도 놀랄 노 자인데 마법도 쓰고 이 궁엔 비밀 통로가 있다고?"

델마가 이를 악문 채로 악귀같이 웃음을 흘렸다.

"반드시 너희들을 도륙 내고 살아 나가 주겠다."

"어림없지."

펠리체는 그런 그녀를 비웃었다. 그러곤 팔로 원을 크게 그려 움직임과 동시에 델마를 떨쳐 냈다.

그것으로 끝이 아니었다. 바로 다른 손에 들린 칼이 마치 섬광처럼 델마를 찔렀다.

"—!"

일순 델마의 눈이 크게 떠졌다. 델마는 빠르게 뒤로 굴렀다. 맹공을 가까스로 피한 델마가 자세를 다시 잡았다.

그러나 아벨라는 그녀가 자세를 잡기 전, 오른쪽 다리를 휘청거리는 걸 보았다. 아벨라의 눈이 빛났다. 화상의 타격이 아예 없어 보이진 않았다.

델마는 검을 십자로 교차해 잡은 채, 날카롭게 펠리체를 노려보며 외쳤다.

"어디서 검을 배웠지?"

펠리체는 브로드 소드를 움켜쥔 채 짤막하게 대꾸했다.

"네 따위가 알 것 없다."

"그 검술은 카모프 영지에서 살던 레인저들이 쓰던 검술식이다. 카모프가 레인저들을 전란 통에 그대로 없앤 뒤 실전된 검식!"

"그러는 너는 이 검식을 어찌 아느냐. 너도 레인저의 피를 이어받았나.”
“……!”
델마가 이를 부득 갈았다. 창문에 비친 달빛 새로, 그녀의 눈이 살기로 번들거리는 것이 보였다.
그녀가 이를 거세게 악물며 중얼거렸다. 아까의 낭창대던 어조와는 완전히 달라진, 마치 짐승의 울음 같은 읊조림이었다.
“알아서는 안 될 검술을 카셀란이 알고 있구나.”
“집안의 원수에 기생해 사는 주제에 말이 많구나. 긍지를 잃은 레인저는 레인저가 아님을.”
“이놈……!”
델마가 피를 토하는 듯이 외치며 그를 향해 바로 달려들었다. 바로 그때였다.
“안 돼!”
무언가 부서지는 듯한 큰 소리와 함께 문이 열리고 그 사이로 황급히 누군가 뛰어들며 외쳤다. 너무나도 늠름하고 남자다운 목소리였다.
순간 방 안에 있던 모두의 눈이 그쪽으로 향했다.
“……?”
“리타?”
방 안을 채운 달빛에, 용케 그녀의 얼굴을 알아본 아벨라가 조그맣게 그녀의 이름을 흘렸다. 그랬다. 검푸른 머리칼을 길게 휘날리며 치마를 부여잡은 채로 우당탕 뛰어든 자는 리타, 아벨라가 델마와 함께 첩자로 의심하던 자였다.
“안 돼! 안 돼! 잠깐만요, 아, 타임. 잠깐만 멈춰 봐.”
리타는 대치하는 펠리체와 델마 사이에서 손을 펼쳐 보이며 그들을 가로막았다.

"……뭐가 안 된다는 건데?"

으르렁거리던 델마가 어처구니없다는 듯이 그를 향해 물었다. 리타가 '하핫' 하고 웃다 그녀를 향해 기다렸다는 듯 대답했다.

"내가 막아야 돼."

"뭘?"

"널."

"……왜?"

델마가 어처구니없다는 듯이 다시 한번 물었을 때였다. 리타가 두 손을 든 채로 델마를 향해 아예 돌아섰다.

"아니, 내가 너 같은 애들 막으라고 월급에 출장비에 위험수당에 별거 별거 많이 받고 있거든. 근데 지금 내가 많이 늦었잖아. 그치? 이거 들키면 나 진짜 작살나거든. 어?"

……이거 무슨 꽁트인가? 순간 리타를 제외한 모두가 그를 싸늘하게 바라보았다. 훅 식은 방 안의 분위기에 크게 일조하고 있는 델마가 그를 향해 낮게 읊조렸다.

"……이게 미쳤나."

"아, 알았으니까 나부터 해. 나부터. 어? 너는 방 안에 들어오자마자 나를 만난 거야. 알았어? 야, 그런데 너 왜 이렇게 많이 탔냐? 아프겠다."

"뭐?"

"야, 그럼 이제 다시 싸우자. 알았지?"

"너 진짜 미쳤어?"

"셋 센다, 어? 하나, 둘."

리타는 델마의 대꾸에도 불구하고 천연덕스럽게 숫자를 세며 치맛단을 북 찢었다. 그러자 안에 무장하고 있는 무기가 드러났다. 그리고 빠르게 보폭을 벌려, 허리에 차고 있던 두 자루의 숏소드를 빼 들었다. 순식간에 완벽한 전투 자세를 갖춘 리타가 낭랑하게 외쳤다.

"셋!"

"이 새끼가, 네 멋대로 셋을 세면—!"

델마가 크게 소리치며, 짓쳐들어오는 그의 검을 피해 허리를 숙였다. 그게 시작이었다. 둘의 팔이 누구보다도 빠르게 움직이기 시작했다. 들리는 소리라곤 동시다발적으로 울리는 금속 부딪치는 소리, 보이는 것이라곤 달빛에 반사되는 검들의 흰 궤적밖에는 없었다.

그렇게 한참 계속되던 싸움을 지켜보던 아벨라가, 문득 펠리체를 향해 고개를 돌렸다. 펠리체 역시 아벨라를 향해 마주 고개를 돌렸다. 시선이 느껴지는 모양이었다.

"아벨라."

"펠리체."

이게 대체 무슨 일이야. 아벨라가 영문을 모르겠는 표정을 지었다. 혹시 펠리체는 돌아가는 사정을 아나 했더니, 그 또한 모르는 모양이다.

"저 사람, 네가 의심하던 사람 아니었어?"

"맞아. 그런데 갑자기 뛰어들어서 저러는 걸 보니……."

아벨라와 펠리체가 동시에 입을 모아 말했다.

"공국인가."

그리고 바로 그 순간이었다.

“저하! 조심하세요! 그쪽으로 갑니다!”

갑자기 리타가 버럭 소리쳤다. 아까보다 몇 배로 큰 노호였다. 그리고 황급히 소리치는 쪽을 본 아벨라의 눈이 크게 떠졌다. 아직 등 돌리고 있는 펠리체를 향해, 피투성이인 델마가 달려들었다.

“저깟 놈과 싸울 수 없어! 죽여 버리겠다!”

그녀가 마치 악귀 같은 얼굴로 팔을 들어 올렸다. 한 손에 쥐고 있는 날카로운 단검이 빛났다. 펠리체가 그녀를 향해 등을 돌려 검을 들이대고자 했지만 늦었다. 아벨라와 속삭이고 있었기에 반응 속도가 턱없이 느렸다.

대신 펠리체는 아벨라를 제 등으로 완전히 가리는 것을 선택했다. 빛보다도 빠른, 본능 같은 움직임이었다.

안 돼.

펠리체가 하려는 행동을 깨달은 아벨라가 눈을 크게 부릅떴다. 이대로라면 델마가 든 칼이 펠리체의 등에 박힐 게 분명했다. 오로지 자신을 지키기 위해서.

안 돼.

신이시여, 제발.

아벨라는 이를 악물며 펠리체의 어깨 너머로 손을 뻗었다. 델마의 칼이 날아오고 있었다.

집중해, 집중해야 해.

그때였다. 칼날 같은 바람이 델마의 팔의 궤적을 바꾸었다. 한 점에 온 힘이 모인, 자연이 만들어 낼 수 없는 바람이었다.

델마는 눈을 크게 홉떴다. 델마가 그 궤적에 저항하고자 팔을 움직이려 할 때였다. 희고 고운 손이 칼을 휘두르는 델마의 손목을 잡아챘다.

그 뒤로 일어날 일을 직감한 델마의 눈에 공포가 서렸다. 아까, 발목을 잡혔을 때와 똑같았다!

그리고 아벨라는 지금이 마지막 기회라는 것을 알았다.

그 순간 델마의 얼굴이 '펑' 하고 불타올랐다. 아니, 이를 뭐라고 표현해야 할까. 갑자기 불타오르는 수준이 아니었다. 그녀'였던' 머리통은 단숨에 불그스름한 화염공이 되어 그 자리에서 활활 타올랐다.

"……크아아아아아앗!"

꿈에 나올 만큼 끔찍한 비명이었다. 불타오르는 육신이 그대로 비틀거리다 그 자리에 주저앉았다. '챙강' 하고 그녀가 들고 있던 칼이 발치로 떨어지고, 머리에만 타오르던 불길은 곧 온몸으로 옮겨 붙어 활활 타오르기 시작했다.

"……."

"헉……."

한때는 델마, 암살자였던 그 불덩이가 주변 사람들의 표정을 고스란히 밝혔다. 놀라 눈을 크게 홉뜬 리타와 당혹스러운 얼굴의 펠리체, 그리고 덩달아 놀란 아벨라가 그대로 그 자리에 굳었다.

몇 분 후, 불은 깔끔하게 그녀만을 불태운 채로 꺼졌다. 순식간에 검은 재 몇 줌으로 화한 그녀를 두고, 모두가 아까 그 자리에 그대로 굳은 채 침묵을 지켰다. 얼결에 모두가 그녀의 화형을 구경한 모양새가 되었으니, 누구도 쉬이 입을 열지 못했다.

침실에는 아벨라와 펠리체 둘만이 남았다.

이 결과를 설명하자면 베티가 빠질 수 없다. 둘이 평화롭게 침실에 앉아 있을 수 있게 된 것은 모두 베티 덕분이었다.

베티는 그 난리 통 직후 구르듯 뛰어들어 와 상황 정리를 시작했다. 아마 그들이 싸울 때부터 베티도 문밖에 있었던 모양이다.

그녀는 사용인 몇 명과 함께 문 앞에서 발만 동동 구르며 기다리다, 델마가 불타고 난 뒤 그 자리에 있던 사용인 몇 명과 함께 방문 안으로 들어왔다.

아벨라의 옷을 갈아입히고 재를 치운 뒤 펠리체에게 공손히 인사하며 아벨라와 함께 다른 침실로 이동해 주십사 부탁했다. 그런 뒤 베티는 호들갑을 떨며 놀라는 리타마저 데리고 그 방을 떠났다.

"자, 잠깐만. 지금 그거 마법—!"

"너, 남자였잖아?! 누구야, 넌?!"

"잠깐만, 이거 아벨라 님이야?"

"그러니까 너 누구냐고!"

"알았으니까 귀 좀 놔, 아! 아! 아 아파! 귀 빠지겠네!"

그야말로 완벽한 정리였다.

아벨라는 모직 옷으로 갈아입은 채 펠리체와 함께 다른 침실로 옮겼다. 펠리체의 내실은 펠리체만이 오롯이 쓰는 공간으로, 둘이 쓰던 침실보단 훨씬 좁았다.

하지만 저 넓은 침대가 있는 방으로 돌아갈 수는 없었다.

아벨라는 옷을 갈아입고 다른 방으로 옮길 때까지만 해도 평소와 같았다. 괜찮냐고 물어오는 베티에게 농담까지 건넬 정도였다.

하지만 베티가 나간 이후 아벨라의 표정은 그녀의 말과 다르게 점차 희게 질려 가기 시작했다.

펠리체는 아벨라의 변하는 표정을 묵묵히 지켜보았다.

침대 위에 펠리체와 나란히 누운 채, 그대로 얼마간의 시간이 지났을 때였다. 어둠은 걷힌 지 오래였다. 이제는 먼동이 트는 새벽이었다. 아직 어스름한 빛이 창가로 들어오는 그 순간이었다.

아벨라가 불쑥 입을 열었다.

"펠리체. 나, 나 손이 떨려."

"아벨라."

그 또한 그녀의 옆에 누워 있었다. 언제 풀었는지 붕대를 모두 풀고, 편한 가운 셔츠를 입은 채였다. 그는 지극히 침착하고 평온한 표정으로 그녀를 바라보고 있었다.

"이젠 괜찮아."

낮고 작은 목소리로 그가 속삭였다. 그는 그 누구보다도 아벨라의 기분을 이해하고 있었다. 아벨라의 손이 왜 떨리고 있는지도.

"……무서웠어."

아벨라가 속삭였다. 불안한 얼굴로 가슴에 올라간 손가락만 만지작거렸다.

누워 있음에도 불안한 그 얼굴에, 펠리체는 다만 그녀의 손에 제 손을 얽은 채 침묵을 지켰다. 펠리체는 그녀를 어르는 것보단 속의 말을 다 털어내게 해야 한다는 걸 알고 있었다. 안온하고 부드러운 침묵이 둘 사이에 흘렀다.

"아까…… 아까까지만 해도 괜찮았는데, 눈을 감으면 델마가 네게 칼을 들고 달려오던 모습이 떠올라."

아벨라가 꺼질 듯이 속삭였다. 큰 눈에 눈물이 그렁그렁 고이더니 곧 볼을 타고 흘렀다. 그렇지만 그는 그녀를 섣부르게 달래지 않고, 가만히 지켜봐 주었다. 그녀가 눈물을 계속 흘려도, 눈물이 볼을 타고 흘러 귀를 지나 베개에 동그란 눈물 자국이 남아도.

아벨라는 그가 지켜보고 있다는 것도 잊었는지, 그가 잡은 손을 뺀 채 두 팔로 자신의 몸을 끌어안았다. 덜덜 떨리는 떨림은 좀처럼 진정되지 않았다. 앙다문 입술이 바들바들 떨렸다. 정말로 무서웠다.

트럭에 치인 이후 이런 일은 또 없을 거라 믿었다. 아벨라의 몸에 들어왔지만 지금이 꿈인지, 또 다른 세계인지도 확신이 없었으니 이 몸으로 죽을 수 있다는 것조차 실감이 나지 않았다.

오늘 밤이 오기 전까지만 해도 그랬다.

"게다가 내가 그런 거긴 하지만 사람이 죽었잖아."

그녀가 울음으로 젖은 목소리로 속삭였다.

첩자를 찾을 때까지만 해도 자신이 만화에나 나오는 탐정이 된 기분에 취해 있었다.

펠리체가 위험을 알려 줄 때까지만 해도, 자신이 처리하겠다며 큰소리를 쳤다.

아벨라는 자신이 그간 얼마나 무감했는지 그제야 절실하게 실감했다. 그 첩자가 자신에게 어떤 짓까지도 할 수 있는지 전혀 몰랐다. 알았어도, 그것은 표면적인 지식일 뿐이다.

하지만 오늘 일어난 결과를 보라. 자신은 오늘 죽을 뻔했고, 그리고, ……사람을 죽였다.

자신은 이런 세계에 온 것이다.

얼마든지 사람이 죽고 죽일 수 있는 세계.

아벨라의 얼굴이 일그러졌다. 마치 엄마 잃은 세 살배기 아이처럼 구슬프고 절박한 표정이었다. 공허하고, 우울하고, 무서웠다. 이런 순간 기댈 수 있는 사람이 없다. 제 옆의 이 사람을 빼곤…….

"무서워…… 무서워, 펠리체…….”

그녀가 울먹인 그때였다.

펠리체의 허리가 성큼 숙여졌다. 그의 얼굴이, 반듯한 선으로 이루어진 그 아름다운 얼굴이 그녀를 향해 다가갔다.

그리고,

그리고……

제 입술에, 뜨겁고 부드러운 게 닿았다.

아벨라의 눈동자가 크게 뜨였다.

제 눈앞에, 눈을 감고 있는 펠리체의 눈과 코가 보였다. 제 입에 포개어져 있는 게 무엇인지 아벨라는 본능적으로 알았다. 그의 입술이었다. 그가, 그가 자신에게 입 맞추고 있었다.

아…….

갑작스러운 입맞춤이었다. 떠밀어야 하는데, 그래야 하는데 아벨라는 자신도 모르게 손이 잡힌 그대로 그에게 기댔다. 춥고, 외롭고, 무섭고, 참을 수 없던 두려움이 서서히 사그라졌다. 몸의 떨림이 천천히 가라앉았다. 크게 떠졌던 아벨라의 눈동자가 덩달아 감겼다.

마지막으로 고여 있던 눈물이 천천히 볼을 가로질러 흘렀다.

몇 시간 뒤.

둥그런 원탁에 세 사람이 모여 앉았다.

바로 아까 있었던 사건의 주요 인물들인 아벨라와 펠리체, 리타…… 였던 남자였다.

펠리체는 오늘 붕대를 감지 않은 채, 셔츠와 베스트만을 걸친 상태로 앉아 있었다. 베티는 아벨라의 옆에 시립해 있었는데, 그런 펠리체가 몹시 어색하다는 표정을 짓고 있었다.

주디와 세스는 방 밖에서 망을 보기로 했다.

"제 소개부터 먼저 하자면."

자신이 쓰고 있던 가발을 벗어 테이블에 올려놓으며, 남자가 말을 이어 나갔다. 이제 보니 진짜 머리색은 진저색이었다. 눈은 푸른색이 맞는 모양이었다. 낭창하고 마른 몸매의 남성이었다. 지금까지 그를 여성으로 대했음이 이상할 정도로 남성인 티가 났다.

"전 리시안 사크스, 딜루어 정보국 소속의 요원입니다. 원래는 제국의 정보를 수집하는 게 임무인데, 여기선 공교롭게도 인원이 충원될 때까지 아벨라 아씨를 모시고 있었습니다."

"……왜 굳이 여장을 했대요?"

그때였다. 아벨라의 뒤에서 베티가 불퉁하게 끼어들었다. 리시안은 그런 베티를 한번 흘긋거렸다.

"아니, 여장을 하고 싶어서 한 건 아니고."

"변태."

"……."

리시안이 설명하려는 순간, 그 말을 막듯 베티가 중얼거렸다.

"변태예요. 저 사람 여자 하녀들이랑 같은 방 썼어요."

"아니, 그럼 어떡해요? 정보국 쪽에선 시종보단 시녀 쪽이 훨씬 더 잠입이 쉽다고 여자로 들어가랬다고요."

"변태."

"아니, 이봐요, 시녀장님."

"변태."

"……."

리시안이 입술을 꾹 누르며 억울한 표정을 지을 때였다.

"어쨌든 자네는 공국의 사람이라는 거군."

펠리체는 자신이 보관하고 있던 델마의 단검을 마찬가지로 테이블 위에 올려 두었다. 방에 떨어져 있던 세 자루의 단검 중 한 자루였다. 아벨라가 단검을 보고 움찔대는 사이, 리시안이 고개를 끄덕였다.

"필요한 것들이나 아씨의 안부를 공국에 전했죠. 그리고 호위도요."

리시안은 '호위'까지 이야기하다, 갑자기 그 자리에서 머리를 탁자에 '쾅' 하고 박았다.

"이 일은 제가 스스로 공국에 보고하겠으나 정말로 송구합니다. 그야말로 목숨으로 갚아야 할 불충을 저질렀습니다, 공녀 저하."

리시안은 다시 고개를 들어 한 번 더 머리를 탁자에 찧었다. 아벨라와 베티가 놀라 몸을 뒤로 뺄 정도로 강렬한 소리였다.

"제가 다른 궁으로 오갔던 정황은 다른 이들과의 내통이 아니라, 도리어 다른 이들의 정보를 가져오기 위함이었습니다. 가령 샬롯 황비의 세력을 파악하고, 그녀에게 협력하는 귀족들의 명단을 공국에 전달하여 효과적으로 견제하게끔 돕는 일들이었습니다."

"왜 나나 내 비에게 자네의 존재를 알리지 않았지? 아니면 베티에게라도 알려 줄 수 있었을 텐데."

"지시받지 못한 사항이었습니다. 지시를 받지 않는 이상 정보국의 활동은 어디까지나 모두 기밀로 처리합니다. 게다가 정보국에서 제게 한정된 정보들을 알려 주는 것도 있고, 제가 황자님과 공녀 저하의 신상에 생긴 변화들을 모두 알지 못하여 그때그때 반응하지 못한 점도 있습니다. 가령 황자님이 화상을 입지 않으신 바라던지, 공녀님이 정상인과 똑같은 사고가 가능하시다든지 하는 점들 말이죠."

리타, 아니, 리시안은 길고 자세하게 설명을 이어 나가면서 한숨을 쉬었다.

"게다가 황자 저하의 검위는 검을 들지 않고도 검강을 몸에 두르는 수준이고, 공녀 저하의 마법은 이미 실전되었다고 알려져 있던 전투 마법이니…… 저는 솔직히 지금 말하면서도 도무지 믿기지 않습니다."

리시안의 말에, 펠리체와 아벨라가 서로를 마주 보았다.

"검강?"

"전투 마법?"

아벨라는 눈을 동그랗게 뜬 채로 펠리체를 바라보았다. 펠리체 또한 아벨라를 마주 보고 있었다. 자신의 검술이 그 정도라고는 전혀 몰랐던 듯했다.

"……베티."

순간 아벨라가 베티를 불렀다.

"네?"

"너도 그냥 여기 앉아. 아무래도…… 엄청 오래 걸릴 것 같아."

아벨라는 펠리체에게서 눈을 떼지 않은 채 베티에게 마저 대답했다.

아벨라가 말하는 내용을 들은 펠리체의 눈에 희미한 웃음기가 서렸다. 그 눈이 어쩐지 새벽부터 아침까지를 다시 떠올리게 만드는 것 같아, 아벨라도 그를 향해 마주 웃었다.

그 뒤로 오랜 시간 동안, 아벨라와 펠리체, 그리고 리시안은 서로가 알고 있는 정보들을 주고받았다. 이전처럼 방해하는 이도, 믿지 못해 의심할 이유도 없었다.

결론만 말하자면, 아벨라가 그 자리에서 마법을 쓰지 않았어도 펠리체는 살았다. 펠리체는 그 검술의 수준이 제 몸이나 지킬 수준이라 겸손해했지만, 리시안의 말을 들어 보면 그게 아닌 것 같았다.

펠리체는 자신이 갖고 있는 무형의 기운을 자유자재로 사용할 수 있다고 했다. 마치 아벨라로 살기 이전 세계의 판타지 소설 주인공처럼.

이게 가능하냐고 묻는다면, 글쎄. 아벨라도 현재 지금 마법을 쓰고 있지 않냐고 되물을 수밖에.

그때였다. 펠리체가 아벨라의 손등위에 제 손을 겹쳤다. 그게 어쩐지 굉장히 친밀하게 느껴져, 아벨라는 제 귀가 홧홧해지는 것을 느꼈다.

"그럼 이제부터 어떻게 해야 할지를 논의해야 하는데요."

긴 이야기 끝에, 리시안이 화제를 돌렸다.

"암살이 실패했음은 지금쯤 황비도 분명히 알고 있을 테지만, 자세한 상황은 아직 아무도 몰라요."

리시안이 탁자 위에 올려 둔 단검을 손수건으로 집어 둘둘 싸매며 다시 입을 열었다.

"제 생각엔, 여기서 부상을 입었다고 하시고 잠시 요양을 다녀오겠다고 둘러대시는 게 어떨까 싶습니다."

"시간을 벌기에도 좋고."

펠리체는 고개를 끄덕이며 아벨라를 바라보았다.

가만히 생각하던 아벨라도 이내 천천히 고개를 끄덕였다. 사실, 반대할 이유가 없었다.

리시안은 자신이 공국으로 연락하는 수단을 보여 준다고 제안했고, 베티와 아벨라는 그를 따라 오후를 보내기로 했다.

펠리체는 따로 일정을 보내기로 했다. 해야 할 일이 있었다.

펠리체는 여전히 붕대를 감지 않은 채 자신의 붉은 기가 도는 금귤색의 금발을 얌전히 뒤로 빗어 넘겼다. 어두운 녹색의 베스트와 검은 판탈롱을 차려입고, 더 짙은 색의 망토를 둘렀다. 펠리체는 매고 있던 크라바트를 손으로 대강 만진 뒤, 한숨을 쉬며 뒤로 돌아 내실로 향했다.

어제도 이용했던 비밀 통로를 이용하기 위해서였다. 내실의 책장에 꽂혀 있던 책들 중 눈에 띄는 책들을 몇 권 기울여 놓으면 서재가 뒤로 밀려난다. 그리고 그 뒤에 있는 것은 사람 하나가 간신히 지날 수 있는 통로였다.

펠리체는 유유하게 그 안으로 들어섰다. 어두웠으나 보폭엔 망설임이 없었다. 마치 어두워도 이 안의 구조와 지리를 알고 있다는 듯 자신감 넘치는 걸음걸이였다.

걸어가면서도 수없는 갈림길이 나왔지만 펠리체는 아주 쉽게 길을 선택해 계속해서 걸어 나갔다. 이 갈림길은 한 갈래 한 갈래 모두 목적지가 달랐다. 갈림길을 어떻게 찾아 가느냐에 따라 궁 밖으로도 나갈 수 있었고, 동관과 서관 곳곳에 출몰할 수도 있었다.

황궁의 벽들 사이, 아벨라와 함께 숨었던 그 통로 또한 이 비밀 통로와 이어져 있었다. 황제도 알고 있다지만, 펠리체는 자신할 수 있었다. 이 황궁에서 펠리체만큼 비밀 통로를 알고 있는 자는 없었다.

계속해서 나오는 갈림길에서 가장 오른쪽만을 택해 걸었다. 이 오른쪽만으로 가는 길은 점점 좁고 험해졌다.

"오지 않았던 사이 더 험해진 것 같은데."

펠리체가 한숨 섞인 말투로 중얼 거렸다.

이 길이 황제의 알현실로 가는 가장 빠른 길이다. 8황자궁에서 바로 이어지는 길이다 보니 남의 눈에 띌 걱정도 없었다.

하지만 펠리체는 이 길을 사용하지 않았다. 아니, 되도록 8황자궁의 비밀 통로를 사용하지 않으려고 노력했었다.

제 어미를 떠나 도망쳤던 기억, 이 통로를 지나는 것마저 트라우마로 남았기 때문이다.

남의 눈을 피해 황제와 독대할 때도 8황자 궁의 통로를 이용하지 않았다. 굳이 본궁으로 숨어들어 본궁의 통로를 이용했고, 그게 편했다.

그 정도로 싫어했던 길인데.

펠리체는 계속해서 걸음을 옮겼다. 하지만 오늘만큼은 자신의 트라우마를 견뎌 보기로 했다. 자신의 트라우마보다야, 아벨라에게 한시라도 빠르게 돌아가는 게 더 중요했다.

펠리체는 일순 새벽의 아벨라를 떠올렸다. 용감하게 살수를 불태워 버리고도, 그 감각이 낯설어 무서워하던 가련한 아벨라를.

제 옷깃을 잡아채던 떨리던 손끝. 물기 배인 눈으로 물끄러미 펠리체를 올려다보던 아벨라.

그리고……

첫 입맞춤이었다.

펠리체의 발걸음이 좀 더 빨라졌다. 그의 얼굴이 조금 붉어졌다. 어두워서, 그리고 사람이 없는 길이라 다행이었다.

펠리체는 어둠에 잠긴 채 천천히 생각에 잠겼다.

아직도 믿어지지 않았다. 아벨라가 의식을 되찾고, 자신을 바라보고 있다는 게.

아벨라는 모르겠지. 펠리체에게 있어서 아벨라는 그녀의 생각보다 훨씬 더 큰 비중을 차지하고 있다는 걸.

아벨라가 안다면 경악하고 도망갈지도 모른다. 그 정도로 펠리체는 오랫동안 아벨라를 제 마음에 품어 왔다. 그의 생존의 이유, 그가 하루하루 살아갈 수 있는 용기의 원천.

아벨라 덕에 자신이 살 수 있었다.

펠리체는 그때를 떠올렸다. 16년 전, 어미를 잃고 나라에서 쫓겨나듯 떠나왔을 때, 아무것도 눈에 들어오지 않고 삶을 포기하고 싶었던 그때.

대공과 대공비는 만신창이가 된 채 공국을 찾아간 자신을 받아 주었다. 대공비가 제 어미 로칠라의 오랜 친구였기 때문이다.

하지만 머무를 곳이 생겼다고 해서 쉽게 상처가 아물 리 없었다. 펠리체는 제 거처에서 하루 종일 움직이지 않았다. 식사도 거르고, 하루 종일 말 한마디 하지 않기 일쑤였다.

그때 아벨라를 처음 만났다. 아벨라는 아무렇지도 않게, 제 방으로 노크조차 하지 않고 들어왔다.

아직도 생생하게 기억난다. 자신을 보며 깜박이던 푸른 눈, 인형같이 귀엽고 아름다운 외모. 아무렇지도 않게 걸어와서, 제 옆에 주저앉았다.

하지만 펠리체는 그런 그녀에게 아무 말도 걸지 않았다. 제 방에 함부로 들어온 제 또래의 여자애가 싫었지만, 그녀를 쫓아낼 기력조차 없었다.

펠리체는 아벨라가 스스로 떠나 주었으면 했다. 하지만 아벨라는 펠리체가 자신에게 관심을 보이든 말든 아랑곳 않고 그 옆에 있었다. 혼자 가만히 앉아, 갖고 온 털실 끈을 만지작거리기만 하면서.

그렇게 몇 시간이 지났을까. 펠리체는 제 옆의 여자아이를 슬슬 내쫓아야겠다고 생각했다. 나가라고, 아니면 설렁줄을 당겨 시종을 불러야지.

그때였다.

—오빠.

아벨라가 자신을 불렀다. 귀신같은 타이밍이었다. 펠리체가 움찔 놀라, 옆을 바라볼 때였다.

아벨라가 끈을 휘감은 두 손을 앞으로 가만히 내밀었다.

—실뜨기할 줄 알아? 난 못하겠어.

그게 전부였다.

정말 아무것도 아닌 대화, 아무것도 아닌 만남. 그런데 펠리체는 그 순간 제 인생이 구원받은 느낌이 들었다.

그때부터였다. 아벨라는 공국에서 머무르는 내내 제 곁에 있었다. 펠리체는 남몰래, 그런 그녀가 앞으로 자신의 인생에 계속 머물기를 바랐다. 어린 시절의 첫사랑일까. 아니, 그보다 더 깊고 집요하며 절박한 욕망이었다.

그녀가 백치가 되었다는 건 제국으로 돌아오고 난 뒤 한참이 지나서야 알았다.

펠리체는 그때 카모프 산맥에 있었다. 황궁을 나와 용병단에서 제 모든 기반을 한창 쌓을 때였기에 연락을 제때 받을 수 없었다.

하지만 펠리체는 백치가 된 아벨라를 포기하지 않았다. 포기할 수 없었다. 아벨라가 없다면 애초에 존재조차 하지 않았을 삶이다. 백치인 아벨라를 아내로서, 자신이 평생 보살피고 책임지겠다고 생각했다.

대공께서는 알고 있을까?

사실 이번 정략결혼은 펠리체가 세운 계획이었다. 제국과 공국 사이에서 줄을 타며 아벨라를 데려왔다. 대공께는 죄송하지만 어쩔 수 없었다.

아벨라를 제 처로 삼은 이유는 간단했다. 자신이 지키고 싶었기 때문이었다. 제 목숨을 걸어서라도, 제 곁에 두고 싶었다.

그리고 기적이 일어났다.

펠리체는 이제 아벨라가 백치였을 시절을 상상조차 할 수 없다. 그녀가 제국에 올 때만 하더라도 말 한마디 통하지 않을 그녀와 평생 살겠다고 다짐했다. 봉사하며 그녀를 아끼겠노라, 그렇게 스스로를 되뇌었다.

하지만 몇 달 전, 그 푸른 눈에 저를 똑바로 담은 채 바라보는 그녀를 본 순간, 그 의지가 무너졌다.

그녀와 시선을 마주하고, 대화를 하는 기쁨을 알아 버렸다. 그녀가 제게 공감하는 게 좋았다. 자신을 위해 싸워 주는 게 좋았다, 자신에게 의지해 주는 게 좋았다. 그녀가 자신에게 명령하는 것마저 좋았다.

펠리체는 이를 악물었다.

그러니 이런 일은 두 번 다시 없어야 했다. 아벨라를 위험에 처하게 만들 수는 없다.

설령 아벨라가 지금같이 스스로 대비하고 싶다고 말해도, 펠리체는 절대로 그렇게 만들지 않을 것이다. 아벨라가 다치기라도 한다면, 펠리체 스스로가 견딜 수 없을 것 같았다.

황제를 만나러 가는 이유는 바로 그 때문이었다.

펠리체의 암황색 눈이 어둠 속에서 금빛으로 빛났다. 지킬 존재가 생긴 맹수는 절대로 지지 않는다.

이제 자신이 갖고 있던 모든 수단을 쓸 차례였다. 모든 것은 지금을 위해서였다.

펠리체는 천천히 마지막 골목을 돌았다. 길의 끝에 보이는 문으로 들어가면 아마 그가 있을 터다.

펠리체는 점점 서늘하게 가라앉은 표정으로 손을 뻗어 문을 당겼다.

오랫동안 사용하지 않아 문이 매우 빡빡하고 무거웠지만, 펠리체는 아무렇지도 않게 그 문을 당겨 열었다.

동시에 눈부신 빛이 펠리체의 눈을 찔렀다.

펠리체는 문을 연 채, 잠시 어둠에 익숙해져 있던 자신의 눈을 감았다 떴다.

이제야 주변의 사물들이 온전한 색으로 시야에 들어왔다. 드러나는 적색의 융단과 크림 빛의 벽, 우아하고 아름답게 꾸며진 금장, 그리고.

“누구냐.”

자신이 누구인 줄 알면서 물어보는 저 등.

“접니다, 폐하.”

펠리체는 아무렇지도 않게 대답하며 집무실 안으로 들어섰다.

“펠리체.”

서류에 사인하던 황제가 길게 한숨을 내쉬며 그를 향해 몸을 돌렸다. 동시에 황제의 집무실 앞에 시립해 있던 시종장 바흐테인 남작이 고개를 숙인 채 몸을 돌려 집무실을 나갔다.

바흐테인은 황제의 오른팔로, 펠리체가 보기에도 믿음직한 남자였다. 게다가 반샬롯파였으니, 펠리체는 그의 앞에서만큼은 거리낌 없이 맨얼굴을 내보였다.

시종장이 나간 뒤에도, 황제는 아무 말 없이 그대로 서류에 사인하고 인장을 찍는 일만을 반복하고 있었다. 펠리체 또한 그가 뭘 하든 말없이 기다렸다. 그리고 한참이 지나서였다.

"네가 왜 이곳에 왔는지 안다, 펠리체."

마침내 의장용 펜을 내려놓은 황제가 그 자리에서 일어나 펠리체를 향해 섰다. 펠리체는 무릎을 꿇지도, 그에게 의례를 취하지도 않은 채 그저 그를 마주 보고 있었다. 이 무례에도, 황제는 아랑곳하지 않고 그를 응시하고 있었다. 펠리체와 같은 암황의 눈동자에 형언할 수 없을 막막한 감정이 스쳤다.

그러나 펠리체는 이를 무시하며 딱딱한 어조로 입을 열었다.

"황제 폐하의 시종이 알려 준 덕분에 샬롯이 제 처를 죽이는 일은 막을 수 있었습니다."

"결국."

듣고 있던 황제가 나직하게 탄식함에도, 펠리체는 한 치의 동요 없이 다시 입을 열었다.

"폐하, 최근 한 달 동안 저는 폐하가 원하시는 일들을 모두 이뤘습니다. 붕대를 감고 아무것도 할 줄 모르는 화상투성이의 황자를 연기하면서 두 개의 공작가를 비롯, 폐하께서 포섭하라고 말했던 자들을 포섭했습니다."

펠리체는 잠시 시선을 내려 제 발끝을 바라보며 말을 이었다.

"열일곱, 제가 멀쩡한 피부를 붕대로 가리고 있음을 들킨 이후부터, 저는 폐하와 한 약속을 지키고자 노력했습니다. 제 앞가림도 못하면서 제게 으스대는 제 형제들을 참으면서요."

"……."

"제게 힘을 주셔야 할 차례입니다. 그 옛날, 약속했던 그때처럼."

마지막 말을 하며, 펠리체는 잠시 옛날을 떠올렸다. 저 비밀통로에서 나타난 황제가 적색궁에서 붕대를 벗고 있던 펠리체를 발견했을 그때, 황제는 제게 거래를 제안했다.

펠리체의 말에, 황제가 길게 한숨을 쉬었다. 모두가 철혈이라 부르는, 표독하고 무서운 성정이라 여기는 황제는 이상하게도 펠리체의 앞에서만큼은 부드럽게 굴었다.

이유는 이미 알고 있다. 자신의 어머니 때문이다. 자신의 과오로 샬롯에게 희생된 불쌍한 로칠라, 펠리체의 어머니.

펠리체는 황제가 저를 보는 저 표정이 아주 싫었다. 후회와 허무로 점철된 민낯.

"폐하."

펠리체는 그의 눈빛을 싸늘하게 무시하며 자신이 할 말을 마저 맺었다.

"그녀에게 내렸던 교지를 거두실 시간입니다."

"……펠리체."

황제가 갑자기 펠리체의 이름을 불렀다. 펠리체는 사무적인 말투로 대답했다.

"말씀하십시오."

"짐은 널 짐의 유일한 후계로 생각한다."

"……."

뜬금없는 말이다. 갑자기 욕이라도 한바탕 퍼붓고 싶을 만큼 뜬금없고 맥락 없는 말. 펠리체는 그에 대답하는 대신, 그를 가만히 바라보았다. 그의 말에 휘말려 반응하기엔 펠리체는 이미 황제를 너무 잘 알고 있었다. 그는 이런 식으로 다른 소리를 하며 시간을 벌곤 했다. 어쭙잖은 딴소리, 엉뚱한 듯한 화제 전환. 만일 황제가 지금 한 소리가 진심이라 한들, 펠리체는 말 그대로 제 알 바가 아니라고 생각했다.

황제는 그를 바라보다 길게 한숨을 쉬며 말을 이었다.
"……지금 상황에 어울리지 않는 말이었다만 이렇게까지 무안을 주다니."
"교지를 거두십시오."
황제는 순간 입꼬리를 한쪽만 올려 쓴웃음을 머금었다. 팔을 자신이 앉아 있던 의장용 의자의 등받이에 걸친 채 말을 이어 나갔다.
"차차 거둬야 한다. 그녀의 뒷배는 아직도 강력해."
"그 뒷배 중 반절이 오늘 뜯겨 나갈 것입니다. 공국에 의해서요."
펠리체가 그의 말을 막으며 사납게 대꾸했다. 황제의 눈동자가 순간 크게 벌어졌다. 펠리체는 황제의 눈을 똑바로 바라보았다. 그의 눈동자에 순간 번뜩이는 빛이 감돌았다.
"폐하, 제 비의 뒷배도 강력합니다. 딜루어의 목줄을 잡고자 하시는 분이 그를 모르셨을 리는 없겠지요. 제게 그 어려운 일을 요구하셨던 분이 폐하시니까요."
펠리체는 단 한 번의 숨을 들이켠 뒤 다시 말을 이었다.
"그리고 저는 제가 갖고 있는 힘을 시험해 볼 마음이 생겼습니다, 폐하."
"펠리체."
"그녀의 뒷배 중 나머지 반절 역시 내일 뜯겨 나갑니다. 제가 뜯으려고 합니다."
펠리체가 차갑게 미소 지었다.
"그러니 미리 교지를 거두소서, 폐하. 이는 이후의 과정들에 잡음이 없게 하기 위함입니다. 그리고 이는 폐하의 아들인 제가 장담컨대."

펠리체가 한 발자국 더 황제에게로 다가섰다.

"폐하도 원하시는 결과일 겁니다."

황제는 샬롯이 활개 치는 동안, 샬롯의 세력에게서 차츰차츰 중요한 이권들을 빼앗아 왔다. 그들이 한날한시에 없어진다 한들, 지금의 권력 구도에 한 치의 변화도 가져올 수 없게끔.

황제는 펠리체의 말을 듣곤 잠시 그를 가만히 바라보았다.

"훌륭하다."

문득, 황제의 얼굴에 환한 미소가 감돌았다. 더없이 기쁜 표정으로, 온 얼굴의 주름을 지으며 미소 짓는다. 그제야 자신이 올바르게 대답해 냈음을 눈치챈 펠리체가 속으로 긴 안도의 한숨을 내쉬었다.

황제는 그렇게 웃다가 또 어느 순간 완전히 표정을 얼굴에서 감췄다. 무표정이 된 그가 가장 아래의 서랍을 열어 푸른 리본으로 묶인 종이를 그에게 내밀었다.

"약속해 다오. 이 교지가 정식으로 공표되는 때는 이 제국제가 끝나고 나서여야 한다."

"알겠습니다."

펠리체는 간단하게 대답하고는 성큼 등을 돌려 어두운 통로 너머로 사라졌다. 곧 문이 닫히고 벽은 언제 그 입을 열었냐는 듯 잠잠해졌다.

황제는 그가 나간 쪽을 바라보다 가볍게 숨을 내쉬고 다시 의자에 앉아 책상 끝에 놓인 섬세한 크리스탈 종을 들어 울렸다. 문밖에 있던 바흐테인이 문을 열고 들어와 황제의 집무실을 가로질러 책상 바로 아래에 무릎을 굽혔다.

"부르셨는지요."

"시종장, 제국제에 맞춰 올해도 대마법사 왈로인이 와 신탁을 내리는지 고래섬에 통신을 시도해 확인하게."

"항상 오셨으니 이번에도 오실 것입니다."

"그의 예언을 다시 들어 봐야겠다. 그의 예언은 모두 맞아떨어졌지. 그래, 자네도 알고 있지 않은가? 십 년 전 나와 함께 그 예언을 들었으니 말이야."

"'딜루어를 가져야 제국이 멸망하지 않는다'와 '다음 제국제까지 황실의 남자는 두 명 이상 죽지 않아야 한다'를 말씀하십니까? 폐하, 그러나 그의 예언은 맞지 않는 바도 많아, 폐하께서 화내시며 그를 내치셨던 적도 여러 번입니다."

"그래, 그랬었지. 그랬었으나……."

황제는 눈을 좁히며 턱을 괴었다. 점점 저놈을 모르겠어. 그는 펠리체의 얼굴을 떠올렸다. 제 손바닥 위에서 꼭두각시처럼 놀고, 제 감정놀음에 항상 넘어가던 놈이었는데 점점 더 속을 모르게 되어 갔다. 하지만 없앨 순 없다.

황제는 틀렸다고 비웃고 무시했던 왈로인의 예언을 사실 매우 신경 쓰고 있었으므로.

'하지만 8황자는 쓸모가 많다. 정말로 황제가 될 수도 있고. 속내를 파악하지 못하는 것은 좀 불안하지만 그럼에도 불구하고 이미 죽은 자식들을 포함해 그가 제일 월등하다.'

심약하고 유약했으며 병약했던 황태자를 떠올리던 황제가 눈을 감았다. 이상했다. 모든 일이 자신이 원하던 대로, 예상하던 대로 진행되고 있다. 그럼에도 불구하고 왜 이렇게 뒤가 당기고 불안한지 알 수 없었다. 펠리체의 표정을 읽을 수 없는 게 그렇게 불안한 일이란 말인가?

"제국제까지만 살려 두면 될 일이 아닌가, 정 불안하다면."

짐짓 농담을 하며 킬킬대던 황제는, 시종장에게 턱짓을 하곤 다시 펜을 들어 공무를 보기 시작했다.

그러나 제국제 이전, 또 한 명의 죽음이 예정되어 있음을 황제는 물론 지금의 펠리체도 알지 못했다. 그 죽음이, 지금 현재 돌아가고 있는 제국의 판도를 완전히 바꿔 버린다는 것도.

와장창창!

샬롯 황비가 즐겨 마시던 금색의 유약을 바른 잔이 형편없이 깨져 나갔다. 그녀는 거칠게 소리 지르며 자신 앞에 있는 수많은 귀한 세공품들을 던지고 깨뜨려 놓았다.

도착한 소식들 때문이다. 아벨라의 암살이 실패로 돌아갔고, 아벨라가 부상을 당하여 황제가 그녀의 요양을 허가했다는 소식은 곧 궁 전체에 일파만파 번져 나갔다. 범인은 찾을 수 없지만 살수가 남긴 칼이 카모프 영지에서 살았던 레인저들이 자주 썼던 숏소드라는 소식도 뒤따라 들려왔다.

"이건 말이 안 됩니다."

샬롯은 씨근대며 제 주변에 둘러 앉아 있는 귀족들을 보며 악귀같이 외쳤다. 그녀의 주변 귀족들은 모두 칠흑 같은 얼굴색을 한 채 말없이 앉아 있었다. 당연했다. 이 모의가 발각되는 날엔 이곳의 누구도 안전을 보장받을 수 없다. 그들의 얼굴을, 샬롯이 사갈 같은 얼굴로 하나하나 훑어보았다. 마치, 혹시라도 지금의 동맹을 배신하려는 작자가 있는지 본능적으로 살피는 눈빛이었다.

"……이곳에 없는 자들은 뭡니까?"

"다들 사업에 큰 문제가 생겨…… 그렇게 되었습니다."

플로바 백작이 간신히 대꾸했다. 심지어 이곳에 없는 사람 중엔 그녀의 남동생인 카보프 공작도 포함되었다. 지금 카모프 공작가는 거의 파산 직전이라 들었다.

그가 투자했던 목재들을 싣고 대륙을 횡단하던 배가 침몰하고, 바로 어제 일어난 큰 산불로 그의 영지에 있던 나무들 대다수가 타 버렸기 때문이다.

당분간 카모프 공작가는 회생의 가능성이 없음을, 어쩌면 그대로 주저앉아 이름만 공작으로 남을 수도 있음을 이 자리의 모두가 알았지만 쉽게 입을 열지 않았다.

"그년이 살아남다니. 그리고 살아서 다시 내 목줄을 조이다니……."

한창 식식대던 그때, 그녀의 표정이 순간 완전히 평온해졌다.

귀족들이 그녀의 갑작스러운 변화에 놀라 눈을 치떴다. 그녀는 다시 희고 고운, 예의 현숙한 귀부인의 얼굴로 돌아와 머리를 매만졌다. 소름 돋을 정도의 변화였다.

"……제가 너무 예민하게 굴었나 봐요. 호호, 그 애를 쉽게 봤을지도 모릅니다. 바퀴벌레 같은 황자의 부인인데, 당연히 그 계집도 명줄이 길겠죠. 그러나."

샬롯은 가만히 한곳을 응시하며 중얼거렸다.

"방법이 없는 건 아닙니다. 아직도 방법은 충분히 있거든요."

귀족들은 샬롯의 그 음산하기까지 한 말투에도 어느 하나 나서서 맞장구치는 자가 없었다. 예전의 그 기세등등하던 모습들과는 정반대였다. 이제 발을 빼고 싶어 하거나 후회하는 사람들도 있겠지만, 이미 늦었음을 그들 스스로도 깨달았다. 이 배는 이미 침몰하고 있었다.

"어, 어떻게 하실 생각입니까?"

개중 누군가가 그녀에게 물었을 때였다. 샬롯이 시종에게 손짓하자, 시종이 그가 들고 있던 황금빛의 보석함을 들어 올렸다.

샬롯이 들어올 때 시종에게 맡겨 두었던 상자였다. 황금빛의 코끼리가 양각되어 있는, 천박하기 짝이 없는 보석 상자. 그녀가 그 상자를 들고 귀족들에게로 걸어왔다.

"이것은 독입니다."

샬롯이 야살스럽게 속삭였다.

"7황자가 제게 친교의 의미로 제 어미가 죽을 때 남겼던 그 집안 비장의 신경독을 줬었죠. 주변의 거슬리는 자들을 그 독처럼 없애라 친절하게 웃으며 조언해 줬었답니다."

맙소사. 플로바는 속으로 한숨을 삼켰다. 저 독은 친밀한 동맹에게 자신의 중요한 무기를 보내는 의례적인 표현이었다.

플로바 백작도 알았다. 7황자는 유약하기 짝이 없는 데다 제 어미에 대한 복수심만 남은 자였다. 게다가 심지어 그의 동생 9황자는 8황자와 우호적인 관계였다.

그러니 7황자가 의례적으로 '제거하라' 말했던 대상에 8황자가 들어 있을 리 없다.

게다가 이 시점에서 독살이라니.

계속 악수만 두고 있었다. 한때 카셀란을 총기로 주름잡았던 악녀가…….

플로바 백작은 악랄한 계획을 뱉는 그녀의 말에 한숨을 삼키며 의자에서 일어섰다. 틀렸다. 마지막까지 일말의 기대를 품었던 제가 바보였다.

그의 돌발 행동에, 악귀 같은 얼굴의 샬롯과 주변에 모여 있던 검은 돼지들이 백작을 동시에 올려다보았다.

"……어딜 가십니까?"

순간, 야릇한 웃음을 지으며 샬롯이 물었다.

"……잠시 화장실을 좀 다녀오겠습니다."

플로바 백작은 비굴한 표정으로 웃음 지으며 대꾸했다. 곧 그를 바라보던 샬롯이 다시 웃으면서 계획을 이야기하기 시작했다. 플로바 백작은 한숨을 삼키며 그곳에서 물러났다.

문을 여니 샬롯 황비의 시종이 서 있었다. 정확히는, 샬롯의 시종으로 넣어 둔 백작의 사람이 그곳에 서 있었다.

플로바 백작은 그를 향해 크게 고개를 끄덕였다. 그러곤 제 장갑을 벗어 제 손바닥 위에 올려 두니, 콩알만 한 토파즈 귀걸이가 손바닥으로 떨어졌다.

그는 그대로 품에서 긴 자색의 상자를 꺼냈다. 지난번에 샬롯이 내친 레줄이었다. 그러곤 쥐고 있던 그 귀걸이를 예의 그 레줄 상자 안에 넣고는 시종에게 넘겼다.

사실 저 토파즈는 상인인 그가 항상 지니고 다니는 녹음 아티팩트였다. 두 손가락으로 집어 들기만 해도 소리가 녹음되고 재생되는 일회용 아티팩트.

이 귀걸이에는 어제, 공녀에게 전하는 사과의 메시지를 담은 백작의 목소리와 지금 현재 샬롯이 했던 말들이 담겨 있었다.
이게 플로바 백작의 구명줄이 될 것이다.
"제대로 전달하거라."
백작은 시종에게 속삭이며 성큼성큼 걸어 화장실로 향했다.

며칠 뒤.
"……."
아벨라는 턱을 괸 채 삐딱한 표정을 지었다. 그러거나 말거나 그녀 앞에 선 리시안은 검은 칠판을 빽빽하게 채우며 열변을 토하고 있었다.
"딜루어 공국은 카셀란 제국 남부의 거대한 섬, 운다인 섬을 거점으로 삼은 도시국가입니다. 처음 딜루어 공작이 카셀란 제국의 일부로서 운다인 섬을 정복한 이후, 그 공을 인정받아 대공작의 작위와 함께 운다인 전체를 딜루어 대공령으로 하사받았죠."
리시안이 말을 이었다.
"딜루어 공령에서 공국으로 승격된 것은, 약 100여 년 전 카셀란이 궁핍하여 휘하의 많은 나라들을 자치라는 이름으로 할양, 독립시켰을 때였습니다. 그 후 100년간 현 딜루어 공작가의 치세가 계속되고 있죠."
아벨라는 기계적으로 고개를 끄덕이면서 생각했다. 생각해보면, 아벨라가 이전에 제일 싫어했던 시간은 역사 시간이었다. 옛날에 무슨 사건이 일어났는지, 누가 참여했는지 일시와 날짜, 이름을 외우는 게 지나치게 힘들었다. 고등학교 2학년 때부터 사회탐구 영역을 배우지 않아서 정말로 다행이라고 생각했는데…….

누가 알았겠어, 여기서도 역사 수업을 듣게 될 줄이야.

"현 역사학자들에게 있어, 딜루어의 독립은 카셀란 제국의 뼈아픈 실수로 평가되고 있습니다. 운다인 섬은 최대의 마정석 매장량을 자랑하는 해저굴을 포함해 온갖 광물과 광석, 에너지원이 풍부하거든요. 하지만 초대 딜루어 공작님, 그러니까 아씨의 고조부 되시는 분께선 독립을 위해 이 같은 사실을 은폐하고, 조공량을 의도적으로 축소했습니다. 제국은 운다인 섬을 보잘것없는 곳이라 여겨 공령에 독립을 요구하고 화약을 맺었죠."

리시안의 말에 따르면, 초대 딜루어 대공은 정말로 머리가 좋은 사람이었다. 이 섬을 얻기 위해서 온갖 공작을 아끼지 않았다. 제국이 가난해지면, 스스로 몸집을 줄일 것이라 예견한 뒤 독립을 준비했다.

이 같은 사실이 알려진 것은 딜루어 공령이 공국으로 독립하고도 이미 20여 년이 지난 후였으므로, 제국은 눈을 뜬 채 제국의 가장 큰 재산을 빼앗긴 셈이었다.

이 정도면 그래도 듣기 지루하진 않았다. 아벨라는 하품을 눌러 참으며 이야기를 계속 들었다.

"뿐만 아니라 운다인의 지리적인 이점을 통해 딜루어 공국은 제국이 부활한 후 정복 전쟁을 일으킬 때, 사므텐의 공성기를 최초로 수입하여 판매하는 등 무기 조달로 큰돈을 벌었습니다. 그래서 결론은."
"어디 가서 안 꿀린단 소리죠."
어느새 옆에 와 있던 베티가 리시안의 말을 가로채 끝맺었다. 아벨라는 베티를 향해 밝은 표정으로 웃음을 머금었다.
"베티."
"아씨, 짐 다 쌌어요."
베티가 뿌듯한 어조로 말하면서 아벨라의 옆으로 섰다. 아벨라는 고개를 끄덕이며 일어났다.
"음, 트렁크는 얼마나 쌌어?"
"여기 와서 옷을 한 번도 맞추지 않았기 때문에 널널해요."
"몇 갠데?"
"열여섯 개요. 너무 적죠? 힝. 치장하는 애들도 엄청 걱정했어요, 아씨 짐이 너무 적은 게 아니냐고."
"……."
아벨라는 난감한 표정으로 입을 다물었다.
오늘은 '공식적으로' 이 8황자궁을 떠나는 첫날이다.
물론 아예 떠나는 것은 아니다. 암살 시도로 인해 부상당한 심신을 치료한다는 목적으로, 아벨라는 제국 수도에서 조금 동쪽으로 이동하면 나오는 쇼왈 해변의 별궁으로 떠날 예정이다.
일정은 약 한 달.
"이번에 따라오는 사람들은?"
"주디와 세스, 그리고 어니스트와 시종 몇 명을 빼곤 사실상 전부예요. 다 합쳐서 스무 명도 안 되니, 아씨를 제대로 모시려면 당연히 모두 따라가야죠."
"그렇지만 모두 가면 행차가 너무 길어지는 거 아냐? 그리고 거기도 하녀들이 있을 거야."

"그렇지만 시녀나 시종은 없을 거라던데요. 아씨, 아씨는 황자비라고요. 일행이 많다고 아무도 뭐라고 할 사람 없어요. 렌티아 4황녀는 옛날에 피서 갈 때 백 명도 넘게 데려갔대요."

"그래도."

"그렇지만 모두들 아씨를 따라가고 싶어 해요. 아시잖아요, 요새 애들이 아씨 비라기인 거."

베티의 말에, 요 며칠간의 광경을 떠올린 아벨라의 입이 완전히 다물렸다. 그래, 베티의 말이 맞았다.

예의 그 '사건'이 일어난 뒤, 아벨라는 큰 부상을 공표하고 적색궁, 아니, 8황자궁에만 머물렀다. 산책조차 나가지 못하고 내내 8황자궁에서 리시안과 펠리체, 베티와 함께 지냈다. 실제로 다친 게 아닌데도, 8황자궁의 사람들은 아벨라에게 내내 극진했다. 그리고 어디든 따라붙고 싶어 했다.

게다가 아벨라가 없이는 사용인들 서로 간에도 내밀하고 조심스럽게 행동했으며, 내내 긴장을 늦추지 않았다. 마치 아벨라를 구심점으로 똘똘 뭉친 것처럼, 스스로를 예속하고 서로를 한 명의 주인 아래 단단히 얽어매었다.

리시안은 이를 일컬어 '놀라운 생존본능'이라고 칭했다. 여기서 아벨라를 택하고 따른 이상, 아벨라가 죽는다면 자신들도 죽는 것이나 다름없다는 것을 사용인들이 완벽히 자각했기 때문에 이렇게 행동하고 있다는 냉소나 다름없었다.

하지만 아벨라는 지금 이 자발적인 충성이 그렇게 나쁘게 보이지 않았다. 리시안은 죽기 싫어서 아벨라를 따르는 거라고 이야기했지만, 죽기 싫어서라도 아벨라를 배신하지 않는 게 어디란 말인가.

"게다가 지금 가는 곳은 환경이 어떻게 될지도 모르고요."

베티가 중얼거리면서 잇는 말에, 아벨라는 잠자코 고개를 끄덕였다.

이 황궁에 대해 잘 아는 누군가가 베티의 말을 듣는다면, 당연히 베티에게 '그렇지 않다'고 반박할 게 분명했다. 카셀란의 별궁에도 본궁에서 파견 나온 시녀들이 있으며, 그 수도 아마 모자람이 없을 테니까.

하지만 그것은 어디까지나 그들이 '정말로' 쇼왈의 별궁으로 갈 때의 이야기였다. 아벨라는 한숨을 쉬면서 그들의 진짜 행선지를 떠올렸다.

궁 안에서 칩거만 하던 며칠 전, 리시안이 조심스럽게 펠리체와 아벨라의 앞에 푸른 종이봉투를 내려놓았다. 리시안은 이 봉투를 '초대장'이라고 불렀다. 봉투를 열어 보니 미약한 수선화 향이 풍겼다. 부드러운 고급 종이엔 빼어난 손 글씨로 이렇게 쓰여 있었다.

[달이 완전히 차오르는 때, 인어가 울었다던 언덕에서 곧 만나자꾸나.]

아벨라와 함께 종이의 내용을 읽은 펠리체는 단숨에 일어나 '병의 구환을 목적으로 요양을 윤허받아 오겠다'며 나섰다. 단숨에 비밀 통로 너머로 사라지는 펠리체의 행동을 보고 나서야 아벨라는 이 시 구절 같은 짤막한 수수께끼의 쪽지가 어디서 왔는지를 확신할 수 있었다.

딜루어 대공.

아벨라의 아버지.

아벨라는 한숨을 삼키며 그들이 논의했던 계획을 다시 떠올렸다.

아벨라와 일행들은 쇼왈의 별궁으로 가는 척하다, 교묘하게 원래의 목적지인 쇼왈의 바로 옆 로톤으로 갈 계획이었다. 귀족들의 피서용 별장이 줄지어 있는 고급 휴양지. 그 별장 중 하나가 그들의 진짜 목적지였다.

이 계획이 잘될 수 있을지도 모르겠고, '아벨라'의 아버지를 만난다는 것도 심란해 죽겠고……. 별별 생각이 다 들었지만 아벨라는 그에 대해서는 언급하지 않은 채, 스커트의 앞자락을 두 손으로 살짝 집어 들며 우아하게 일어났다.

"가자."

아벨라가 중얼거렸다.

에라 모르겠다, 될 대로 되라지.

제국의 수도에서 약간만 북동쪽으로 올라가면 빽빽한 활엽림이 나온다. 펠리체는 이곳이 '젠톤 숲'이라고 알려 주었다.

"젠톤 숲."

아벨라가 발음해 봤을 때였다.

"재미있는 이야기해 줄까?"

펠리체가 씨익 웃으며 몸을 기대 왔다. 펠리체는 아벨라와 한 마차에 탄 채 이동하고 있었다. 둘 모두 환자로 가장하여 황궁에서 나왔다.

"뭔데?"

"제국은 가을에서 겨울로 접어들 쯤 꼭 젠톤 숲에서 사냥 대회를 열어. 올해는 제국제가 열리니까 어떻게 될지 모르지만. 그런데 거기에 꽤 재미있는 공간이 있어."

"뭔데?"

아벨라가 되물었을 때였다.

"온통 흰 호수가 있어."

"흰 호수?"

"응. 나도 가 본 적이 없는데, 백금룡 카셀란이 태어난 바다의 포말이 그대로 흘렀다는 전설이 있는 호수야. 물 자체가 우유처럼 희어. 심지어 모래조차 희고."

"백금룡 카셀란이 바다의 포말이 되었다고?"

"그냥 전설이지만."

"흐음."

아벨라는 마차에 제 머리를 기댄 채로 눈을 반짝였다.

"가 보고 싶어."

"나중에 가 볼 수 있었으면 좋겠다. 아름답거든."

펠리체가 씨익 웃어 보였다.

그때였다. 마차의 움직임이 완전히 멈췄다. 이미 안내를 들어 알고 있었다. 아마 리시안이 말한 1차 접선 장소에 다다른 모양이었다. 하지만 아직도 1차 접선이 뭘 말하는지 모르겠다. 스파이 영화에서나 나올 법한 단어지 뭐야. 만나면 만나는 거지 1차 접선은 뭐람.

아벨라가 턱을 괸 채 생각하고 있을 때였다.

"아벨라."

"응."

"저기 봐."

펠리체가 아벨라에게 어느 쪽을 가리켰다. 아벨라는 창문을 완전히 열고 마차의 밖으로 어깨까지 쭉 뺀 채 펠리체가 가리키는 방향을 바라보았다.

"어?"

아벨라의 눈이 동그래졌다.

꽤 고급스러운 소재와 디자인의 마차였다. 그 뒤를 따르는 단색의 마차들, 그리고 짐마차의 행렬이 펠리체가 가리킨 방향에서 나오고 있었다.

"저게 뭐야."

아벨라가 자신도 모르게 중얼거렸다. 놀란 아벨라의 얼굴이 귀엽고 우스웠는지, 펠리체는 몸을 기울여 아벨라의 귀에 대고 속삭였다.

"위장."

"위장이라고?"

"저들과 우리는 마차를 바꿔 탈 거야. 이 황궁의 문양이 있는 마차는 저들이 타고, 우리는 저 마차를 타는 거지. 행선지가 바뀌었으니까."

"행선지가 바뀌었, 아, 그렇지."

쇼왈로 간다고 말했지만, 그들은 대공을 만나기 위해 따로 빠질 계획이었다.

이들은 아벨라와 펠리체를 위한 대역인 것이다.

"저들은 쇼왈로 갈 거야. 우리는 로톤으로 향하고. 우리가 정말로 쇼왈에 갔는지 황궁에서 당연히 확인할 테니, 눈속임

용이지."

"하지만 언제 저런 행렬을 다 준비했어? 대단해!"

아벨라가 점점 이쪽으로 다가오는 가짜 행렬들을 보면서 빠르게 되물었다. 단순한 눈속임용이라기엔 너무 정교했다.

아벨라는 그들에게서 눈을 떼지 못했다. 마차의 창문 안엔 아벨라 자신과 같은 금발의 호리호리한 체형의 여성과 온몸에 붕대를 감은 남자가 앉아 있었다. 옷차림 역시 똑같은 건 당연지사다. 짐마차에 실린 짐의 모양, 개수, 아벨라와 같이 따라온 시종들의 생김새까지 엇비슷했다. 아벨라는 점점 잘 보이는 눈앞의 가짜 행렬들에 아예 말문을 잃었다.

"……."

이 모든 행렬들을 준비하는 데 얼마나 공을 들였는지, 여기에 따르는 금액이 얼마나 드는지, 그리고 이들이 쇼왈에 가서 쇼왈 궁인들의 눈을 속이기 위해 얼마나 철저한 훈련을 받았을지 아벨라는 감히 상상하기가 어려웠다.

"대공께서 준비하셨어."

"이걸?"

아벨라가 펠리체를 향해 고개를 돌렸다. 펠리체가 선선히 고개를 끄덕였다.

"응. 대공께서 원하셨기 때문에."

아벨라는 자신도 모르게 얼빠진 표정을 지었다. 이 모든 비용을 들이부어가 댔다. 오로지 아벨라를 로톤으로 데려와 대공과 만나게 하기 위해서.

"……허어."

아벨라는 감탄사를 터뜨리며 그 행렬을 바라봤다. 홀린 것 같았다. 그렇게 한참 구경하던 아벨라는 다시 자세를 고쳐 앉았다.

그때였다. 마음속에서 불쑥, 계속해서 누르고 있던 질문이 다시 솟아 나왔다. 처음 펠리체에게 설명 들었을 때, 딜루어가 운영하고 있다던 은행을 봤을 때, 그리고 리시안에게 설명을 들었을 때부터 지금까지 내내 갖고 있던 아주 본질적인 질문.

딜루어가 그렇게 강하고 세다면, 카셀란을 비롯한 다른 나라들을 경제력으로 좌지우지할 정도라면.

대체 왜 날, 아니, 아벨라를 이 제국으로 보낸 건데?

"허어어어."

아벨라는 팔짱을 낀 채로 미간을 단단히 조였다. 이해가 가질 않았다.

그때였다. 마차의 문이 열렸다. 궁인복을 입은, 낯선 얼굴의 시종이 정중하게 허리를 숙였다.

"황자 저하와 황자비 저하를 뵙습니다. 마차의 준비를 모두 끝냈으니, 이동하소서."

펠리체는 고개를 끄덕이곤, 아벨라를 향해 손을 뻗었다.

"마차를 갈아타러 가자."

아벨라는 얼빠진 채 고개를 끄덕였을 뿐이었다.

로톤은 쇼왈의 인근 지역이었다. 쇼왈과 마찬가지로 희고 고운 백사장과 에메랄드빛 바다를 자랑하는 아름다운 해양 관광 도시였다. 물론 절경인 기암바위나 자그마한 섬들이 에두르고 있는 쇼왈에 비할 바는 못 되지만 쇼왈은 이미 황족들의 피서 장소였기 때문에 함부로 다가갈 수조차 없었으므로, 귀족들과 부유한 평민들은 그 밑의 로톤을 차지하는 것으로 만족했다.

그들은 로톤에서 각자 자신이 생각하는 이상적인 별장들을 만들기 시작했고, 그렇게 해안가에 길게 늘어선 아름다운 별장들과 고급 숙박 시설들은 로톤의 또 다른 명물로 자리매김한 상태였다.

그리고 이 중에서도 가장 눈에 띄는 건물이 있다면, 단연코 로톤의 가장 위쪽, 쇼왈과 맞닿은 인어의 언덕에 자리 잡은 거대한 저택일 것이다.

푸른 청람석의 지붕이 유독 눈에 들어오는 이 호화로운 저택은, 대륙에서 세 손가락에 꼽히는 디자이너가 친히 의뢰를 받고 지은 별장으로 알려져 있었다.

소유주는 알려져 있지 않다. 하지만 카셀란의 귀족 그 누구도 이 저택을 이용하는 모습을 보이지 않았기 때문에 호사가들은 종종 이 저택의 주인이 외국인이거나 혹은 황족들이 몰래 별궁이 아닌 곳에서 유희를 즐기기 위해 만들어 놓은 곳이라고 짐작하곤 했다. 그리고 지금 현재 아벨라는 바로 그 저택에 들어와 있었다.

"말도 안 돼."

아벨라는 저택의 내부를 매서운 눈으로 노려보며 중얼거렸다. 백영궁에 버금가는 화려함이다. 특히나 푸른 안료로 물들인 푸른 융단과 흰 벽, 그리고 그 벽들을 마감하듯 두른 은장까지, 화려하고 독특한 데다 무엇보다도 몹시 고급스러워 보였다.

"푸른색은 딜루어의 상징이라서요. 아씨는 기억이 안 나시겠지만 딜루어 궁도 이와 같은 내장이에요. 아, 대신 은장이 아니라 백금장이라는 게 좀 다르겠네요."

"백금?"

아벨라가 입을 쩍 벌리고 베티를 바라보았다. 베티는 흐뭇한 표정으로 고개를 끄덕였다.

"그렇죠, 아씨가 놀라는 것도 무리는 아니죠."

"아, 정말 갈수록 이해가 안 가네."

아까 마차 안에서 계속 고민했던 궁금증이 도로 떠오르자 아벨라는 황망한 어조로 중얼거렸다.

"네? 뭐가요?"

"……아냐, 됐어."

베티가 물었지만 아벨라는 그저 한숨을 쉬고 고개를 저었다. 아니다, 죄 없는 네가 뭘 알겠니.

"그래서, 애들은?"

"일단 오자마자 여기서 일하는 총괄 집사랑 관리인들이랑 상의해서 머무르는 동안 일할 구역이나 역할들을 다 정했어요. 그런데 치장은 아마 저만 할 것 같아요. 황자님은 혼자 있겠다고 하셨고요. 아씨 시중은 일단 방에 올라가 보라고 하더라고요. 참, 이쪽이에요."

"그래?"

뭐, 베티가 혼자 시중을 드는 게 처음도 아니고. 아벨라가 고개를 끄덕이면서 베티가 안내하는 쪽으로 걸음을 옮겼을 때였다.

삼 층의 층계를 올라 오른쪽으로 돌자마자 척 봐도 굉장히 화려해 보이는 흰 문이 그곳에 있었다.

"황자 저하 쉬시는 곳은 왼쪽이래요."

"그렇구나."

베티는 아벨라보다 앞서서 양쪽 문의 손잡이를 하나씩 잡고 단숨에 문을 열었다. 경첩에 기름을 단단히 먹여 놓은 듯 소리 하나 없이 조용하고 부드럽게 문이 열렸다. 그리고 열린 문 안으로 보이는 광경은.

"우와."

"……와."

아벨라는 탄성을 외치는 베티를 따라 다시 입을 벌리고 방을 바라보았다. 공간이 모두 트인 몹시 넓은 방이었다. 그리고 이 넓은 방의 한쪽 면이 모두 유리로 되어 있었다. 유리 틀도 없는 통유리였다. 유리 너머로, 아름다운 바다가 눈앞에 가득 펼쳐졌다.

장관이네.

저택이 좀 높은 곳에 있더라니, 경관이 정말 장난 아니다. 아벨라는 성큼 창 쪽으로 다가섰다. 바다만 보이는 것이 아니었다. 벽 한 면을 완전히 유리로 텄으니, 해변과 해안가에 펼쳐진 색색의 저택까지 파노라마처럼 시야에 펼쳐졌다.

말도 안 돼, 여기서 매일매일 살 수도 있겠다. 아벨라가 절로 고이는 침을 꼴깍 삼킬 때였다.

"샐리!"

"베티 님!"

뭐, 뭐야? 아벨라는 놀라서 뒤를 돌아보았다. 푸른색의 꽤 맵시 있는 원피스에 프릴 없는 단정한 에이프런을 두른 검은 머리칼의 소녀가 베티의 손을 잡고 있었다. 샐리라고? 아벨라가 어리둥절한 채로 그녀를 바라보는 때, 베티를 끌어안고 있던 샐리와 그녀의 눈이 마주쳤다.

"아씨!"

순간 크게 외친 샐리가 성큼성큼 아벨라를 향해 다가갔다.

"으아, 우리 아씨 왜 이렇게 핼쑥해지셨담!"

샐리가 자신의 뺨에 손을 얹고 잔뜩 호들갑을 떨었다.

"아니, 피부도 너무 푸석해요! 제가 매일매일 아씨 자기 전에 호호바오일로 마사지해 드리라고 했잖아요, 베티 님, 이게 어떻게 된 거예요! 제국엔 오일이 없어요? 속상해, 어쩌면 좋아. 저도 따라갈걸! 따라오지 말래도 따라갔었어야 했나 봐요!"

"……그게 아니라, 내가 얼굴엔 하지 말라고 했어. 아침에 기름이 도는 거 같더라고."

"그치만 그건 어디까지나 기분 탓일 거예요! 얼굴엔 역시 호호바라고요. 우리 아벨라 아씨는 피부도 얇은 편이시고, 또 민감하셔 가지고 오일로 피부케어를 꼭 마무리…… 잠깐. 지금 누가 말한 거예요?"

한창 줄줄 말하던 샐리가 깜짝 놀란 채로 아벨라를 바라봤다.

이 패턴 언제 한번 겪어 봤는데. 아벨라는 베티와의 첫 만남을 떠올리며 비죽 웃음 지었다. 보아하니 이 샐리라는 소녀도 베티처럼 아벨라를 돌본 공국의 시녀 중 한 명인 듯했다.

"대신 크림을 꾸준히 바를게. 그걸로 합의 봐도 되겠어?"

"……아, 아씨? 지금 아씨가 말, 말씀을, 어, 말을."

"……응. 나야."

아벨라는 배시시 웃는 귀여운 표정을 하고 샐리를 바라보았다. 놀라다 못해 얼굴이 희게 뜬 샐리가 그녀의 표정에 입도 못 떼고 다시 소스라쳤다. 헉, 이렇게 놀란 표정이면 무슨 사단이 일어나도 단단히 일어나겠다 싶어, 아벨라가 그녀를 향해 두 손을 들 때였다.

"워, 놀라지 마, 샐리. 샐리? 베티는 기절도 했었다고. 너는……."

"끼야아아악!"

쿵.

"……."

역시나였다. 베티랑 반응까지 똑같을 줄이야! 아벨라는 깜짝 놀라 쓰러진 샐리에게 다급하게 달려갔다. 옆에서 그녀와 샐리를 지켜보던 베티도 후다닥 달려들었다. 베티가 소리쳤다.

"그럴 줄 알았어! 아씨도 참. 애를 이렇게 놀라게 하시면 어째요?!"

"아니, 그게 나는……."

아벨라는 미간을 찌푸리면서도 베티를 따라 샐리의 팔다리를 주무르기 시작했다. 아니, 입만 떼도 놀라는 걸 어쩌란 말이야? 억울한 마음과는 별개로, 아벨라의 입꼬리가 슬쩍 올라가기 시작했다. 어쩐지, 이상하게 기분이 좋았다.

사람이 눈앞에서 숨도 쉬지 못하고 쓰러진 게 즐겁다는 것은 아니었다. 그냥 즐거웠다. 마치 정말 집에 돌아온 것처럼 마음 한편이 따뜻해졌다. 어디서 많이 본 사람들인 양 낯익고 반가운 마음. 하지만…… 아벨라는 순간 고개를 갸우뚱 기울였다. 여긴 강서경의 집이 아니라 아벨라의 집인데, 왜 내가 이런 감정을 느끼는 거지?

"몸이 동화돼서 그런가?"

"악, 아씨. 빨리 주무르세요. 제가 냉수라도 떠올게요!"

"아, 알았어!"

베티의 다급한 소리에, 아벨라가 퍼뜩 정신을 차리고 대답했다. 그래, 일단은 이 베티와 똑 닮은 아이부터 일어나게 해야 했다.

몇 시간 뒤.

아벨라는 침통한 표정으로 층계참에서 턱을 괸 채 쪼그려 앉아 있었다.

"리시안 이 새끼."

아벨라는 이를 바득 갈았다.

처음에는 아벨라의 정신이 돌아왔음을 샐리만 모르는 줄 알았다. 때문에 샐리가 좀 과도하게 놀라도, 웃으면서 '아휴, 그런데 좀 낯이 익네.' 같은 생각을 할 정도로 여유도 있었지. 그런데 아니었다.

이 궁에서 만나는 사람 모두가, 아벨라가 뭔가를 요청하거나 물어볼라 치면 하나같이 기겁하며 소스라쳤다. 마치 아벨라가 제대로 말하는 걸 알지도 못했었다는 것처럼.

나중엔 이 저택에 와 있는 공국 측의 사용인 모두, 아벨라를 이리저리 피해 다니는 처지가 되었다. 적응할 시간을 달라는 게 그들의 요지였다. 황당했지만 아벨라만 보면 심장이 아플 정도로 떨린다는데 어쩌겠어.

덕분에 오늘 아벨라는 하루 종일 혼자 있어야 했다. 물론 치장과 식사 시중, 목욕 시중드는 사람은 있었지만 그나마도 대화 없이 빠르게 최소한으로 할 일만 한 채 사라져 버렸다.

더 속 터지는 건, 베티도 저쪽 사용인들 틈에 끼어 있다는 점이다.

"짜증 나."

덕분에 아벨라는 층계참으로 피신하는 수밖에 없었다. 방에서도 눈만 마주치면 어색해하고 불편해하니, 이런 곳에라도 와 있는 수밖에 없지 뭐.

그나저나, 펠리체는 어디에 있는 거야? 아벨라는 미간을 확 좁힌 채로 생각했다. 아무리 생각해도 그들의 무지에 대해 짚이는 구석은 딱 한 곳, 아니, 한 놈밖에 없었다. 누구긴 누구겠어, 이쪽으로 오기로 처음에 판 짜고 요구한 놈이겠지. 리시안.

"네 이놈, 보이면 멱살부터 잡겠어."

아벨라는 이를 바득바득 갈았다.

어쨌든 몇 시간 전, 제일 먼저 봉변(?)당했다가 정신도 제일 먼저 차린 샐리의 말에 의하면, 아벨라의 부친 되는 딜루어 대공은 처리할 일이 있어 밤늦게 온다고 한다. 지금이 초저녁이니, 첫날은 무리 없이 피해 넘어갈 수 있을 것 같았다.

아벨라는 한숨을 쉬면서 생각했다. 물론 알고 있다. 이곳에 온 이상 만남을 피할 수 없다고 생각하지만 어떻게든 최후의 최후까지 미루고 싶었다. 양심에 찔리기도 하고, 무섭기도 하고.

그래도 그 와중, 대공이 궁금하기도 했다. 어떤 얼굴인지,

어떤 성격인지. 만일 아벨라가 백치가 아니라는 걸 알게 된다면 어떤 반응을 보일지도 궁금했다. 아마 펠리체의 첫 반응과 비슷하지 않을까. 너무 놀라서 '맙소사'나 '세상에'밖에는 말하지 못하는 거지.

잠시 상상하던 아벨라는 고개를 도리도리 저었다. 아니다, 됐다. 쓸데없는 생각이니, 그냥 차라리 일찍 들어가 잠이나 자는 게 나을 것 같았다.

잠이나 자러 가야지. 아벨라가 일어나 자신의 방으로 돌아가기 위해 층계참을 마저 올라가려 들 때였다.

"……광산을 빼앗을 수는 없지."

바리톤의 목소리가 문득 아벨라의 귓가에 닿았다. 아벨라는 제 방으로 돌아가려던 걸음을 멈췄다.

"……그럼 어떻게 할까요? 딜루어 은행이 나서서 빚을 지우자니 추적당하기 쉽습니다. 우리가 바로 떠오를 거예요."

"딜루어 은행의 이름으로 융자를 꿔 준다고? 그럴 순 없지. 그러기엔 딜루어 은행의 신용도가 아까워. 회수하지 못할 거래는 할 수 없다."

누군가가 리시안과 이야기를 나누며 층계참을 올라오고 있었다. 전혀 알지도 못하고 들어 본 적도 없는 목소리였지만 아벨라는 단번에 알았다.

아버지였다.

아벨라의 아버지가, 리시안과 함께 올라오고 있었다.

그가 누구인지는 몸이 자연히 알려 주었다. 피가 달구어지는 느낌, 가슴 한쪽이 아릿하고 애틋해진다.

하지만 눈에 고이는 눈물과 달리, 정말 반갑고 행복한 기분에 얼굴은 함빡 웃는 표정이 되었다.

이 표정은 아벨라 자신의 의지가 아니었다. 어쩌면 이 몸의 원래 주인의 반응일지도 모른다.

아벨라는 자신도 모르게 설레는 가슴을 꽉 억누른 채로 층계의 아랫부분을 바라보았다. 이곳은 3층, 곧 둘이 올라오며 이곳에 덩그러니 서 있는 아벨라를 발견하게 되겠지.

"그렇다면 어떻게 할까요?"

"제3금융업 쪽 저축 은행을 하나 더 만들자. 제국은 고리대금법 같은 게 없을 테니, 피둥피둥한 고혈을 짜내는 것도 쉽겠지."

"만들어 두겠습니다. 은행명은 뭐라고 할까요?"

"라베라."

"아씨 이름을 거꾸로 하셨군요. 알겠습니다."

목소리는 점점 더 가까이 들리고 있었다. 아벨라는 숨마저 멈췄다. 그리고 그 순간.

2층에서 천천히 걸어 올라오던 두 남자가 그대로 층계참을 돌아 나왔다. 금발, 회색의 눈동자. 잿빛의 베스트와 바지를 갖춰 입은 채, 고풍스러운 남색의 행커치프를 달고 있는 50대 초반으로 보이는 남자였다.

얼굴에 새겨진 주름들을 보면 나이를 먹은 게 분명해 보임에도, 그레이트 코트를 걸치고 있는 모습이 꽤 멋들어져 보였다. 옷차림 하나하나가, 달고 있는 커프 링크스나 핀 같은 모든 장신구들이 매우 맵시 있게 어울렸다.

"……."

하지만 남자의 표정이 턱없이 어두웠다. 아내도 아이도 잃은 채로 격무에 시달려 왔기 때문일까. 어두운 색의 옷을 입었음을 감안하더라도, 그는 우울해 보였다. 아벨라가 어떻게 해야 하지 싶어 당혹스러워 하는 때.

"어."

리시안과 먼저 눈이 마주쳤다. 그리고 그때였다. 그 바로 옆에서, 자신을 바라보고 있는 음울한 표정의…… 딜루어 대공을 볼 수 있었다.

눈을 먼저 피한 쪽은 아벨라였다. 눈을 마주 보고 있을 자신이 없었다.

어쩌지? 어떡해야 하지?

머릿속이 하얗게 바래는 기분에, 아벨라는 눈동자를 굴렸다. 이 세계에 온 이후 이렇게 당황스러운 적이 없었는데. 아벨라는 어쩔 줄 모른 채로 대공을 바라보았다.

이렇게 다짜고짜 만나게 될 줄 몰랐다. 최소한 방에서 독대할 수 있을 거라고 생각했는데.

어떡해야 하지? 되풀이되는 질문에 아벨라는 아랫입술을 꽉 깨물었다. 혹시 딜루어 대공도, 이 궁의 다른 사람들처럼 아벨라가 이전의 아벨라와 다르다는 걸 모르고 있는 걸까?

아벨라가 다시 대공의 옆에 선 리시안을 흘긋거렸고, 마침 다급한 표정으로 입을 벙긋대고 있는 리시안을 발견할 수 있었다. 리시안은 대공의 한 걸음 뒤에서 두 손을 가슴팍에 'X' 자로 겹친 채 고개를 절레절레 젓고 있었다. 저 표현이 대공에게 아벨라의 현재 상태를 말하지 않았다는 쪽인지, 지금은 타이밍이 아니라는 쪽인지 모르겠다. 어쩌면 둘 다일지도 모른다.

그나저나 리시안 말고 공국의 사람이 황궁 내에 많을 거라고 생각했는데, 리시안이 말하지 않았다고 대공에게 자신의 상태가 알려지지 않았다는 건 이상하지 않은가?

둘 중 하나였다. 8황자궁에서 아벨라의 상태를 전할 수 있는 게 오로지 리시안 하나뿐이든가, 아니면 리시안의 직위가 높아 그 아래 요원의 입을 단속할 수 있는 위치거나.

당연히 후자겠지. 저 망할 놈의 자식. 아벨라는 입술을 꽉 다문 채 리시안을 향해 매섭게 눈을 부라렸다.

베티가 이를 박박 갈며 리시안을 욕할 때는 좀 심하다 생각했는데, 막상 오늘 보니 베티가 그를 욕함이 아주 지당했다.

야, 이런 상황에선 네가 나서서 아벨라의 현재 상황이나 황궁의 상황들을 알리고 쿠션을 만들어 줘어야 되는 거 아냐? 이렇게 개념 없이 일하고 월급받아 갈 거야?

그때였다.

"아벨라."

대공이 아벨라를 불렀다. 아벨라는 다시 고개를 돌려 대공을 바라보았다. 대공은 자신을 계속해서 응시하고 있었다. 아벨라는 그 표정을 보며, 아까 리시안과 이야기할 때의 얼굴과는 조금 달라져 있다고 느꼈다.

아까 리시안과 이야기를 나눌 때만 해도 음울하고 우울하기 그지없던 대공의 표정이, 그녀를 바라볼 땐 그나마 조금 나아 보였다. 단순한 착각일까?

아벨라는 아랫입술을 다시 물었다 놓았다. 확실한 것은, 지금 이 자리에서 도망칠 수도 없다는 점이다. 아벨라의 두 주먹이 꽉 쥐어졌다.

모르겠다. 자신더러 '저 애는 진짜 아벨라가 아니야.'라고 말한다고 한들, 이젠 물릴 수도 없다고. 이런 상황일수록 직면

해야지. 그렇지 않아? 아벨라는 이내 천천히 숨을 크게 들이 마신 채 입을 열었다.

"아, 안……."

아벨라는 크게 침을 삼키곤 이내 용기를 내어 말을 완전히 맺었다.

"안녕하세요."

공간을 조용히 울리는 인사말에, 대공의 눈이 설핏 크게 뜨였다.

"……아벨……."

아무런 감정도 담고 있지 않은 듯한 갈색의 눈동자가 똑바로 아벨라를 향했다. 무언가 말하려 했던 대공의 입이 살며시 벌어졌다가 다시 다물렸다. 그리고 그게 끝이었다.

아벨라는 분명히 인사를 했는데, 대공은 단지 무표정하게 그녀를 살필 뿐이다. 잠깐만. 인사를 듣지 못한 건가? 아벨라가 다시 한번 인사를 해야 하나 망설일 때였다.

"……잘 있었나 보구나."

이내 더없이 침착한 어조로, 대공이 그녀에게 입을 열었다. 대공은 전혀 놀란 기색이 아니었다. 호흡마저 평이했다.

놀란 건 아벨라였다. 지금까지 만났던 이 저택의 많은 사람들 중, 아니, 지금껏 만났던 사람들 중 그녀의 상태를 알고 놀라지 않은 사람은 바로 앞의 대공이 유일했다.

"공국을 떠나는 날엔 미열이 좀 있어서 의사를 같이 보낼까 했었는데, 제국에서 그마저 트집 잡을까 그만두고 많이 후회했다."

대공은 천천히, 그리고 느릿하게 말을 이어 나가며 그녀가 있는 층계참을 향해 한 걸음 한 걸음 올라왔다.

그가 점점 다가올수록, 아벨라는 대공이 무척 키가 크다는 사실을 알았다. 아니, 그래도 펠리체보다는 작을까? 아벨라는 저도 모르게 키를 가늠하면서도 대공을 계속해 바라봤다.

그리고 아벨라는 깨달았다. 평이해 보였던 대공의 표정은 어디까지나 착각이었다. 말을 잇는 대공의 눈동자는 온통 뒤흔들리고 있었다. 대공은 눈물이 잔뜩 고여 있는 눈으로 아벨라를 바라보고 있었다.

"그 뒤로도 고생했다고 들었다."

하지만 그런 눈을 하고서도 대공의 목소리는 한 치의 흔들림도 없었다. 얼마나 자신을 억누르고 있는 걸까.

그때였다. 대공이 말을 완전히 맺음과 동시에 아벨라가 있는 계단에 완전히 올라섰다. 아벨라보다 머리 두어 개는 더 있을 정도였다. 이렇게나 크다니…….

혼자 겁을 집어먹으며 대공을 조심스럽게 올려다보다가 순간 눈을 크게 떴다. 대공의 눈에 투명한 물기가 일렁이고 있었다. 회색의 눈동자는 극히 고요하고 가라앉아 있음에도, 이내 그 눈에 가득 고여 있던 물이 그의 눈에서 툭 떨어졌다.

"내게 인사를 하는구나, 네가."

이게 눈물인가. 아벨라는 자신이 보고 있는 광경이 진실인지 도무지 믿어지지 않았다. 호흡은 한 치도 흐트러지지 않았다. 표정은 아까와 같았고, 자신에게 말하는 목소리도 떨리지 않는데 딜루어 대공이 울고 있었다.

아벨라는 어쩔 줄 모른 채로 대공 앞에서 손만을 꿈질거렸고, 둘은 그렇게 한동안 서로를 바라보며 서 있었다.

"네가 어떻게 지냈는지는 대략적으로 전해 듣고 있었다. ……하지만 자세히는 몰랐지. 제국에는 당연히 내 정보망이 있지만 황궁의 내명부만큼은 우리도 철저한 준비가 필요했다. 어렵지는 않지만 시간이 필요했어."

아벨라와 대공은 아벨라의 방에서 조용히 대화를 나누기로 결정했다. 순식간에 아벨라의 방에 다과상이 차려졌다. 한밤의 티타임는 그렇게 시작되었다.

"그런데 처음으로 전해 들은 소식이 네가 황족을 시해했느니 하며 본궁에 갇혀 있다는 소식이었다. 펠리체 혼자만으로는 한계가 있다고 생각했지."

사실은 아벨라가 이리저리 사고를 쳤던 거지만 여기서 입을 열 필요는 없을 것 같았다. 아벨라는 입을 꾹 다물고 조용히 대공의 이어지는 이야기를 경청했다.

"그래서 시종들 틈에 리시안과 몇 명을 보내고, 네 이야기를 전해 듣기 시작했다. 네가 궁 안 여기저기를 뛰어다닌다는 시답잖은 이야기만 전해 들었을 뿐이었지만 그래도 즐거웠지. 그러나 뭔가 잘못되어 가고 있음을 느낀 부분은."

"신탁 부분이죠?"

아벨라가 말을 자르듯이 끼어들었다. 무례한 행동으로 비춰질 수 있지만 대공은 다만 아벨라의 말에 희미하게 웃으며 고개를 끄덕였다.

"맞아. 네가 직접 은행에 나타나 신탁의 금액을 조회했다는 이야기를 듣고 나서였지."

대공은 제 앞에 놓인 찻잔을 매만지며 조용히 말을 이어 나갔다.

눈가가 조금 붉어진 것을 제외하면 대공의 얼굴은 절대로 아까 운 사람이라고는 믿을 수 없을 정도로 평온했다. 그러고 보니 대공은 감정의 변화가 적고 무척이나 냉정한 사람같이 느껴졌다. 그런 사람이 아벨라의 앞에서 울었다니, 아직도 믿어지지가 않는다.

"처음엔 네 신탁 유무가 노출되었다고 생각했다. 너를 가장한 금융 사기일지도 모른다고 생각했고. 그런데 수도 지점의 직원을 불러 이야기를 들어 보니, 네 생김새와 펠리체의 생김새까지 정확하게 표현하더구나."

대공은 차를 한 모금 마신 뒤 다시 말을 이었다.

"그렇다면 펠리체가 널 데려간 것일 텐데, 왜? 돈이 필요했다면 내게도 연락했을 거고, 그 또한 내가 알고 있는 게 맞다면 형편이 나쁘지 않았을 텐데. 그런데 곧이어 한 가지가 더 떠오르더군. 펠리체는 절대로 그 신탁을 알 리가 없다는 걸. 나 또한 잊고 있을 만큼 아주 오래전의 유산이었으니까. 네 어머니가 직접 배 속의 널 위해 만든 유산."

'네 어머니'를 발음할 때, 대공의 눈에 문득 그리움 비슷한 감정이 스쳤다.

"……."

"그래서 널 만나 봐야겠다고 생각했다. 네 신상에 무슨 문제가 생겼거나, 무슨 일이 벌어지고 있다고 생각했지. 펠리체 스스로는 해결하기 힘든 곤란한 일일 수도 있겠다고 생각했다. 어쨌든 펠리체는 지금 현재 황궁에서 움직임이 지극히 제한되어 있으니까."

"돈이 없었어요."

아벨라는 찻잔을 바라보며 말을 뇌까렸다.

지금이 제 이야기를 꺼낼 적기라는 건 알지만 막상 말을 하려니 뭘 말해야 할지 곤란했다. 최대한 거짓말은 하고 싶지 않기도 했고…….

"아니…… 일어나 보니까 머리는 명료한데 그간의 기억도 하나 없고, 베티에게 사정을 물어보자니 그것도 한계가 있었고요."

"편지라도 보내지 그랬니."

"그게, 그……."

이 부분을 말해야 돼, 말아야 돼.

잠시 고민하던 아벨라는 한숨을 내 쉰 채 대답했다. 에라, 모르겠다.

"정략결혼으로 백치인 딸을 제국에 보낼 정도면…… 믿지 않는 게 좋을지도 모르겠다고 생각해서요. 경계심이 들었어요."

"음."

아벨라가 대답하는 순간, 대공이 침음을 흘렸다. 아벨라는 그를 의심하는 것처럼 들리지 않았으면 좋겠다고 생각했지만 대공의 표정을 미루어 보아 당연히 그렇게 들렸을 것 같았다.

망했다. 화를 내면 어쩌지. 아벨라는 대공의 눈치를 살폈다. 뭘 생각하는지 전혀 알 수 없는 표정으로, 대공은 찻잔에 담긴 차를 응시하고 있었다.

그리고 그 순간.

"……대공님, 아니, 아버지?"

그를 바라보고 있던 아벨라가 놀란 어조로 그를 불렀다. 당연했다. 무표정한 얼굴 그대로, 대공이 눈물을 뚝뚝 흘리고 있었다.

아벨라가 그를 부르자, 대공이 그녀를 향해 가볍게 손을 들어 그녀의 말을 막았다. 그 순간에도 눈물은 계속 흐르고 있었다.

"내 딸이 나를 못 믿었다는 게 이렇게 기쁠 줄이야."

대공은 눈물을 흘리면서 입꼬리를 살짝 올려 엷게 웃었다. 울면서 웃고 있었다. 아벨라는 아연한 표정으로, 그리고 아린 마음으로 그의 말을 들었다.

Chapter 9

Chapter 9

"그렇게 침착하고 냉정한 상황 판단을 했다는 걸 반가워해야 할지, 행복해해야 할지. 이렇게 생각하는 내가 정말 팔불출 같고 이 상황이 믿어지지가 않는구나……."

대공은 끼고 있던 흰 장갑으로 제 눈가를 닦으려다 그대로 손에 얼굴을 묻은 채 한참을 있었다. 미세하게 떨리는 어깨, 들썩이는 숨.

아벨라는 단번에 알아챘다. 대공이 흐느끼고 있었다. 고요한 밤, 높이 뜬 달이 바다를 비추는 이 아름다운 정광 아래서.

엄청 좋은 아빠 같다. 아벨라는 자신이 한국에 있을 때 지냈던 아버지와 어머니를 떠올렸다. 극히 평범했지만 다정한 분들이었다. 그리고 서경이 자라는 순간마다 항상 응원해 주었지. 대공도 아벨라를 그렇게 사랑했을 것이다.

그의 우는 모습을 보며 아벨라는 어딘가로 사라진 진짜 아벨라에게 작게 사과했다. 너를 사랑하는 사람들에게서 널 빼앗은 것 같아 미안해, 아벨라. 미안해.

"제국이 교묘하게 너를 달라고 우기기 시작했을 때, 정말 많이 고민했다. 이미 많은 게 변하고 있는데, 제국은 본인들의 몸집이 아직 유효하다고 착각하고 있었거든. 무능한 귀족원이 그 이유의 반 이상을 차지하고 있기도 하고."

시간이 훌쩍 지나서야 대공은 울음을 그쳤다. 그러고는 찻잔의 차를 홀짝 비우고 이야기를 이어 나갔다.

"나는 제국이 싫었고, 내 국민들도 마찬가지였으니까. 준비한 계획들을 소진하는 일이 있더라도 전면전을 해야 하는가, 생각했었지. 그리고 그때 펠리체가 내게 연락을 해 왔다."

"펠리체요?"

"그래, 펠리체. 그 애가 너와 결혼을 하겠다 나섰지. 펠리체에겐 목적이 있었고, 나도 당연히 그 애라면 믿을 수 있으니 널 보낸 거야."

"……고작 제국인의 맹세를 믿고서요?"

"맞아."

대공은 선선히 고개를 끄덕이곤 그녀를 향해 빙그레 웃었다.

"하지만 제국인의 맹세는 단순한 맹세가 아니야."

"아니라뇨?"

"제국의 맹약이란 제국 사람들만 할 수 있는 맹세의 방법으로, 자기 피를 걸지. 제국인들은 자신이 제국의 수호룡 카셀란의 후예라 믿기 때문에, 제 피를 걸면 제 이름과 목숨을 거는 것보다 강력한 맹세가 된단다."

"그래도 어디까지나 그냥 맹세잖아요."

그런 게 있어? 듣자니 조금 어색하고 오글거리는 기분인데, 뭐 그래도 초등학교 애들이 깔깔대며 하는 '앰x'보단 훨씬 낫지 않은가. 아벨라의 되물음에 대공이 고개를 저었다.

"이 세계는 마법도, 용도 있지. 그리고 용의 힘은 생각보다 아주 강해. 그들에게는 카셀란의 피가 흐르기에, 맹세가 성립하고, 맹세를 어기면 심장이 뜯겨 나가지."

"정말이에요?"

"아니, 몰라."

"네?"

대공은 빙그레 웃으며 포트의 덮개를 벗겨 내곤 거의 식어 가는 차를 제 잔에 다시 따랐다.

"마법이 사라진 세대라고 하니 어길 법도 한데, 이상하지. 나는 제국인들 중 이 맹세를 어긴 이를 지금까지 단 한 명도 본 적이 없구나."

"……."

아벨라는 자신도 모르게 놀라 튀어나오려는 탄성을 삼켰다. 대공은 그런 아벨라를 바라보며 말을 이었다.

"신성한 백금룡 카셀란은 오직 진실만을 수호하는 용이란다. 그 때문일까, 제국인들은 아직도 제 피를 걸고 말한 맹세를 어기는 일만큼은 하지 않아. 함부로 시험할 생각조차 하지 않지. 그래서 다시 답하자면, 모르겠구나."

딜루어 공국, 카셀란 제국에 이어 이젠 판타지 영화에나 나올 법한 용의 후손과 맹세라……. 아벨라가 한숨을 삼키며 고개를 끄덕이는 때, 대공이 고개를 기울이며 빙그레 웃었다.

"하지만 펠리체는 약속을 어길 사람이 아니야."

그걸 대체 어떻게 믿고? 아벨라는 입을 달싹였다 다시 다물었다. 아무래도 자신이 모르는 사정이 존재하기 때문이겠지.

하지만 그럼에도 불구하고 대공이 펠리체에게 갖는 신뢰는 생각보다 훨씬 더 견고한 것 같았다. 물론 아벨라도 펠리체를 믿기에 대공의 신뢰가 이해 가지 않는 것은 아니지만, 그래도 대공이 펠리체를 어떻게 믿게 되었는지, 둘 사이에 무슨 일이 있었는지 궁금했다.

대공에 대한 궁금증인지, 펠리체에 대한 궁금증인지 제 스스로도 좀 헷갈리지만……. 대공이 아벨라보다 먼저 입을 열었다.

"그나저나, 밤이 꽤 늦었구나. 이제 잠을 자야 하지 않겠니?"

"네? 별로 늦지 않……."

대공이 내미는 시계를 본 아벨라의 얼굴이 어두워졌다. 어느새 새벽 두 시를 훌쩍 넘어 있었다. 벌써 이렇게나 시간이 지났단 말인가.

아벨라는 다급하게 주변을 둘러보았다. 어떻게든 대공과 더 이야기를 나누고 싶었다. 이상하지. 얼마 전까지는 그냥 아버지라고 불러야만 하는 사람이라고 생각했는데.

막상 만나 보니 눈이 가고, 정이 갔다. 이유 없이, 이 사람에게 호감이 생겼다.

그리고 그 순간, 아벨라의 눈에 불이 꺼져 싸늘해진 화로가 보였다.

"불."

"응?"

"잘 준비를 하라 이를 테니……."

아벨라가 그를 향해 작게 입술을 달싹였다.

"제가 잠들 때까지만 저와 이야기해 주세요."

대공이 그 말에 빙그레 웃곤 고개를 끄덕였다.

"그렇게 하자꾸나. 불을 좀 더 지피라고 하고, 이 찻잔을 비운 뒤 너는 잠에 드는 거야."

"좋아요."

"고맙다."

대공은 다시 입꼬리를 올리며 말을 맺었다.

"내일 널 위해 준비한 게 많거든."

대공은 화톳불을 좀 더 키우라고 명령한 뒤, 장작과 마른 풀들을 갖고 들어오는 시종들을 지켜보며 차를 홀짝였다. 차를 좋아하나 보다. 아벨라가 대공을 은근슬쩍 관찰하며 생각하는데, 시종들을 지켜보던 대공이 그녀를 향해 고개를 돌렸다.

"이건 좀 다른 이야기지만."

대공이 그녀를 향해 먼저 말문을 열었다. 한결 편안한 눈빛이었다. 아벨라는 자신도 모르게 그를 보며 부드럽게 마주 웃곤 지레 놀라 턱을 조금 당겼다.

"그래도 난 네가 언젠가는, 돌아올 거라고 생각했단다. 그런 느낌이 들었어."

그런 그녀를 부드러운 눈으로 지켜보던 대공이 이내 말을 이었다.

"너는 태어날 때부터 백치가 아니었어. 혹시 알고 있는지 모르겠지만."

아벨라는 고개를 끄덕였다. 알고 있었다. 이미 베타가 해 준 이야기였으니까.

"제가 여덟 살 때까지는 멀쩡했었다고 들었어요."

대공은 한숨을 내쉬며 고개를 끄덕였다.

"맞아, 그랬지."

"그런데 왜 갑자기 제가 그렇게 된 건가요?"

아벨라가 질문을 던진 그때였다. 아벨라는 순간 유리가 조각나는 듯한 파열음을 들었다. 소리 나는 곳을 반사적으로 본 아벨라의 눈이 커졌다. 대공이 들고 있던 찻잔의 손잡이가 처참하게 부서져 있었다. 대공이 컵의 손잡이를 쥔 손에 힘을 잔뜩 주어 컵을 부순 것이다.

아벨라가 크게 놀란 표정을 지었다. 대공은 완전히 돌변한 표정으로 떨어진 손잡이만을 꽉 틀어쥐고 있었다. 잔은 이미 박살 나, 테이블에 내용물을 쏟은 채 굴러다니고 있었다.

"아버지, 손이……!"

아벨라가 너무 놀라 당황한 목소리로 대공을 불렀을 때였다. 만류와 걱정이 담긴 어조에, 대공이 그제야 숨을 내쉬며 손의 힘을 풀었다.

"괜찮다."

대공은 그녀에게 대답하곤 "실례하마."라고 속삭이며 컵의 손잡이를 쥐었던 쪽의 장갑을 벗었다. 도자기 조각이 박힌 장갑을 테이블 위에 둔 대공이 천천히 눈을 내려 감았다. 마치 자신의 화를 억누르려는 듯한 필사적인 행동 같아서, 아벨라는 숨소리조차 내지 못하고 그를 지켜보았다.

대공이 다시 말문을 연 것은, 방을 따뜻하게 만들기 위해 들어와 있던 시종들이 대공의 찻잔을 바꿔 주고 갈아 낄 장갑까지 가져다 두고 난 뒤였다.

"네가 그렇게 된 것은, 네가 여덟 살 때 대마법사 왈로인이 공국에 방문하고 난 뒤였다."

대공이 이를 악문 채 중얼거렸다.

"대마법사 왈로인이요?"

"제국의 수호자라고 불리는, 좀 괴팍한 늙은이지. 마법 실력은 타의 추종을 불허하기도 했고. 대륙 곳곳을 돌아다니며 제 마법으로 사람들을 도우며 그 공을 모두 제국에게 돌리던 사람이었다. 어느 날 갑자기 공국으로 불쑥 찾아와, 공녀를 봐야겠다고 말했지. 네가 그렇게 된 건 그 다음날이었다."

대공은 입술마저 사리물다, 다시 말을 이어 나갔다.

"네가 그렇게 됨과 동시에, 왈로인이 공국에서 사라졌음을 깨달았단다. 그리고 네가 그리된 이유와 왈로인이 공국에서 사라진 이유가 연관이 있으리라 직감했지. 게다가 왈로인은 공국에서 사라진 이후부터는 대륙을 떠도는 짓을 그만두고 그의 마탑이 있는 고래섬에만 처박혔다. 정황상 거의 그가 한 짓이 확실하다고 생각했지. 게다가 왈로인은 제국의 존립을 위해서라면 무엇이든 할 작자였으니까. 당장에라도 쳐들어가서 그에게 따져 묻고 싶었지만 고래섬은 대륙협정에 의거, 불가침영역으로 지정된 곳이기에 내가 함부로 다가갈 수 없었다."

대공은 이마에 손을 얹고 부드럽게 관자놀이 부분을 어루만졌다. 하지만 눈만큼은 날카롭게 벼려져 있었다. 아까 아벨라를 바라볼 때의 부드러운 눈빛과 완전히 달라진 얼굴이었다.

"그리고 나는, 나와 내 국민들은 그 뒤로 제국을 정말로 싫어하게 되었다. 명실상부한 독립국임에도 아직도 제가 주인이라는 듯이 뻔뻔하게 곡식을 조공으로 바치라 말하는 나라, 아무렇지도 않게 공국의 주민들을 제국민으로 부르는 나라, 게다가 내 딸을, 나라가 돌보고 사랑한 널 앗아 간 나라."

읊조리는 대공의 눈에 푸른 독기가 흘렀다. 아벨라는 순간, 대공의 분노의 뿌리를 목격한 기분이 들었다.

왈로인은 대체 아벨라에게 무슨 짓을 한 걸까.

여덟 살의 아벨라가 똑똑하고 될성부른 아이였다는 것은 확실하다.

아벨라는 홀로 생각에 잠겼다. 그런데 이전부터 생각한 일이지만 강서경의 인생과 아벨라의 인생이 이상하게 겹쳤다. 대공에게 들으니 그런 기시감이 더욱더 확고해졌다.

아벨라는 대공의 눈치를 흘끔 살피며 생각했다. 설마, 아벨라가 나고 내가 아벨라인 거 아냐? 뭔가 뒤바뀌었다든가 하는 건 아닐까? 아니, 왈로인이 마법을 걸어서 영혼을 뒤바꾸게 했을 수도 있잖아.

"……는 좀 무리수지."

"뭐라고?"

"아, 아뇨. 아니에요."

황급히 말을 돌린 아벨라는 시종들이 그녀와 대공에게 정중히 인사한 뒤 나가는 것을 확인했다. 아, 이젠 정말로 잘 시간이겠군. 아벨라는 다시 대공에게로 고개를 돌렸다.

대공은 언제 자신이 분노했었냐는 듯 차분하게 가라앉은 눈동자로 아벨라를 바라봤다.

"흐트러진 모습을 보여 미안하구나."

대공이 조용하게 속삭이며 자리에서 일어났다.

"이제 정말로, 어서 좀 자 두는 게 좋겠다. 내일 정말로 할 일이 많으니…….”

대공은 느릿느릿 말을 맺었다. 아벨라가 고개를 끄덕였다.

대공은 침대로 향하는 아벨라가 자리에 완전히 눕는 걸 확인하고는 저도 몸을 돌려 나가려 했다. 그때였다.

“아, 저.”

아벨라가 조그마한 소리로 그를 불러 세웠다. 나가려던 대공이 그 자리에 멈춰, 몸만 돌린 채 그녀를 돌아보았다. 아벨라는 눈을 깜박이며 그를 향해 조심스럽게 인사했다.

“안녕히 주무세요.”

잠시 그녀를 바라보던 대공이 어느 순간 눈을 완전히 휘어 웃었다. 그녀가 대공을 마주한 이래로 가장 크고 가장 아름다운 미소였다.

“잘 자렴.”

대공이 속삭였다.

그리고 이어진 요양 기간 동안, 아벨라는 이 로톤에서 자신이 생각하던 모든 ‘고귀한’ 대접을 받았다.

기상 시엔 네 명의 하녀들이 들어와 커튼을 걷고 바로 따뜻한 물로 아벨라의 손과 발을 씻겨 주었다. 곧 깨끗한 수건을 장미 오일 뿌린 물에 담가 아벨라의 온몸을 구석구석 씻어 주었다.

그 뒤 침대 옆 테이블에서 아침을 먹었다. 머랭을 넣어 구운 핫케이크엔 메이플 시럽을 뿌리고, 딸기와 나무 열매를 잔뜩 올렸다.

싱싱한 로메인과 푸성귀, 양상추를 올리브유와 레몬, 꿀로 버무린 샐러드 위엔 돼지 안심을 훈연하여 썰어 낸 햄이 올라가 있었다. 그리고 낮은 온도에서 오랫동안 삶아 반숙보다 살짝 무른 삶은 계란까지. 그야말로 완벽한 조찬이었다.

몸을 가꾸는 것도 지금까지 받았던 대접 중 최상이었다.

제국의 산맥 중 제일 높은 산봉우리에서만 소량 나온다는 귀한 소금으로 아벨라의 팔꿈치와 발꿈치를 문지른 뒤 연한 라벤더 오일로 마무리했다.

마사지를 하는 시녀는 두 손가락을 구부려 쇄골이나 광대, 팔의 삼두 사이 갈라진 부분이나 허벅지를 문질렀다. 아벨라는 그때마다 아파서 몸부림을 쳤지만, 그 마사지 이후로 몸이 훨씬 가볍고 시원해졌음은 부정할 수가 없었다.

머리는 부위별로 나누어, 자기 전과 일어난 뒤 시녀들이 꼬박꼬박 백여 번이 넘게 빗질해 주었다. 빗질한 끝엔 장미와 열대 과일을 섞은 오일을 손바닥으로 녹여, 머리칼 끝 부분에 발라 주기까지 했다.

아벨라는 다른 기분 좋은 향료들 중에서도, 특히 그 머리에 바르는 오일의 향을 좋아했다. 오일끼리 블렌딩되며 퍼지는 이국적인 향은 아벨라의 긴장을 자연히 풀어 주었다.

“이대로는 그야말로 녹아 버릴지도 몰라.”

아벨라는 두 손으로 뺨을 감싼 채 다시 감탄사를 터뜨렸다. 베티는 그런 연한 분홍색의 폴로네이즈 가운을 고르며 눈을 휘었다.

"그렇게 좋으셨어요?"
"말이라고 해?"
아벨라가 달뜬 숨을 '하' 하고 내쉬면서 말을 이었다.
"내가 여기에서 경험해 본 목욕 중에서 가장 좋았어. 뭔가 말하지 않아도 알아서 가장 좋은 부분을 짚어 주는 것 같았어. 마치 베티 네가 여러 명 있는 기분이랄까?"
아벨라의 말에 베티가 소리를 죽여 웃었다.
"무슨 말씀인지 알아요. 이 사람들은 아씨를 계속 모셔 온 전속 시종들이니까요. 아마 아씨의 몸이 이미 저희의 손길을 기억하고 있는 게 아닐까요?"
베티의 말에 아벨라가 아쉬운 표정을 지었다.
"벌써부터 헤어지는 게 아쉽다. 이 사람들이랑 또 헤어져야 한다는 거잖아. 베티는 더더욱 그럴 거 아냐? 오래된 동료니까."

"저도 그게 아쉽기는 해요. 하지만 다시 만난 게 어디인가 싶어요. 다시 못 볼지도 모른다고 생각했거든요. 여기 와서 공국에서 같이 일하던 사람들이랑 아씨를 모시니까 얼마나 좋았는데요."
"베티도? 나도. 갈 때, 이곳에서 썼던 용품들과 사람들을 데리고 가고 싶어."
아벨라는 한숨을 쉬면서 옷을 머리부터 걸쳐 입었다. 트여 있는 매듭을 조이고, 허리의 끈을 당기던 베티가 살짝 웃었다.
"그렇게 되실걸요?"
"응? 왜, 어떻게?"
아벨라가 물었을 때였다. 베티가 입술을 양옆으로 째며 히

죽였다.

"히히히, 제가 아씨 치장 다 하실 때까진 말 안 하려고 했는데요."

"응."

"지금 황자님 뭐 하고 계시는 줄 아세요?"

"뭐 하는데?"

갑자기 튀어나온 펠리체의 이름에, 아벨라가 눈을 동그랗게 뜨며 되물었다. 베티의 입꼬리가 실룩였다. 박장대소하려는 입을 간신히 억누르는 모양이었다.

"아, 정말 지금 말씀 드리면 안 되는데."

"뭔데, 말해 봐."

"그럼, 치장을 다 끝내야지 움직이실 거라고 말해 주세요."

"그 정도야? 내가 움직일 거라고 확신하고 있잖아?"

"그럼요, 당장 가셔서 구경할 거라고 닦달하실 게 눈에 선하다고요."

"대체 뭐기에?"

"아이 참? 일단 약속해 주세요."

"허, 참. 알았어."

아벨라가 미간을 구기면서 마지못해 대답했을 때였다.

대답을 듣고 나서도 한참을 키득거리던 베티가 이내 아벨라의 귀에 얼굴을 가까이 하곤 속삭였다.

"대공님한테 혼나고 있어요."

"뭐? 왜?"

아벨라의 물음에, 베티는 아예 만면에 미소를 띠었다. 즐거워서 참을 수가 없다는 미소였다.

"그, 제가 아씨께서 델마 고 계집에게 당하실 때의 일에 대해서 몇 가지 보고서를 작성했거든요."

"뭐어?"

아벨라는 놀라 입을 벌렸다.

같은 층, 펠리체의 내실.

딜루어 대공은 굉장히 합리적이고 이성적인 군주였다.

그 말인즉슨, 눈에 넣어도 아프지 않을 딸의 피격 사태에 대한 적나라한 증언을 듣고도 그 누구도 목숨이 날아가지 않았다는 뜻이다.

제 딸의 암살 미수 사건 보고서를 보면서도 대공은 놀라울 만큼 침착함을 유지했다.

아벨라가 먼저 공세에 나섰고 펠리체는 아벨라의 방에 숨어 있었으며 리시안은 아무도 없는 8황자궁의 보안 상태를 공국에 보고 중이었다고 쓰여 있었다.

자신의 암살 계획을 미리 알게 된 아벨라가 이에 대처하려 했고, 살수의 숨통을 끊어 놓기까지 했다고 적혀 있었다.

대공은 유심히 그를 모두 읽었다. 보고서를 차분히 읽어 내려가던 대공의 무표정이 풀린 때는, 리시안의 등장 부분이었다. 리시안이 뒤늦게 난입해 놓고서도 델마가 아벨라와 펠리체를 향해 달려가는 것을 막지 못했다는 부분.

대공이 고개를 들어 리시안을 바라보았다. 잠자코 있던 리시안이 그 자리에서 무릎을 꿇었다. 바닥에 무릎 박는 소리가 옆의 펠리체에게 들릴 정도였다. 본인도 이미 제 잘못을 아는 듯한 얼굴로 대공에게 넙죽 엎드렸다.

"죽여 주시옵소서."

"나는 널 꽤 오래 알았지. 그러나 이번의 행동은 크게 실망했다. 이는 변명의 여지없이 너의 실책이니라."

대공은 차분하게 말을 이어 나가며 종이를 덮었다.

"정보국 부국장 대리, 리시안 사크스. 이 시간부로 직위를 해제하고 발령 대기로 돌린다. 청문회가 정보국 내에서 있을 테니, 나머지는 정보국장에게 일임한다."

"알겠습니다."

리시안은 결연하게 대답하고 일어나 허리를 깊게 숙인 뒤 천천히 돌아 나갔다. 펠리체는 나가는 그를 바라보다 다시 대공을 바라보았다.

"그리고 펠리체."

"예, 전하."

"널 탓할 생각은 없다."

그의 말에, 서 있던 펠리체가 고개를 설레설레 저었다. 단정한 금귤색의 머리칼이 고개가 저어지는 대로 따라 흔들렸다.

그는 오늘 붕대를 감지 않았다. 등에 짊어지고 있던 가죽 공도 빼 버린 지 오래다. 이곳에서만큼은 환자로 가장할 필요가 없으니까.

"아니오, 전하. 제 잘못이 큽니다. 맹세를 어길 수도 있었어요."

"탓할 생각이 없다고 했지, 네 잘못이 없단 뜻은 아니야."

펠리체는 입술을 다문 채 고개를 끄덕였다. 자신의 아버지와도 같은 사람. 제국 본궁에 들어앉아 있는 사람보다도 저를 훨씬 더 잘 알았다. 그런 그가 하는 말을 납득하지 못할 이유가 없다.

대공은 우아하게 자신의 잘못을 지적하고 있었다. 펠리체 또한 알고 있었다. 애초에 리시안이 상대하기 전에 델마의 숨통을 끊어 놓았어야 했다. 전면에 나서려는 아벨라의 뜻을 존중한다 해도, 그녀를 위험에 처하게 한 것은 자신의 잘못이었다.

"죄송합니다."

다시 한번 짤막하게 말하는 펠리체에게 대공이 고개를 저었다.

"……이제 다른 이야기를 하자꾸나. 폐하께서는 아직도 네가 당신을 위해 일하고 있다고 믿고 있나?"

"예."

펠리체는 고개를 조금 당기곤 말을 이어 나갔다.

"그리고 제가 어느 정도 이루고 있는지도 모르시지요. 제가 제 모든 패를 내놓고 돌아가는 정세를 논할 이는 대공 전하뿐입니다."

펠리체가 짤막하게 말을 맺을 때였다. 대공이 보던 서류철을 덮어 테이블 위에 올려 두었다. 대공이 하던 행동을 지켜보던 펠리체의 눈이 조금 커졌다.

대공이 빙그레 미소 짓고 있었다. 그의 파인 볼이, 그가 미소 지을 적마다 더 깊게 파였다.

"아직도 믿어지지가 않는구나. 넌 내 안에선 여전히 작은 소년인데."

대공은 웃음기 어린 어조로 말을 이었다.

"그 작은 아이가 제국의 귀족들 중 반을 설득해 내고 제국의 상권을 완전히 틀어쥘 줄이야."

"공국이 도와주셨으니까요."

"그리고 내 딸도 차지했지. 곧 공국으로 돌아올 테지만."

대공의 말에, 펠리체의 움직임이 멎었다.

"……무슨 말씀이신지."

"시치미 떼지 말게."

대공은 고개를 끄덕이며 다시 미소를 머금었다. 그러나 아까 지었던 웃음과는 다른, 좀 더 교묘해 보이는 미소였다.

"우리가 처음 말했던 조건은 2년 뒤, 아벨라의 안전을 위해 이혼하는 것이었네. 기억할 테지. 아직도 유효한 조건이야, 그렇지 않은가? 아벨라가 위험할 수 있으니, 이르지만 자네와 이혼해 공국으로 돌아오게 하는 방법을 고려해 보겠네."

그때였다. 대공 앞에서 수줍은 젊은이를 연기하던 펠리체의 표정이 완전히 굳었다. 대공은 순간 보이는 펠리체의 얼굴 표정을 무척 흥미롭게 지켜보았다.

가면을 뒤집어쓴 것처럼, 협상가의 얼굴로 눈을 휘어 웃었다. 대공은 알고 있었다. 저 얼굴은 '지키고 싶은 사람'의 얼굴이다.

"……대공님, 그건 지켜봐야 하지 않겠습니까."

"……허."

펠리체는 대공의 짧은 웃음에도 아랑곳 않고 능수능란하게 말을 이었다.

"아벨라의 상태에 중대한 변화가 생겼다 하더라도, 여전히 그녀를 가장 잘 지킬 수 있는 사람은 저입니다."

"자네라고."

'허' 하는 헛웃음 소리와 함께 대공이 한쪽 눈썹을 올렸다. 하지만 펠리체는 그에 눈썹 하나도 까닥하지 않은 채 말을 이었다.

"그렇습니다. 그녀를 제 곁에서 떠나보낸다 한들, 이미 그녀는 위험에 노출되었습니다. 저는 그녀가 누구에게 위협받는지 잘 알고, 황궁의 변화도 누구보다 잘 파악하고 있습니다. 제 무례를 용서하소서, 전하. 하지만 그녀는 제 곁에 있는 것이 안전합니다."

그때였다. 대공이 헛웃음을 지으며 테이블 위를 손으로 툭툭 두드렸다.

"펠리체 단 카셀란."

대공이 피식 웃으며 그를 노려보았다.

"정말 많이 컸군."

"아닙니다."

펠리체가 짧게 대답하며 다시 눈을 휘어 웃었다. 그러나 대공은 이번엔 마주 웃어 주지 않은 채로 그를 향해 입을 열었다.

"다 내려놓고 이야기하세. 이미 알고 있네. 이 정략결혼을 계획한 건 자네지?"

"……그게 무슨 말씀입니까?"

"처음엔 이런 곤란한 이야기를 중재한 자네가 대단하다 생각했지만, 아무리 생각해도 걸리는 게 있었어. 자네가 얻는 게 지나치게 많아."

"……."

펠리체는 대공의 얼굴을 가만히 응시했다. 태연한 얼굴이지만 대공은 펠리체가 동요하고 있음을 알았다. 펠리체의 귓불이 조금 붉어져 있었다.

"시작이 정말 이상했지. 금방이라도 쳐들어올 것처럼 위협하던 제국이 갑자기 정략결혼 이야기를 꺼냈으니 말이야."

대공은 웃음을 머금은 채 말을 이었다.

"나는 딸을 사교계에 내보낸 적이 없어. 딸의 상태를 대외적으로 공표한 적도 없지. 이런 정략결혼은 신부를 가진 측에서 먼저 말하고 이 신부의 가치를 봐 달라 요청하여 이루어지는 게 보통이란 말이야. 약자가 강자에게 먼저 요청해 이뤄진단 말일세. 그런데 아직 시장에도 나오지 않은 그 애의 존재를 제국이 먼저 언급하는 자세가 얼마나 이상했는지. 힘이 센 쪽에서 먼저 결혼을 요청했단 말일세. 대놓고 볼모를 요구하는 식이라니. 이미 사라진 약탈혼도 아니고, 극히 세련되지 못한 방식이 아닌가. 의도를 고민할 그때 자네가 비밀리에 접근했지. 대외적으로 꼽추에 화상 환자라고 소문나 있는 자네, 모두에게 잊힌 상태인 비운의 황자."

펠리체의 웃는 표정에 문득 금이 가는 것이 보였다. 대공은 그를 지적하기보다 유유히 지켜보는 쪽을 택했다.

"그리고 모든 일은 마치 계획된 것처럼 착착 진행되었지. 제국은 공국에게 아벨라가 어떤 존재인지 알고 있는 듯했고 말이야. 황제는 이 모든 게 황제 자신을 위해 한 일이라 믿고 있겠지만, 황제를 속이더라도 나는 속일 수 없네."

"그……."

"내가 여기서 물어보고 싶은 건."

펠리체가 다시 입을 열자, 대공은 그런 펠리체의 속내를 꿰뚫기라도 한 양 피식 웃으며 손을 들어 그의 말을 막았다.

"자네, 혹시 내 딸이 나아질 걸 알고 있었나?"

"……예?"

"알고 내 딸을 데려간 건가?"

"아뇨, 당치도 않습니다."

즉답이었다. 뒤집어썼던 협상가의 가면은 이미 벗은 지 오래다. 대공의 눈이 순간 가늘어졌다.

"전하, 저는, 제 피를 걸고 말하건대, 아닙니다. 물론 저는 아벨라를 흠모했습니다. 그녀의 상태가 좋지 않아졌다 한들 상관없었습니다. 제 유년 시절을 완전히 지배했던 사람은 아벨라였으니까요. 좀 더 가까이에서, 제 스스로 지키고 싶었습니다. 평생 그녀에게 손 하나 대지 못한다 해도 괜찮았습니다. 오로지 살아남기 위해 살아온 삶, 제가 일군 바를 그녀를 위해 쓴다면 저야 더할 나위 없이 좋았으니까요."

펠리체는 단번에 말하고 반짝이던 눈을 내리깔았다.

"그저 그뿐이었습니다. 전하의 궁에서 그녀를 데려오고 싶었습니다. 제 욕심이었고, 이는 인정합니다. ……그런데 그녀가 갑자기 나아, 모든 계획이 조금씩 뒤틀리기 시작했습니다. 그녀가 독자적으로 움직이자 제 정적이었던 자들이 그녀를 과도하게 주목하기 시작했지요. 이번에 일어난 사건도 그랬고요. ……대공님, 저는 앞으로도 아벨라를 위험에 처하게 할지도 모르겠습니다. 하지만 그럼에도 불구하고."

펠리체는 입술을 달싹였다.

"저를 용서하십시오. 저는 아벨라를 보내고 싶지 않습니다. 저를 탓하셔도 저는 그녀를 못 보냅니다."

긴 말을 모두 끝마치고 나서, 펠리체는 완전히 달아오른 귓불을 감추지도 못한 채 대공을 똑바로 마주 보았다.

아.

순간 대공은 마음속으로 감탄을 삼켰다. 생존과 권력에 대한 열망으로 제 표정을 숨기던 젊은이는 그곳에 없었다. 오로지 사랑에 빠진 남자만이 있었다.

대공은 그의 눈을 보는 순간 펠리체의 감정을 온전히 파악했다. 모를 수가 없었다. 순수한 흠모로 백치인 제 딸을 책임지겠다던 선의는, 생동하는 아벨라를 본 뒤 열망으로 번져 불타오르는 사랑이 되었다. 당연한 귀결이었다.

사랑과 재채기는 숨길 수 없다. 그는 펠리체도 다르지 않았다. 대공은 그의 눈을 보는 순간 잠시 잊었던 사랑을 떠올렸다. 사랑하는 젊은이의 얼굴이란 그런 법이다. 잊었던 추억마저 불러일으킬 만큼 강력하다.

하지만 대공은 무표정을 유지한 채 말했다.

"그건 내 딸에게 달렸지."

"……예?"

"내 딸에게 구혼해야 할 게 아닌가."

"그, 그렇지요."

"……하기사, 내 딸이 허락할지는 모르겠지만."

"……예?"

뜬금없는 말에, 펠리체가 허를 찔린 얼굴로 되물었다. 대공이 그런 그를 넌지시 바라보며 물었다. 한쪽 입꼬리가 올라간 채였다.

"……일군 바를 그녀를 위해 쓰겠다면서 첫날엔 삶은 감자 따위를 먹였다지? 퍽도 자네를 선택하겠어."

"그건……!"

"나는 자네가 정말로 실망스럽네. 그 부분에 있어선 변명의 여지조차 없어."

펠리체의 표정이 변했다. 대공의 힐난과 펠리체의 사과로 점철된 둘의 대화는 꽤 오랫동안 지속되었다. 문밖의 사정도 모른 채.

문밖엔 아벨라가 서 있었다. 리시안이 나가며 미처 닫지 못한 틈으로 대화의 대부분을 들었다.

혹시라도 크게 혼나거나 할까 봐 걱정이 되어 왔는데 이런 이야기를 들을 줄이야.

"……혼나는 중이라더니, 이게 무슨 핵폭탄이야."

아벨라는 완전히 달아오른 얼굴로 작게 중얼거렸다.

약 100여 평에 달하는 넓은 홀. 그 홀 안을 가로지르는 커다란 테이블이 놓였다. 테이블의 주변으로는 온갖 마네킹들이 서 있고, 문가엔 둘둘 말린 천들이 타래째로 세워져 있으며, 테이블 위에는 이리저리 널려 있는 아이디어 스케치들과 패턴 조각들이 널려 있었다.

그야말로 전쟁터나 다름없는 공간. 하지만 이곳에서 싸우고 있는 사람들은 군인이 아니다.

"저하께선 목선을 반드시 드러내야 합니다. 과감할 정도로 터야 해요. 이렇게나 목이 길고 가는데 스퀘어 라인으로 빼서……."

"옳습니다. 눈부신 금발을 강조하려면 아름답게 올려 묶고, 얼굴에만 집중할 수 있게끔 드레스의 디자인을 누르는 것도 나쁘지 않아……."

"대체 무슨 소리를 하는 거요? 그야말로 개소리로군! 목선을 가려도 저하는 아름다우실거요! 여기 이 디자인을 보면……."

줄자와 시침 쿠션을 허리 그리고 손목에 걸친 사람들이, 각자 하고 싶은 말을 고래고래 소리 질렀다. 그들의 기세가 얼마나 살벌하던지, 마치 야생에서 맹수들끼리 목숨을 걸고 싸우는 광경을 보는 듯했다.

이 난장판 사이에서 유일하게 평정을 유지하고 있는 사람은 오로지 아벨라뿐이었다. 사실은 다른 생각에 잠겨 있기 때문이지만.

아벨라는 한쪽 턱을 괸 채 아까의 일을 생각하고 있었다.

펠리체의 고백을 얼결에 들은 뒤, 아벨라는 내내 심장이 떨려 참을 수가 없었다. 그렇지 않아? 그런 이야기를 듣고 누가 심장이 떨리지 않을 수 있겠어.

근데, 이래도 되는 건가.

점점 아벨라의 몸에 들어 있는 게 버겁다. 이 몸에 처음 들어와 상황 파악을 하기 시작할 때만 해도, 앞으로는 주변 인물들과의 관계를 끊고 새로운 아벨라로 살 수 있겠다고 생각했는데 아니었다.

당연히 착각이었다. 그렇게 될 리가 없었다. 진정으로 이 아벨라를 사랑하는 사람들이 있고, 이 사람들이 서로 각기 다른 복잡한 사정으로 꼬여 있었다. 그렇다고 해서 이 몸에서 마음대로 나갈 수 있는 것도 아니고.

아벨라는 심란한 표정을 한 채, 턱을 괴지 않은 팔로 책상을 톡톡 두드렸다. 이왕 이 몸에 들어온 이상, 끝까지 살고 싶었다.

하지만 이 몸의 주인인 아벨라에게도 최소한 도리 정도는 해야겠다고 생각했다. 대공도 정말 아버지처럼 잘 모시면서, 그의 앞에서만큼은 그가 기억하던 아벨라로 있어 주자.

이래저래 꼬이기만 하더니 결국 이렇게 되나? 아벨라는 심상한 표정으로 아랫입술을 불퉁하게 내밀었다. 그나저나 펠리체는 생각보다 더 복잡하고 다단한 놈이다. 아벨라는 짐짓 투덜대며 생각했다.

이제야 퍼즐 조각이 맞춰지는 기분이 들었다. 그래, 황제가 딜루어 공국을 원했다고 해도 그 수단이 결혼일 필요는 없었다.

결혼이라는 판 자체를 펠리체가 짰다. 황제의 신임을 얻기 위해서, 동시에 대공에게도 긴밀한 협조를 구하기 위해서. 그리고…… 제 마음에 내내 두고 있었던 아벨라를 배우자로 맞이해 보호하기 위해.

대단했다. 펠리체는 이 결혼 하나로 단숨에 세 마리 토끼를 잡은 것이다. 속에 백 년 묵은 여우가 들어 있는 것도 아니고 말이야.

게다가 당사자의 허락도 구하지 않고 구혼이니 어쩌고 했으니.

원래 성격 같아선 그 자리에서 자리를 박차고 뒤집었을 만한 대화 내용이었다. 그런데 이렇게 얌전히 물러난 이유는 단 하나였다. 뭐겠어.

"마음에 드니까지."

그래, 아벨라는 펠리체가 마음에 들었다. 심지어 펠리체가 아벨라에 대해 말한 내용에 가슴이 뛰기까지 했다. 게다가…… 게다가 그 델마 사건 이후로 펠리체와 보다 더 가까워진 것 같았다.

그래도 따질 건 따져 봐야 했다.

확실한 건, 그 푸른 방에서 펠리체가 제게 했던 '어머니의 친우가 살고 있던 먼 나라'는 공국임이 확실했다.

베티의 원래 정체까지 알 정도로, 그리고 대공의 일을 도울 정도로 대공과 친밀한 것도 그 탓이겠지.

그리고 어렸을 때의 아벨라에게 커나란 도움을 받은 것도 그때였을 것이나. 그런데 그 도움이란 게 뭘까. 그걸 알고 싶었다. 왜냐면…….

아벨라는 근심 어린 한숨을 쉬었다.

그때 그 암살 사건 이후, 아벨라는 펠리체와 퍽 가까워졌다. 빈말이 아니었다. 이전엔 그저 친밀한 친구처럼 의지할 뿐이었다. 잘생겨서 설레긴 했어도 친구라고 말할 수 있었다. 그러나 지금은…… 느낄 수 있었다. 아벨라와 펠리체 사이에 무언가가 생겨났다. 당겨진 실과 같은 팽팽한 긴장감. 남녀 사이에 존재하는 어색하고 숨 막히는 분위기.

그런 일을 같이 겪었는데 어떻게 그를 마다할 수 있겠어. 게다가 펠리체는 항상 아벨라를 봐주고 있었다. 소중히 여겨 주었다. 그가 자신을 봐주는 건 행복하지만…… 그럴수록 문득 겁이 났다. 요새 부쩍 드는 감정이었다. 겁.

겁이 났다. 펠리체가 정말 자신을 봐주고 있는 게 아니라면 어쩌지. 펠리체가 좋아하는 게 지금 아벨라 안에 들어 있는 자신인지, 아니면 그가 아는 어린 시절의 아벨라인지 알 수 없었다. 아벨라는 펠리체에게 빠지면 빠질수록, 그를 정확히 구분하고 싶었다.

지금까지는 펠리체가 현재의 아벨라를 좋아하고 있다고 막연하게 믿어 왔다.

하지만 그 대화를 듣는 순간 아벨라는 다시 크게 불안해졌다. 아벨라가 알지 못했던 사실들을 확인 사살 당한 느낌이었다.

펠리체가 어릴 적의 아벨라를 좋아했고, 그래서 평생 아내로 두고 지켜 주려 했었다니. 심지어, 이 정략혼 자체를 펠리체가 짠 판이라니.

하지만 자신은 원래의 아벨라가 아니다. 그러니 지금 보이고 있는 모습 또한 아벨라가 아니다. 그런데 펠리체가 아벨라에게 호감을 갖는 이유가 어린 시절의 아벨라 때문이라면?

"아, 거 더럽게 복잡하네."

제 사랑의 라이벌이 이 몸의 원래 주인이라니.

모르겠다. 이게 다 자신이 지나치게 선량하고 양심적인 사람이라서다.

아벨라가 다시 근심 어린 한숨을 뱉을 때였다. 주변 분위기가 좀 이상하다. 아까까지만 해도 열렬하게 달아오르면서 고성이 오갔던 것 같은데, 지금은 이상하게 주변이 싸늘했다. 생각에 한참 잠겨 있던 아벨라는 그제야 고개를 들어 주위를 살폈다.

주변 디자이너들이 아벨라를 뚫어져라 바라보고 있었다.

"뭐, 뭐예요?"

아벨라의 물음에, 아까까지만 해도 분명히 싸우고 있던 사람 중 하나가 갑자기 허리를 푹 숙여 왔다.

"저하, 정말로 죄송합니다!"

에엥? 아벨라가 한쪽 미간을 구기자 곧 다른 사람들도 허리를 푹푹 숙인다.

"송구합니다. 어쩐지 말이 없으시다 했더니 그렇게 생각하고 계셨을 줄은……."

"저희가 너무 복잡하게 생각하고 있었다면 사죄드립니다."

"아니, 그게 아니라……."

그들의 자백 아닌 자백에 황급히 설명을 덧붙이려던 아벨라는 고개를 두어 번 저었다. 아니다. 이들에게 변명한들 믿어주지도 않을 테고 차라리 지금 하고 있던 이야기에 끼어드는 게 낫다.

"그…… 다들 싸우지 마세요. 각자 최선이라고 생각하시는 디자인을 보여 주시면 될 일이 아닌가요? 제국제 때 입는 건 저고, 결정도 제가 하니까요."

임기응변으로 둘러댔지만 영 틀린 소리는 아니었다. 사람들은 그녀의 말에 수긍하는 표정을 지으며 이내 다시 자기들끼리 수런대기 시작했다. 아까보다는 확실히 조용해진 분위기였다. 아벨라는 헛기침을 하곤 주변을 둘러보며 다시 의례적인 미소를 지었다.

그러고 보니 이 사람들이 있는 걸 깜박 잊고 있었다.

아벨라는 잠시 이렇게 된 연유를 떠올렸다.

얼결에 펠리체와 대공의 이야기를 엿들은 아벨라가 첫 번째로 한 일은 도망치는 일이었다.

숨이 턱까지 찰 정도로 후다닥 자신의 처소로 돌아왔다. 어떻게 해야 할지 몰라서였다. 아니, 대체 저 상황에 어떻게 끼어든단 말이야? 그냥 내빼는 게 최선이지.

천천히 생각해 볼 시간이 필요했다. 그나저나 이놈의 몸, 체력이라곤 정말 하나도 없는 모양이다. 그 복도 조금 달린 것 가지고 숨이 턱까지 차올랐다. 운동을 하든지 해야지.

아벨라가 들어서자마자, 방을 치우고 있었던 듯한 베티가 눈을 동그랗게 뜬 채 그녀를 맞이했다.

"아씨?"

"헉…… 헉, 베티."

아벨라는 숨을 헉헉대고는, 의아해하는 베티에게 손을 저으며 다시 아까 치장하던 자리에 걸터앉았다.

베티는 어리둥절한 표정을 지으면서도 착실하게 물을 따라 아벨라에게 내주었다.

"하아…… 이게 뭐라고 힘들어! 베티, 지금 내가 나갔다 왔다는 사실 대공님한테 알리지 마. 알았어?"

"예? 지금 방금 갔다 오신 게……."

"아무튼!"

아벨라가 미간을 찌푸리며 그녀에게 다짐을 받을 때였다.

갑작스럽게 노크 소리가 울렸다. 지레 놀란 아벨라가 앉은 자리에서 펄쩍 뛰어올랐다. 깜짝이야! 아벨라와 베티가 동시에 고개를 돌려 문을 바라봤다.

방문이 조심스럽게 열렸다. 문 앞에 서 있는 사람을 발견한 아벨라의 눈이 동그랗게 떠졌다. 호랑이도 제 말하면 온다더니, 대공이 그곳에 서 있었다.

"아벨라."

대공이 온화하게 그녀를 부르며 들어섰다. 그의 뒤로 펠리체마저 성큼성큼 따라 들어왔다. 그녀를 더없이 다정하게 바라보며.

아벨라는 최대한 표정 관리를 하며 대공을 향해 어색하게 미소 지었다. 대공은 아벨라가 밖에 있었다는 것을 아는지 모르는지, 무척 다정한 얼굴로 물었다.

"오늘 기분은 좀 어떠니."

"푹 잤어요."

그제야 표정에 여유가 생긴 아벨라가 방긋 웃으며 대답했다.

그때였다. 웃던 아벨라의 눈과 뒤에 있던 펠리체의 눈이 마주쳤다. 펠리체가 반가운 표정을 지으며 그녀에게 한쪽 눈을 감았다 떴다.

아벨라는 그를 무시하곤 고개를 돌려 다시 대공을 바라보았다. 일부러 무시하려는 건 아니었다. 그저 애써 관리하고 있는 표정이 무너질까 봐 무서웠다.

심장이 덜컹거렸다. 혹시라도 아벨라가 그들이 하는 이야기를 엿들었다는 걸 알아챈 건 아니겠지?

펠리체는 검술이 대단하다고 그랬잖아. 왜, 판타지 소설 같은 거 보면 소드 마스터란 사람들은 막 몇십 리 밖의 기척도 알아챈다던데. 펠리체도 자신의 기척을 느꼈으면 어떡하지? 또 대공은 어떨까? 대공도 검술을 잘하던가?

지레 찔려 괜히 딴청을 부리자 대공이 다시 입을 열었다.

"그래, 푹 잤다니 다행이다. 오늘은 드레스를 맞추기 위해서 공국에서 데려온 디자이너들을 몇 명 데려왔다."

"디자이너요?"

아벨라가 눈을 빠르게 깜박거렸다.

그나저나 여기도 디자이너가 있구나. 제가 알고 있는 디자이너와 같은 뜻이라면…… 스케일이 정말 어마어마하다. 그런데 왜 갑자기 디자이너들을 데려와? 왜 옷을 맞춰야 한다는 거지? 굳이 오늘?

"옷을…… 맞춰요?"

아벨라가 눈을 동그랗게 뜨자 대공이 당연하다는 듯한 표정으로 고개를 끄덕였다.

"그럼, 맞춰야지. 제국제에 맞추려면 이런 유행을 잘 모르는 내가 셈하기에도 빠듯한 날짜다. 게다가 황궁 공식 연회나 무도회, 네가 참석해야 하는 행사도 많을 테고."

대공은 고개를 끄덕이곤 아벨라가 다시 말할 틈도 주지 않고 말을 이었다.

"원래 하던 대로, 제대로 된 작자들만 초청해 데려왔다. 다들 좋은 평가를 받고 있는 유명한 장인들이야. 아예 제국제까지 이곳에 머물면서 네게 필요한 걸 다 갖추는 게 좋을 것 같아 네 동의 없이 일단 준비를 해 봤다."

대공이 그녀를 보며 의기양양하게 웃어 보였다. 표정의 변화가 적은 대공이 저렇게 웃을 만큼, 저들이 이곳에 온 게 대단한 일인 모양이다.

아벨라는 침을 꿀꺽 삼켰다.

그러고 보니, 베티가 처음에 연도를 이야기해 줄 때 올해가 10년에 한 번 제국제가 열리는 해라고 했다. 10년에 한 번 열리는 행사니, 아무래도 큰 행사겠지. 머리로 납득은 가지만 사실은 좀 얼떨떨했다. 대체 어떤 규모일지 상상조차 가지 않았다.

그때, 아벨라의 반응을 기다렸던 대공이 다시 말을 이었다. 생각보다 아벨라가 기뻐하지 않는 것 같아 조금 당황한 기색이었다.

"그 어쨌든, 네겐 꽤 힘든 날이 될 텐데 최대한 좋은 컨디션으로 임하는 게 좋겠다."

"……힘든 날이요?"

디자이너들이 오는 건데 왜 자신이 힘들 거라는 거지? 옷이야 치수만 맞추고 디자인만 고르면 되는 거 아닌가? 이해하지 못한 아벨라가 되묻자, 뿌듯함에 쭉 폈던 어깨를 늘어뜨리며 돌아서던 대공이 그녀를 바라보다 '아' 하고 깨달은 듯한 소리를 냈다.

"아, 이런. 넌 아직 겪어 보지 않았겠구나. 그래, 처음이니 뭐가 뭔지도 모르겠지."

"네에. 대체 어떻기에 힘들 거라는 말씀이세요?"

"그……."

아벨라의 물음에 대공은 단지 애매하게 웃었다. 순간, 그의 표정이 짓궂게 변했다. 평상시엔 차분하고 냉랭하게 빛나고 있을 대공의 갈색 눈동자가, 그 순간만큼은 재기로 반짝이고 있었다. 표정이 없는 사람이라고 생각했는데, 이렇게 보니 퍽 표정변화가 다채로운 분이었다.

"그건 네가 직접 보는 게 좋겠구나."

대공은 무언가 숨기는 얼굴을 한 채 장난스러운 말투로 대답했다. 아, 거기서 진작 알아챘어야 했는데.

대공이 왜 '힘든 날'이라고 단언했는지 알아채는 데 한 시간도 걸리지 않았다. 아벨라는 다시 턱을 괴고 주변을 돌아보았다.

제국제에서 선보일 드레스를 만드는 일은 생각보다 대단히 정교하고 많은 단계를 거쳐야 하는 작업이었다. 그리고 그 단계마다 이 작업에 참여하는 사람들끼리 피터지게 싸웠다.

컨셉, 피드백, 스케치, 피드백, 소재 선정, 피드백, 패턴 구현, 피드백……. 매 단계마다 '피드백'이라는 이름으로 혈투를 벌이는데, 거기에 아벨라도 끼어 있어야 했다. 처음부터 끝까지!

그제야 알았다. 이러니 당연히 '힘든 일'이 될 수밖에. 아벨라는 단지 앉아 다른 생각이나 하며 지켜보는 입장일 뿐인데도 무척이나 기가 빨렸다.

제국제에 참여하는 다른 여성들도 다 이런 과정을 거치고 있겠지. 즐기는 사람도 분명히 있을 것이다. 자신이야 꾸미는 일엔 취미 없으니 자리만 차지하고 있을 뿐이지만.

아벨라는 하품을 눌러 참으면서 생각했다. 결혼하는 친구들이 드레스를 고르는 과정을 하소연하던 게 생각났다. 이미 나와 있는 디자인을 고르고 입어 보고 선택하는 걸 무척이나 피곤해하고 고민했더랬지. 걔네들의 기분이 대략 이랬을까? 다시 한국으로 돌아갈 수 있다면 꼭 사과하고 싶었다.

"여기, 저희가 직접 저하를 위해 디자인해 본 것들입니다."

그때였다. 아벨라는 불쑥 제 앞으로 내밀어진 스케치북을 살폈다.

아벨라는 미간을 찌푸린 채 드레스를 바라봤다. 아무리 봐도 다 엇비슷해 보였다. 게다가 다들 예쁘고 아름답긴 한데, 뭔가 평소에 입는 옷들보다 더 부풀어 있었다. 몇 배로.

이걸 입으려면 대체 안에 뭘 입어야 되는 거지? 무겁지 않을까?

연회나 무도회는 꽤 오랜 시간 체류해야 할 텐데, 이 거지 체력으로 치마를 입고 버틸 수나 있을까? 아니, 도저히 무리다. 아벨라는 디자인들을 둘러보다가 그들의 눈치를 살피며 대답했다.

"다들 불편해 보이네요……."

물론 다 치장하고 나면 아름답긴 했다. 부푼 러플도, 아름다운 리본도, 공단 비단도 모두 좋았다.

하지만 지나치게 불편했다. 코르셋으로 허리를 조이고 가슴을 다시 단단한 가죽조끼로 덮어 누르고 치마를 풍성하게 보이기 위해 파니에를 뒤집어써야 했다. 그리고 파니에와 스커트가 한 옷처럼 보이기 위해 그 파니에의 아래로 드로워즈들을 둘러야 한다.

게다가 디자인 중엔 높은 퐁탕주 장식을 기반으로 한 어마어마한 머리장식을 위한 드레스도 있었다. 이걸 해야 한다고? 그럴 순 없다. 아벨라는 렌티아 황녀가 하고 있었던 머리 장식을 떠올리며 고개를 저었다.

"아름다워지려면 불편함을 감수해야 한다지만…… 저는 좀 더 편해지고 싶어요."

아벨라는 한숨을 쉬면서 디자인이 그려진 종이를 그들 쪽으로 밀었다. 평상시에도 그렇게 힘들었는데, 무도회에서 그렇게 조이고 있을 걸 생각하니 벌써부터 눈앞이 아득해져 오는 기분이었다. 절대 안 돼. 결사반대.

디자인을 밀어 두기까지 하자, 디자이너들의 얼굴색이 변했다.

"그렇다면 저하, 혹시 생각해 두신 옷이라도 있으신가요?"

그녀를 바라보고 있던 디자이너 중 한 명이 아주 조심스럽게 물었다. 여기서 그냥 '아무거나요.'라고 말하면 진상으로 찍히겠지. 그래, 제안을 거절할 땐 대안을 같이 제시하는 게 매너다.

"음……."

그러니 아벨라는 팔짱을 낀 채 생각에 잠겼다. 어떤 걸 입지. 어떤 게 편할까. 그러고 보니, 이다음 시대상이 뭐였지.

아예 파니에 없이, 일자로 떨어지는 라인의 드레스들이 나왔던 것 같은데. 그것도 발을 옮기긴 힘들어 보였지만 아무리 봐도 파니에보단 나았다. 옛날에 출근길에 유x브 영상 돌고 돌다가 봤는데…… 어땠더라, 어떻게 생겼지.

아벨라는 잠시 망설이다가, 테이블 위를 굴러다니던 빈 종이와 펜을 찾았다. 아벨라는 스케치북 위에 선을 긋기 시작했다.

"그…… 일단 파니에는 싫어요. 그러니까……."

말을 이으며, 아벨라는 수많은 드레스들과 화보를 떠올렸다. 부푼 드레스는 싫다. 애초에 파니에와 드로워즈들이 들어설 공간조차 없애 버리고 싶었다.

"딱 떨어지는 라인이 좋겠어요. 몸의 선을 드러내되, 노출이 심하지 않게요. 그리고 또 움직이기 편했으면 좋겠어요. 어, 또. 어깨 라인부터 소매까지는 안이 비치는 얇은 소재로 흘러내리듯이 팔이 보였으면 하고…… 어깨를 둘러싸는 망토를 두르고 싶은데, 와토를 응용해서 어깨에서 이렇게 이어지는 거죠. 길게 떨어지는 식의 라인으로요."

내가 뭐라는 거야. 디자이너도 아닌데……. 아벨라는 말하면서도 괜히 후회가 들어, 어물쩍 말을 흐리며 사람들의 눈치를 살폈다. 반응 안 좋으면 그냥 저 셋 중 아무거나 해 달라고 해야지. 치마 폭만 좀 줄이자고 타협을 해서……. 아벨라가 그렇게 생각하던 찰나였다.

"……나쁘지 않은데."

아벨라의 설명을 듣던 사람 중 한 명이 제 손으로 턱을 짚으며 중얼거렸다. 응? 정말? 아벨라의 눈이 동그래졌다. 순간, 다른 디자이너 중 하나가 나서서 대답했다.

"딱 좋은 천이 있어요."

"견사를 말하는 거죠? 어깨에 두르는 휘장 천으로는 사라가 좋겠어요!"

"한번 해 보겠습니다, 공녀님. 색의 배합은 연한 푸른색과 옥색이 어떨까 하는데요."

그녀가 그려 나가는 그림을 보며 열띤 토론을 하던 디자이너 중 하나가 천 무더기 쪽으로 달려갔다. 다른 디자이너는 아벨라가 끄적거린 그림을 두고 디자인을 그려 나가기 시작했다. 갑자기 확 진행되는 분위기에, 아벨라가 당황하고 있을 때였다.

"너무 파격적인 디자인은 아닐까 걱정이 되지만……."

남아 있던 디자이너가 아벨라의 옆으로 의자를 끌며 조심스레 다가와 은밀하게 속삭였다.

"이 디자인이라면 목은 반드시 내보이셔야 할 테니 저는 만족합니다."

"아, 예…… 예?"

아까 얼핏 들렸던 목선을 강조해야 된다던 분이 너였군요……. 아벨라는 그를 향해 입꼬리를 조금 올리곤 '하핫' 웃었다. 디자이너는 그 난처한 웃음에도 굴하지 않고 그녀에게 열심히 장신구를 그려 보이고 있었다.

"금발을 우아하게 틀어 올리려면, 드레스에 맞춰 액세서리도 새로 맞추셔야 할 테니…….”

아…… 아무래도 자신이 무덤을 팠지 싶다. 오늘 안엔 끝이 날까……? 아벨라는 창문 쪽을 바라보았다. 청명한 하늘엔 구름 한 점도 없었다. 더없이 좋은 날씨였다.

Chapter 10

Chapter 10

"완전히 지쳤어요."

며칠 뒤.

대공과 펠리체와 함께하는 티타임.

아벨라는 찻잔을 내려다보며 시무룩하게 중얼거렸다. 다름 아닌 요 며칠 디자이너들과 함께한 강행군 때문이다.

저번 제국제 때 입을 드레스를 정하는 것으로 그들과의 만남은 끝인 줄 알았더니, 절대 아니었다.

"평상복 스무 벌, 유행에 맞춘 외출용 드레스 재질 다르게 열두 벌, 오후 행사용 드레스, 이브닝드레스 각각 네 벌을 모두 맞췄어요."

여기에 각각 어울리는 스타킹과 구두, 액세서리와 리본까지. 하나같이 자신에게 맞춤이다 보니 아벨라의 참여가 빠질 수 없었다. 정말 혼이 빠지는 일투성이였다. 축 처진 아벨라를 바라보며, 펠리체가 위로하듯이 넌지시 대답했다.

"힘들지? 바쁜 건 그쪽이 더 바쁠 거야. 네가 돌아갈 때까지 모두 완성해 안겨 보내야 하니, 다들 정신이 없어서 그래. 그들을 봐서라도 네가 조금만 기운 내. 어?"

"알아, 그래서 티도 못 내고 있잖아. 아…… 이전엔 어떻게 돌아갔었는지 모르겠어요, 아버지."

이젠 아예 울상이 된 아벨라의 말에, 그녀의 앞에서 차를 마시고 있던 대공이 옅게 웃으며 대답했다.

"이전엔 내가 일일이 다 확인했단다."

"……아버지가요?"

아벨라가 놀란 얼굴로 되묻자 대공은 고개를 두어 번 끄덕이곤 말을 이었다.

"네 어머니가 돌아가셨으니 내가 결정 내리는 수밖에 없었다. 그리고 결정만 내가 했을 뿐이지, 네 곁의 베티에게 많이 물어봤다. 디자이너들과 상의도 많이 했고. 네 덕에 여성들의 의상에 대해 많이 배웠지."

"그랬군요."

이걸, 아버지가 했다고? 아벨라의 눈에 감탄이 섞였다.

고군분투했을 대공의 모습이 눈에 그려졌다. 여성의 복식은 알지도 못하면서, 다른 이들에게 물어보고 오랜 시간을 들여 공부했겠지.

"원래는 남성들이 여성의 의복에 대해 논하는 건 부끄러운 일이지만."

대공은 우아하게 냅킨으로 입매를 닦으며 쑥쓰러운 듯이 말했다.

"아녜요."

아벨라가 단호하게 말했다. 대공은 고개를 돌려 아벨라를 똑바로 바라보았다. 아벨라가 대공을 향해 눈을 빛내고 있었다.

"전혀, 전혀 부끄러운 일이 아니에요, 아버지. 오히려 정말로 기뻐요. 아버지가 절 사랑하신다는 게 가슴 벅찰 정도로 느껴져서요."

"……아벨라."

대공이 울컥 차오르는 벅참을 삼키며 그녀를 불렀다. 아벨라는 그런 대공과 눈을 똑바로 마주치며 옅게 웃었다.

"불평해서 죄송해요, 고맙습니다. 지금 연회의 드레스까지도 모두요."

아벨라가 그를 향해 눈을 빛내며 감사의 인사를 할 때였다. 갑자기 옆에 있던 펠리체가 불퉁하게 대답했다.

"나도 껴 주면 안 돼?"

"……뭐?"

"디자이너 수배는 대공께서 해 주신 거지만 돈은 내가 지불해. ……나와 처음 가는 연회니까."

펠리체는 그녀를 향해 고개를 기울이며 설명했다. 포마드를 바르지 않아 부드러워 보이는 금갈색의 꿀 같은 머리칼이 그가 말할 때마다 조금씩 흔들렸다.

아벨라의 눈이 동그래졌다. 그의 말이 맞냐는 듯이 대공을 바라보자, 대공이 눈가를 휘며 고개를 끄덕였다.

"이번엔 내가 양보했다. 제가 한다고 끝끝내 우기니, 어쩔 수 없었어."

"……."

아벨라는 괜히 입을 꾹 다문 채 펠리체를 바라보았다. 고맙다고, 대공에게 한 것처럼 그에게 인사를 해야 하는데 괜히 하기가 싫었다.

"왜 그런 표정으로 보고 그래."

펠리체가 그녀를 응시하며 물었다. 홍채에 금색이 섞인 아름다운 암황색의 눈동자에 장난기가 서렸다.

"네게 옷을 선물하고 싶었어. 아주 예쁜 옷을."

펠리체가 아벨라의 장갑 낀 손을 제 얼굴로 가져갔다. 그의 미간이 장난스럽게 좁혀지고 이내 그녀의 손에 짧게 입을 맞췄다.

악. 아벨라는 순간 자신도 모르게 눈을 꽉 감았다가 떴다. 장갑을 끼고 있었는데도 손끝에 입 맞춘 펠리체의 입술이 고스란히 느껴지는 것 같았다!

아벨라는 후다닥 펠리체의 손에서 제 손을 빼냈다.

"……그, 고마워."

아벨라는 어쩔 줄 몰라 그의 눈을 피하며 작게 말했다. 아니, 스스로도 이해가 안 갔다. 지금 이런 걸로 왜 부끄러워하는 거지? 심지어 그 새벽에 펠리체와 그, 그, 그 키스 비슷한 것도 한 적이 있는데 고작 손을 잡힌 것 갖고.

펠리체가 자신을 바라보고 있는 시선이 느껴졌지만 아벨라는 입술만 꾹 다물었다. '그날' 대공과 펠리체의 대화를 들은 이후로 그와 이렇게 시간을 보내는 건 처음이었다. 그래서 그런 걸까?

그때였다. 펠리체의 눈썹이 슬쩍 좁혀지더니 아벨라를 향해 얼굴을 기울였다.

"무슨 일이야? 왜 그래?"

우아아앗, 아벨라는 놀라 뒤로 물러나며 고개를 저었다.

"어? 아냐, 아무것도. ……어쨌든 다, 다시 한번 고, 고마워."

어색하기만 한 아벨라의 대답에, 펠리체가 어리둥절해하며 대답했다.

"……그래."

아벨라는 찻잔을 들어 제 얼굴을 가렸다. 그런 그녀를 대공은 미묘한 웃음을 띤 얼굴로 바라보았다.

그때였다.

"실례합니다."

편지 쟁반을 든 어니스트가 들어왔다. 순간 반가움에, 아벨라는 찻잔을 접시에 내려놓고 그를 바라보았다.

오랜만에 보는 어니스트였다. 그는 8황자궁에 있을 때보다 등을 더 꼿꼿하게 편 채, 더없이 우아한 걸음으로 아벨라의 앞으로 걸어왔다.

"8황자비 저하께 우편물이 몇 통 왔습니다."

"이곳으로? 어떻게?"

"아뇨, 궁으로 왔었던 우편물들입니다. 이곳에 올 때 갓 온 우편물들을 챙겨서 왔는데, 짐에 섞여 분실됐다가 이제야 찾았다고 합니다."

"아하."

아벨라는 그가 건네주는 우편물 꾸러기들을 바라보았다. 원래라면 티타임 구성원들에게 허락을 받고 우편물을 확인한 뒤 어니스트에게 처소에 가져다 두라고 말해야 한다. 하지만 아벨라는 그러는 대신 펠리체와 대공을 둘러보았다.

"여기서 열어 봐도 괜찮을까요?"

"상관없다."

대공은 고개를 끄덕이며 허락했다. 펠리체도 고개를 끄덕이는 것을 확인한 아벨라는 티테이블 위로 자신이 받은 우편물들을 올려 두었다.

사실, 이곳에서 뜯어보겠다고 말하는 게 민망한 정도로 초라한 우편물들이있다. 황족 전체에게 보내는 듯한 변방 귀족의 그리팅 카드들을 대강 훑어보던 아벨라는 편지들 사이에서도 눈에 띄는 자색의 비로드 상자를 집어 들었다.

"어."

아벨라가 상자를 열자 상자 안에는 웬 목걸이가 들어 있었다.

"목걸이?"

아벨라는 어리둥절하게 되뇌며, 상자 안에서 영롱하게 빛나는 목걸이를 꺼내 들었다. 수정 같기도 한데, 수정이라기엔 색이 꽤 오묘했다.

게다가 이 수정이 두르고 있는 목줄도 독특했다. 백금과 황금색의 사슬이 번갈아 연결되어 있는데, 그 사이사이에 조그마한 다이아 알갱이들이 박혀 있었다. 아벨라는 햇빛에 반사되어 색색으로 빛나는 목걸이를 바라보며 감탄했다.

"이 목걸이, 정말 아름답지 않아요?"

아벨라는 눈이 동그래진 채로 목걸이를 들어 보였다. 그때였다. 그녀가 들어 보이는 목걸이를 바라보던 대공이 순간 눈을 크게 뜨며 몸을 앞으로 기울였다.

"……잠깐만, 그 목걸이 좀 보여 다오."

"네? 네에."

대공은 눈을 좁게 뜬 채로 목걸이를 뜯어보았다.

"이건 레줄인데."

"레줄이요?"

"대륙에서 나는 마정석 광맥들이 겹칠 때, 각기 다른 흐름의 마력 줄기가 겹치면서 보통의 마정석과는 현저히 다른 생김새의 돌이 나온단다. 그게 레줄이야. 엄청나게 귀하지."

대공은 미간을 찌푸리며 목걸이를 아까 아벨라가 했던 것처럼 햇빛에 비춰 보았다.

"불순물도 끼어 있지 않아. 완벽할 정도로 세공되어 있어. 이 정도면 정말 상당한 가치일 텐데."

자신도 모르게 눈을 깜박이던 아벨라가 물었다.

"그 정도예요?"

"음."

대공은 고개를 끄덕이곤 말을 이었다.

"보통 우리가 생각하는 고가의 보석류가 있지 않겠니. 다이아몬드가 대표적이겠군. 그 다이아의 오십 배 더 가치 있다고 생각하면 된다. 게다가 이 정도 크기라면 정말로 어지간한 왕국의 1년 예산 정도는 거뜬히 잡아도 될 만큼의 가치가 있어."

"……정말 그 정도라고요?"

지금 제가 뭘 들은 거야. 아벨라가 어리둥절한 얼굴로 다시 되물었지만 대공은 여전히 진중한 얼굴로 고개를 끄덕였다.

"그 정도다."

"아니, 아니……."

아벨라는 입을 벙긋대며 대공이 들고 있는 레줄을 가리켰다. 지금 이 목걸이만 있으면 천년만년 떵떵거리며 살 수 있다는 게 아닌가?

"아니, 이게 뭐가 그렇게 좋기에……."

"일반 마정석보다 몇만 배나 되는 응축된 마력을 품고 있단다. 보통 사람들이 마법을 부리는 방식에 대해 알고 있니?"

대공의 물음에 아벨라가 고개를 끄덕였다.

"네. 마법은 마법진과 마력을 가진 사람, 혹은 마정석이 닿아야지만 이루어져요. 마력이 없는 일반인들은 마법진을 새긴 마정석의 마력으로 마법을 발동한다고 들었어요. 그걸 아티팩트라고 부르고요."

아벨라의 대답에 대공이 고개를 끄덕였다.

"그래, 맞다. 그리고 이 레줄은 일반 마정석보다 훨씬 더 좋단다. 미약하게나마 마력 증폭 효과도 있지. 이 레줄에 마법진을 새기면 그 마법진의 마법만큼은 반영구적으로 사용할 수 있다는, 전설에 가까운 기적의 광물이란다."

'마법'이란 소리에, 아벨라의 눈동자가 반짝였다. 대공은 아벨라의 표정을 보고 이해한다는 듯이 미소 지었다.

대공은 레줄을 다시 아벨라에게 돌려주었다.

"아티팩트로 만들 수도 있을 거고, 그저 들고 다니며 마력을 증폭하는 용도로 사용할 수도 있겠지. 사용 방법은 네게 달렸다. 하지만."

대공이 말을 이었다.

"나는 아티팩트로 만들라고 권해 주고 싶구나. 이 레줄이라면 특별한 아티팩트를 제작할 수도 있거든."

"'특별한' 아티팩트요?"

"그래. 이 레줄은 크기가 매우 크고 이미 세공되어 있어서,

이 면마다 각자 다른 마법을 새겨도 좋을 것 같구나. 이론적으로는 이 하나의 레줄로 마법의 다중영창이 가능하다는 뜻이기도 하단다."

아벨라의 눈이 크게 떠졌다.

"다중영창. 그건 마법을 동시에 두 가지 이상 부릴 수 있다는 건가요?"

"레줄에 이미 입력해 놓은 모든 마법을 동시에 쓸 수 있다는 뜻이지. 물론, 네가 여러 마법진을 알고 있을 때의 일이지만 말이다. 그렇지?"

공작이 장난스레 눈을 찡긋하자, 아벨라는 홀린 듯이 고개를 끄덕였다. 공작이 웃음을 머금었다.

"또한, 이미 레줄 안에 큰 마력이 있으니, 여기에 네 마력을 같이 보태면 이론적으로 넌 좀 더 빠르고 강한 마법을 여러 개 부릴 수 있단 거다. 무적이란 거지. ……물론 어디까지나 이론적으로 말이다."

아벨라와 공작의 눈이 동시에 반짝였다.

"해 볼게요."

아벨라가 고개를 크게 끄덕였다. 이 레줄의 면마다 어떤 마법을 채워야 할지 벌써부터 마음이 설렜다. 물론 아직까지 알고 있는 마법진은 많이 없지만 그건 또 어떻게든 배우면 될 일이다.

그런 그녀를 바라보던 대공이 다시 입을 열었다. 자신 있게 고개를 끄덕이는 그녀에게 퍽 감동한 표정이었다.

"현재 마법은 거의 사라져 가고 있지. 몇몇 마법을 제외한다면 사실상 모든 마법은 절멸 상태라고 해도 다름이 없다. 게다가 '마법사'라고 한들, 정말로 마법에 대해 알고 마력을 가진 자는 극소수라고 해도 무방하다."

대공은 더없이 사랑스럽다는 눈길로 아벨라를 바라보았다.

"그런데 내 딸이 마법사라니. 그저 건강하게만 자라 줘도 고마운 내 딸이……."

이런 어조 어디서 많이 들어 봤는데. 잠시 생각에 잠긴 아벨라는 이내 기억을 떠올리곤 홀로 빙그레 웃었다. 그래, 대공의 웃음이 어디서 많이 봤다 했더니 마치 대학에 합격했을 때의 부모님 같았다.

아벨라가 입을 열려던 순간이었다.

"……그…… 아앗."

아벨라의 움직임에 테이블 끝에 걸려 있던 목걸이 상자가 땅으로 떨어졌다.

"내가 주워 줄게."

펠리체가 일어나려는 그녀를 만류하고는 직접 허리를 숙여 상자를 집어 들었다.

그때였다.

"아벨라, 이것 좀 봐."

펠리체의 손에 상자 말고 무언가가 들려 있었다. 아벨라가 눈을 동그랗게 뜬 채 물었다.

"그게 뭐야?"

"상자 옆에 떨어져 있었어. 귀걸이인 것 같은데. 네 거 아니야?"

"내 귀걸이? 아니야. 이런 귀걸이는 한 적도 없고…… 지금 내가 한 귀걸이도 아니야."

아벨라는 귀걸이를 만져 보곤 고개를 저었다. 대공이 눈썹 한쪽을 들며 의아하단 표정을 지었다.

"보석은…… 토파즈인가."

펠리체는 귀걸이를 자세히 살펴보았다. 보석 부분을 검지와 엄지 두 손가락으로 집는 순간이었다.

[……방법이 없는 건 아닙니다. 아직도 방법은 충분히 있거든요.]

샬롯 황비의 목소리에 모두들 그 자리에서 완전히 굳었다.

[어, 어떻게 하실 생각입니까?]

[7황자가 제게 친교의 의미로 제 어미가 죽을 때 남겼던 그 집안 비장의 신경독을 줬었죠. 주변의 거슬리는 자들을 그 독처럼 없애라 친절하게 웃으며 조언해 줬었답니다.]

그리고 뒤이어 흘러나오는 무시무시한 내용들에, 모두의 안색이 급변했다.

"7황자의 신경독이라니."

펠리체의 안색이 변했다.

"정말일까?"

아벨라는 어쩔 줄 모른 채로 물었다. 귀걸이 옆의 상자를 집어 든 대공이 눈을 빛냈다.

"어디서 많이 보았다 했더니."

그는 신중하게 상자의 안을 살피며 말을 이었다.

"플로바 상단이 쓰는 함이군."

"플로바 백작이라면 3황자비의 아비 됩니다. 샬롯 황비의 자금줄이에요."

3황자비의 아비라고? 아벨라는 며칠 전, 자신을 창백한 얼굴로 바라보던 셰이라를 떠올렸다. 그러고 보니, 셰이라가 던졌던 무효표와 그전에 궁으로 날아왔던 선물도 이와 관계가 있는 것 같았다.

아벨라는 입을 살짝 틔웠다. 그제야 조각이 모두 들어맞는 기분이었다.

"이자가 함정을 팠을 가능성은?"

대공이 물을 때였다.

"아니에요, 아버지. 함정은 아닌 것 같아요."

아벨라가 그를 똑바로 바라보며 말했다.

"제가 요즘 일어난 몇 가지 사건들을 알아요. 이를 조합해 보면, 플로바 백작은 제 딸과 자신을 샬롯 쪽의 사람들로부터 빼내고 싶어 하는 것 같아요."

그녀의 말에, 대공의 표정이 완전히 차갑게 굳었다.

"펠리체."

대공이 상자를 내려놓으며 말을 이었다.

"7황자의 신경독에 대해 말해 다오."

"메이아 귀비께서는 독과 해독초에 대해 아주 해박한 지식을 갖고 계셨지요. 그녀가 갖고 있다 7황자에게 물려준 독이라 하면 극독, 세상에 아예 해독약이 존재하지 않는 물건일 겁니다."

"그게 왜 샬롯에게……. 7황자가 메이아 귀비의 아들이었던가."

"예. 그는 죽은 제 어미가 틸리아 향비에게 살해당했다고 생각하고 있죠. 그리고 샬롯이 제 대신 모친의 원수를 갚았다 생각하고 있습니다."

펠리체는 잠시 입술을 깨물었다.

아벨라는 불안한 표정으로 책상 위에 올려진 귀걸이를 바라보았다.

"샬롯이 이 독을 사용한다면…… 언제, 어디서 사용할까요."

"궁은 아닐 거야. 이미 황제가 그녀를 주목하고 있으니까."

펠리체는 제 아비에게 경어조차 붙이지 않은 채 차갑게 읊조렸다. 듣고 있던 공작이 고개를 끄덕이며 말을 보탰다.

"게다가 제국의 귀족들이 너와 펠리체 덕에 매우 곤란해졌을 테니 귀족원을 등에 업었다 해도 힘이 매우 약해졌을 터. 이렇게 빠르게 다시 암살에 도전한다면 더 이상 처소 같은 드러난 공간이 아니라 뒤로 몰래 처리하려 할 거야. 이동 중이라든가, 황궁의 입김이 먼 곳이라든가."

아벨라는 펠리체를 향해 고개를 돌렸다. 눈이 화등잔만 하게 커진 채였다.

"그럼 지금밖에 없잖아."

"맞아. 공식적으론 쇼왈에 있어야 하지만 우리는 지금…… 로톤에 와 있지."

서로 말을 주고받던 아벨라와 펠리체가 동시에 대공을 바라보았다. 낯빛을 굳히고 있던 대공이 그들을 바라보며 고개를 끄덕였다.

"쇼왈에 있는 사람들에게 통신을 시도해 보마."

"이상하게 좋지 않은 예감이 듭니다."

펠리체가 담담하게 이야기했다.

"샬롯은 이상한 곳에서 이성을 잃고 제가 원하는 대로 하려는 경향이 있어요. 어쩌면."

아벨라는 펠리체가 잇지 않은 다음 말을 자연스레 연상할 수 있었다.

어쩌면 이미 늦었을지도 모른다. 이 소포는 자신이 궁에 있을 때 도착했고 이곳에 온 지 한참 지나서야 확인했으니…….

아벨라는 아랫입술을 깨물었다. 불안감이 마치 잉크를 쏟은 천처럼 번져 갔다.

"티타임은 끝이구나."

대공이 짤막하게 말하며 책상의 가장자리에 있던 길게 늘어진 줄을 잡아당겼다.

나쁜 예감은 틀리지 않는다.

통신도 응답하지 않아, 결국 쇼왈로 직접 걸음한 대공의 부하가 전해 온 소식은 참담했다.

쇼왈의 궁 전체에 살아 있는 자가 없다.

쇼왈에 있던 시종과 시녀들은 물론 딜루어 공국에서 아벨라와 펠리체를 가장하여 보낸 자들까지 모두 다 죽었다고 한다.

"음식물에 탄 게 아니라, 물에 풀어 놓은 것 같더군요. 쇼왈의 궁에선 식수 등 다양한 용도로 쓰는 우물이 있는데, 그곳에 풀어 놓은 모양입니다."

펠리체와 아벨라는 침착하게 보고하는 목소리를 들으며 안색을 굳혔다. 대공은 무표정을 유지하고 있었지만, 그의 눈동자만큼은 분노로 활활 타오르고 있었다.

"지독하구나."

대공이 씹어뱉듯이 말했다.

"어찌 이렇게 손속이 간악할까. 쇼왈의 궁까지 회유할 여유가 없으니 모조리 다 죽인 게 아닌가."

펠리체는 입술을 꽉 눌렀다가 무겁게 입을 열었다.

"쇼왈의 궁 사람들은 선황 적부터 궁에 있었던 사람들입니다. 본궁에서 좌천되듯이 쇼왈의 별궁으로 가게 된 사람들도 있었어요."

방 안은 무거운 공기만이 감돌고 있었다. 그때였다. 대공의 앞에서 보고를 이어 가던 요원이 다시 입을 열었다.

"증거는 이미 모두 수집했습니다. 독이 검출된 우물의 물, 그리고 혹시 싶어 이 모든 광경을 아티팩트로 녹화해 두었습니다."

요원이 대공에게 다가가 큼직한 사각형으로 세공되어 있는 아름다운 루비 반지를 내려놓았다. 플로바 백작의 토파즈 귀걸이 같이, 귀족들이 사용하는 아티팩트는 보통 귀족들이 사용할 법한 장신구와 액세서리 모양을 하는 경우가 많다.

"잘해 주었네. 물러나도 좋다."

대공의 짤막한 일별에, 요원은 깊게 허리를 숙인 채로 물러났다. 문이 작은 소리를 내며 닫혔다.

하지만 그 뒤로도 셋 중 누구도 쉽게 입을 열지 못했다. 누가 쉬이 입을 열 수 있겠는가.

게다가 아벨라는 입을 열어 뭐라고 말할 수 있는 상태가 아니었다. 손이 바들바들 떨리고 식은땀이 줄줄 나기 시작했다.

순간 펠리체가 그녀의 손을 잡았다. 아벨라의 고개가 펠리체를 향해 돌아갔다. 그녀를 신중히 살피는 펠리체의 얼굴이 보였다.

"아벨라."

"펠리체."

그녀도 그 손을 마주 잡았다. 따뜻했기에 그나마 퍽 안심이 되었다. 그가 그녀를 내려다보며 걱정 어린 눈으로 물었다.

"괜찮아?"

"괜찮……."

대답하려던 아벨라의 얼굴이 순간 파삭 일그러졌다.

"……아니."

대답을 바꾸며 그녀가 고개를 내 저었다.

"무서워, 펠리체."

"아벨라."

그녀의 말에, 대공이 그녀의 곁으로 성큼 다가왔다.

"아벨라."

"날 대신해서 간 자들이에요. 원래라면 그곳에 있어야 할 건 나인데, 제 대신 그들이 죽었어요."

아벨라는 신경질적으로 말하며 얼굴을 손으로 덮었다.

"펠리체, 난 모르겠어. 정말 무서워……. 사람들이 아무렇지도 않게 죽어 가. 죽었다는 소리를 매일매일 듣는데, 그 사람들의 죽음이 하나하나 상상이 돼. 왜냐면, 왜냐면 나도 겪었고 겪었어야 했던 일이니까……."

아벨라가 떨리는 목소리로 말하며 눈을 질끈 감았다. 아랫입술이 파르르 떨렸다.

아직도 생생했다. 리시안에게서 벗어나 빠르게 자신과 펠리체를 향해 달려오던 델마의 모습, 그 악에 받힌 얼굴.

만일 자신이 손을 뻗어 마법을 성공시키지 않았더라면…… 자신은 이곳에서 대공을 만날 수 있었을까? 그를 생각하면 무서워서 견딜 수가 없었다.

수많은 사람들이 목숨을 잃었는데 그저 보고서 한 줄로 받아들일 수밖에 없다는 사실이, 그리고 그 사람들이 죽지 않았다면 자신이 죽을 뻔했다는 사실도 말이다.

"어떻게 하겠니."

대공이 그녀에게 물었다.

"제국제까지 남은 기간이 열흘, 원래라면 일주일 뒤에 황궁으로 돌아가야 한다. 하지만 아벨라, 네가 돌아가기 싫다면…… 여기 있어도 돼."

펠리체도 고개를 끄덕이며 대공의 말을 이었다.

"황제에겐 내가 따로 연통을 넣을게. 황실에 나를 돕는 자들이 없는 것도 아니야. 죽은 척한 채 물밑에서 작업하는 것도 좋은 방법이고. 이 별궁에서 오래 있어도 좋아."

아벨라의 눈동자가 파르르 떨렸다. 돌아가지 않아도 된다고?

얼마나 달콤한 말인가. 돌아가지 않아도 된다는 뜻은 그 넓은 궁에서 또다시 이 두려움과 싸우지 않아도 된다는 뜻 같았다.

못할 것도 없다. 펠리체의 싸움은 펠리체 홀로 하면 될 일이다. 아벨라는 죽은 사람이 되어 공국에서 지내면 된다. 이 저택에서 받았던 대접을 고스란히, 아니, 이보다 더 좋은 대접을 받으면서, 더 이상 죽음에 시달리지 않으면서…….

그래, 나쁘지 않았다. 오히려 좋았다. 만일 백치였던 상태의 아벨라라면 당연히 그랬으리라.

……하지만 가슴 한구석이 욱신거렸다. 그것으로 모든 게 다 끝날 리 없다. 그 순간, 아벨라의 눈이 결연하게 빛났다.

"아니오."

아직도 파리하게 질린 낯빛으로, 아벨라는 단호하게 대답했다.

"아벨라."

"아니오, 아버지. 숨고 싶지 않아요. 언제까지 숨을 건데요? 정체를 숨긴다 한들 끝까지 저들을 속일 수 있을 리도 없고, 정략결혼이 유지되지 않는다면 공국에게 책임의 화살을 돌릴지도 몰라요."

"아벨라, 하지만."

"아니요."

아벨라는 대공의 갈색 눈동자를 똑바로 바라보았다.

"아버지, 절 대신해서 이미 수많은 사람들이 죽었어요. 8황자궁에서 벌어진 습격 때부터, 이미 저는 샬롯에게 반드시 갚아 줘야 할 빚이 생긴 거예요. 내 어깨에 놓인 사람들의 몫까지, 몇 배로 갚아야 할 빚이요."

"……."

아벨라가 뱉는 말 하나하나에는 서슬 퍼런 분노가 실려 있었다. 그를 알아채는 순간, 그녀를 걱정하던 대공의 눈동자 또한 이채를 띠었다. 아벨라, 제 딸에겐 군주로서 갖춰야 할 가장 중요한 덕목이 있었다.

책임감.

사람 목숨의 무게를 알고, 제 행동의 무게마저 아는 책임감. 이는 자신이 항상 바라고 꿈꿔 왔던 딸의 모습이었다.

잠든 딸의 머리맡에 앉아, 울음을 삼키며 바라고 바랐던 모습이 바로 눈앞에 있었다.

"……."

대공은 차마 형언할 수 없는 복잡한 표정으로 입을 다물었다. 이 참혹한 상황에서도 총명하게 자신과 펠리체를 향해 눈을 빛내는 아벨라가 사랑스럽다. 하지만, 한편으로는 제 딸을 자랑스러워하고 뿌듯해하는 자신이 민망하기도 했다.

이십여 년 만에 다시 찾은 딸을 뒤로 보호하고 싶은 마음과 딸의 저 강인한 눈동자……. 한참을 생각하던 대공이 입술을 천천히 떼었다. 그 짧은 사이, 목이 매우 잠겨 있었다.

"……네가 위험할 수도 있다."

"괜찮아요. 이 자리는 뭘 해도 위험할 수밖에 없음을 알았으니, 저는 싸우겠어요. 그리고."

아벨라는 펠리체를 돌아보았다.

"아버지가 믿으시는 펠리체가 저를 지킬 거예요."

"당연히, 영혼을 팔아서라도."

펠리체가 아벨라의 손을 잡은 채 대공을 바라보았다. 아벨라 역시 이내 대공을 바라보았다.

대공은 알 수 없는 표정을 한 채 한동안 두 사람을 바라보았다. 그리고 어느 순간.

"……그렇다면 계획을 세워야겠구나."

대공은 완전히 무표정해진 얼굴로 입술을 떼었다. 잠겼던 목소리가 다시 돌아와 있었다.

세 사람은 그 즉시, 제국에 돌아간 이후를 이야기하기 시작했다.

대공과 펠리체는 이제 자신들의 계획을 숨기려 하지 않았다. 아벨라 또한 스펀지가 물을 빨아들이듯 그들이 그동안 해왔던 일들을 머릿속에 담았다.

펠리체가 미리 황제로부터 샬롯을 비호하지 않을 거라는 확언을 받아 두었다는 부분까지 설명하자, 아벨라는 그들을 향해 되물었다.

"그렇다면 앞으로 어떻게 할 건데?"

"귀족원부터 엎을 거야."

펠리체는 짤막하게 설명하며 테이블 위 종이에 그림을 그려 나갔다.

"황궁 안엔 황제가 임명한 귀족들이 근무하지. 그리고 그들이 만들어 낸 법안에 대해 귀족원이 의결권을 갖고. 행정권과 집행권이 황제에게 있다면, 입법의 권리는 어디까지나 귀족에게 있어."

"이권 분립이네."

아벨라가 중얼거렸다. 귀족, 귀족 하더니 황제가 모든 권력을 독식할 수 없는 체계였다.

"황제의 독재 덕에 생겨난 제국의 대기근 이후로 귀족들이 나서 황제를 압박할 수 있게 바뀌었지. 선황 때부터 생겨난 제도야."

대공이 말을 보탰다.

"하지만 그렇다 해서 다수의 민심을 대변하는 곳도 아닐뿐더러, 제 잇속만 챙기려는 집단이 지금의 귀족원이야."

"이곳을 장악하고 있는 게 카모프 공작가. 샬롯 황비가 저렇게 무소불위의 권력을 휘두르게 만드는 원천이지."

펠리체가 공작가를 써 넣었다.

"지금껏 대공님은 이들 귀족을 에둘러 압박해 시간을 벌어주셨고, 나는 권력에 목이 마른 신흥 귀족들과 그 밑의 부유한 중산층들을 설득하고 있었어. 사업 능력과 앞을 내다보는 재능으로 인해 귀족보다 더 많은 돈을 벌고 있는 자들."

"그래서 그들을 데리고 뭘 어쩔 건데?"

아벨라의 물음에 펠리체가 빙그레 웃었다.

"그들의 힘을 강하게 만들면, 지금보다 제국은 훨씬 더 나아질 수 있어. 나는 그들에게 힘을 주는 한편, 귀족원의 개편을 지원할 거야. '엎는다'고 표현하는 게 맞게끔 말이야. 그렇다면 영지를 가진 귀족들을 위 아래로 제어할 수 있겠지. 그들을 개편하기 위해선 다른 젊은 귀족들과 귀족원의 비주류인 다른 귀족들을 설득해야 하는데 문제가 있어."

펠리체의 말에, 아벨라가 눈을 동그랗게 떴다.

"그게 뭔데?"

"접근할 빌미나 방법이 없어."

펠리체가 턱끝을 톡톡 건드렸다.

"대공 전하의 힘을 빌려 그들에게 경제적으로 압박을 가하고, 세력 구도의 변화나 움직임이 달라질 수 있게끔 유도하려고 했지만, 근본적으로는 바뀌지 않았어. 내가 몰래 찾아가 그들을 만나는 것도 한계가 있어. 수도에 머물지 않는 귀족들 같은 사람들 말이야."

"게다가, 지금 펠리체의 상황으로선 몸을 드러내고 밝은 곳에서 이들을 설득하기란 사실상 불가능에 가깝고."

대공이 말을 보탰다. 그의 말에, 아벨라가 눈을 천천히 깜박였다. 하지만 아벨라가 생각하기엔 아주 좋은 기회가 남아 있는 것 같았다.

"제국제에서 그 사람들을 설득하는 건 어때요?"

"뭐라고?"

아벨라의 말에, 펠리체가 되물었다. 대공이 조용히 자리를 고쳐 앉아, 몸을 앞으로 기울였다.

아벨라가 펠리체에게 펜을 빼앗아, 종이에 또박또박 제국제라고 적었다. 아, 그동안 글씨 쓰는 연습이나 할걸. 여전한 악필에, 아벨라는 눈치를 보며 다시 펜을 슬그머니 내려놓았다.

"제국제?"

"제국제에서 사람들의 이목을 끈 뒤 그들과 이야기를 나누는 거죠."

"너는 백치고, 나는 공식적으로 버려진 황자야. 어떻게?"

펠리체가 웃으며 묻자 아벨라는 그를를 똑바로 바라보았다.

"숨기지 말자."

"뭐라고?"

대공이 놀라 눈을 뜬 채 되물었다.

아벨라는 그런 반응에도 아랑곳 않고, 크게 입을 벌려 다시 또박또박 대답했다.

"차라리 보여 주자고요. 나는 바보인 척을 그만두고, 얘도 화상 환자인 척을 그만두고요. 화려하고 당당하게 우리가 가진 걸 다 보여 주자고요."

아벨라가 똑바로 고개를 돌려 펠리체를 바라보았다.

"사람들은 화제성 있는 사람들과 대화하는 걸 좋아해. 게다가 나는 예쁘고."

아벨라가 펠리체의 얼굴로 손을 가져다대었다. 검지와 중지 두 손가락으로 펠리체의 턱을 매만지다, 슬쩍 들어올렸다. 아벨라의 얼굴이 짓궂게 변했다.

"넌 잘생겼잖아."

"어?…… 그, 그래 고맙……."

아벨라는 귓불이 붉어진 펠리체는 아랑곳 않고 확신으로 가득 차 말을 이었다.

"사람들은 잘난 얼굴에 약하단 말이야. 예쁘고 잘생긴 사람이 하는 말은 무슨 말인지 몰라도 일단 듣는다고."

아벨라는 눈을 빛내며 단언했다.

"빼도 박도 못할 증거까지 손에 들어왔으니 아주 좋은 기회야. 황궁엔 제국제 당일에 귀환하고, 넌 하루 먼저 황제를 만나. 매일 밤 날다람쥐처럼 이곳저곳 쏘다녔으니 이번에도 그렇게 할 수 있잖아. 황제에게 한발 먼저 생존을 알리고, 제국제 때 샬롯을 제거하겠다는 뜻을 전해."

"좋은 생각이다. 차라리 정면 대응하는 게 상책이다."

대공이 고개를 끄덕였다.

"펠리체, 네 연회복을 몇 벌이나 맞췄지?"

"세 벌입니다."

"그는 네가 붕대를 감았을 때 맞춘 옷이니, 새로 맞춰야 하겠구나. 자식 둘을 한꺼번에 사교계에 내보내는 기분인걸."

대공이 희미하게 웃으며 테이블을 짚었다.

"그래, 어디 해 보자꾸나."

–2권에서 계속–

백치 아벨라 1

초판 인쇄 2019년 2월 20일
초판 발행 2019년 2월 28일

지은이 박승아
펴낸이 신현호
편집부장 예숙영
편집 박상희 이영조
편집디자인 한방울
영업 · 관리 김민원 조인희
물류 이순우 최준혁 박찬수

펴낸곳 ㈜디앤씨미디어
출판등록 2002년 5월 1일 제117-90-51792호
주소 서울시 구로구 디지털로 26길 111 JnK디지털타워 503호
대표전화 (02)333-2513 팩스 (02)333-2514
전자우편 dncbooks@dncmedia.co.kr
디앤씨북스 블로그 http://blog.naver.com/dncbooks

ISBN 979-11-264-4605-6 (04810)
ISBN 979-11-264-4604-9 (세트)